黑龙江省精品图书出版工程项目

船用核反应堆运行管理

主编　张大发
主审　张金麟

哈尔滨工程大学出版社

内 容 简 介

本书着重船用特点方面,以典型的船用压水堆为背景,论述了核反应堆的运行管理及其技术问题。本书的主要内容有船用核动力装置的特点以及核反应堆运行管理的任务;船用核反应堆的启动运行及其启动中的运行安全问题;船用核反应堆的功率运行、稳定工况和改变工况运行的过渡特性、运行中装置的强迫循环与自然循环相互转换的过渡特性及运行安全问题;核反应堆的停堆及其停堆后的运行安全问题;船用反应堆异常运行工况、主要事故工况的现象、过程及处理;船用反应堆装置系统的主要设备的运行管理问题;核安全管理中的技术问题、核安全文化、运行人员培训与管理等问题。

本书是高等学校船用核反应堆工程专业、运行管理专业的通用教材(建议教学时数为 40 学时,根据培养目标的不同,内容可以适当删减),同时可以作为从事核反应堆运行管理、核工程相关专业等科技人员的参考书。

图书在版编目(CIP)数据

船用核反应堆运行管理/张大发主编. —哈尔滨:
哈尔滨工程大学出版社,2016.8(2023.7 重印)
ISBN 978 - 7 - 5661 - 1368 - 9

Ⅰ.①船…　Ⅱ.①张…　Ⅲ.①船舶推进堆
Ⅳ.①U664.151

中国版本图书馆 CIP 数据核字(2016)第 219180 号

选题策划　　石　岭
责任编辑　　石　岭
封面设计　　语墨弘源

出版发行　哈尔滨工程大学出版社
社　　　址　哈尔滨市南岗区南通大街 145 号
邮政编码　150001
发行电话　0451 - 82519328
传　　真　0451 - 82519699
经　　销　新华书店
印　　刷　黑龙江天宇印务有限公司
开　　本　787mm×960mm　1/16
印　　张　19.25
字　　数　418 千字
版　　次　2016 年 8 月第 1 版
印　　次　2023 年 7 月第 2 次印刷
定　　价　48.00 元
http://www.hrbeupress.com
E-mail:heupress@hrbeu.edu.cn

前　言

　　船用核反应堆运行管理是一门涉及多种学科、技术复杂、安全性要求高、船用独立性很强的综合工程技术。核反应堆的研究、设计、建造、运行、维修、管理、退役都是反应堆科学技术中不可缺少的几个环节。而运行管理则客观实现把核能转为动能的极为重要的过程。反应堆运行管理过程中产生许多物理、热工水力等一系列技术问题。如何加强运行管理已成为发展船用、陆用核反应堆技术中的现实问题，引起了世界各国的重视。

　　本书着重从船用特点方面，以典型的船用压水堆为背景，论述了船用核反应堆的运行管理及其技术问题，着重对船用核反应堆运行与管理中发生的或可能遇到的一些基本技术问题加以分析和总结，使之系统化，以用于指导实践。教材的主要内容有：船用核动力装置的发展、特点以及船用核反应堆运行管理的任务及其核安全问题；船用核反应堆的启动、次临界、临界、超临界的过渡特性及其启动中的安全问题；论述船用核反应堆的功率运行的特征、稳定工况的参数监督、变工况的过渡特性分析、功率区运行中装置的强迫循环与自然循环相互转换的过渡特性及安全问题；论述反应堆的停堆及其停堆后的安全问题；简述了常见船用反应堆主要事故的现象、过程及处理；叙述了船用反应堆装置系统的主要设备（压力容器、蒸汽发生器、主泵、稳压器、主要阀门）的运行及其相关技术管理问题；叙述了核动力装置在核安全管理中的技术问题、核安全法规、核安全文化、运行人员培训与管理等问题。本书的特色在于突出船用核反应堆运行管理中的技术问题。

　　本书是高等学校船用核反应堆工程专业、运行管理专业的通用教材（建议教学时数为 40 学时，根据培养目标的不同，内容可以适当删除），同时可以作为从事核反应堆运行管理等科技人员的参考书。

　　本教材由海军工程大学张大发教授主编。海军工程大学毛景荣、张龙飞、陆古兵、陈登科等同志参加了第 3 章、第 4 章、第 6 章的相关章节的编写。

　　本书由中国工程院院士张金麟主审。

　　在教材编写过程中得到了哈尔滨工程大学阎昌琪教授，清华大学贾宝山教授、郑福裕教授的指导和帮助,同时得到了王金福、卞孟龙、李洪海等高工的技术支持和帮助,在此一并表示衷心的感谢!

　　《船用核反应堆运行管理》教材涉及学科多,加之编者学识水平有限,书中难免有不妥之处,恳切希望使用本教材的高等院校师生及各研究、设计和生产单位的广大读者、专家学者给予批评和指正。

编　者

2016 年 5 月

目　录

第1章 绪 论

核反应堆的研究、设计、建造、运行管理、退役是发展反应堆科学技术中的几个不可缺少的环节,而反应堆的运行管理则是其中的一个极为重要的过程。它直接体现把核能转化为动能的现实。对于已建成的反应堆,运行与管理的好坏直接关系到核反应堆装置最优性能的发挥。同时核反应堆装置的经济性、安全性、可靠性,都要通过在役期间的运行与管理得以实现。因此,研究和加强核反应堆的运行与管理已是发展核动力技术过程中的一个重要的环节。

船用核反应堆的运行与管理和陆用反应堆运行与管理相比,又具有特殊的要求。首先船用核反应堆的工作场所一般远离陆地,独立在海上航行,装备、器材、技术、后援等的不足对运行与管理提出了更高的要求。另外,由于船用的特点,离靠码头、改变航速、频繁地改变功率等决定了船用核反应堆的机动性能。这就要求船用核反应堆运行与管理人员具有熟练的专业技能。再加上船用核反应堆运行与管理比常规船用动力装置更具有高温高压、强放射性的特点,这给运行管理又增加了难度。因此研究和学习船用核反应堆的运行与管理经验,是提高核动力舰船的航行能力,加强船用核反应堆运行安全的基本保证。本章就船用动力装置的发展,船用核动力装置的基本组成、特点和船用核反应堆运行管理任务及其核安全问题作以概述。

1.1 舰船核动力应用与发展

1.1.1 概述

以核反应堆为能源的动力装置称为核动力装置。核动力装置主要用于发电和推进动力,一般用于推进动力的核动力装置,往往也称作可移动核动力。可移动核动力大多用于舰船、飞机、航天等领域。

舰艇动力装置是为提供舰艇航行动力、保证舰艇操纵、保障舰艇安全、维持舰员生活、保护海洋环境等需要所设置的机械、设备和系统的总称。如果不是从功用的角度,而是从能量的角度来看舰艇动力装置,则它的本义是舰艇上各种形式能量(热能、机械能、电能等)的产生、转换、传输、分配的机械、设备和系统的总称。

　　目前,世界上可移动核动力主要用于舰船上,其他如飞机、航天等领域的可移动核动力的应用尚处在研究阶段。

　　船用动力装置按其使用的能源一般分为两大类:一类为应用常规能源(如煤、油等)作为动力的称为常规动力装置,另一类应用核能作为动力的称为核动力装置,而用于动力或直接发电的反应堆,也称为动力堆。

　　由于核能在一定程度上已成为当今的重要能源之一,因此核电站以及核舰船等可移动核动力装置发展迅速,近年来尤其如此。自1954年第一艘以压水堆为动力的核潜艇建成以后,军用舰艇动力堆发展很快,相继建成了许多攻击型核潜艇、弹道导弹核潜艇和核动力航空母舰。

　　根据不同的用途可移动核动力可以有不同的分法。按照反应堆的不同要求、用途和反应堆所用的材料不同,可以把可移动核动力反应堆设计成不同的形式。其一般分类方法如下:

　　(1)船舶推进用堆——利用核裂变能,作为船舶推进动力的反应堆;

　　(2)飞机推进用堆——利用核裂变能,作为飞机推进动力的反应堆;

　　(3)火箭推进用堆——利用核裂变能,作为火箭推进动力的反应堆;

　　(4)海洋潜水器用堆——利用核裂变能,作为潜水器推进动力的反应堆。

　　船舶核动力装置是以原子核反应堆作为推进动力的船舶动力装置,它包括核动力反应堆和为产生功率推动船舶前进所必需的有关设备,以及为提供装置正常运行、保证对人员健康和安全不会造成特别危害的那些需要的结构、部件和系统。

　　用于可移动核动力的堆型有多种,但大多应用压水堆堆型。从第一艘核潜艇建成后,压水堆有了迅速的发展。目前已建成的核潜艇大都使用轻水堆,而且从目前运行、建造或订货中的核电站数量来看,压水堆占大多数,是当前最受重视的堆型。

　　压水堆的燃料元件通常为棒状,由低浓缩 UO_2 陶瓷燃料做成的芯块封装在金属锆合金包壳内而制成。铀的浓缩度一般为2%~3%,或略高些。水为慢化剂,还兼作冷却剂。冷却水从堆芯流过时将热量导出堆外,使蒸汽发生器(二次侧)产生蒸汽,再由二回路把蒸汽导入汽轮机发电或直接做功。水的慢化性能以及导热性能都比较好,但对中子的吸收概率也较大,所以轻水堆必须采用低浓缩铀为燃料。为了把反应堆的出口水温提高到300 ℃左右而不致沸腾,必须把压力提高到14~16 MPa左右,并需要有一个耐受高压的容器即压力容器来放置堆芯,故这种堆称为加压水慢化冷却反应堆,简称压水堆(PWR)。船用压水堆组成结构如图1.1所示。

　　压水堆主要优点是结构紧凑、体积小、功率密度(即堆芯单位体积所产生的功率)高;单堆电功率大,例如可达1 500 MW;平均燃耗也较深(反应堆到工作寿期终了,每吨铀或其他核燃料平均释放的能量称为燃耗深度);建造周期短,造价便宜;而且因采用多道屏障,放射性裂变产物不易外逸,加之具有水的温度反应性负效应,所以比较安全可靠。压水堆的主

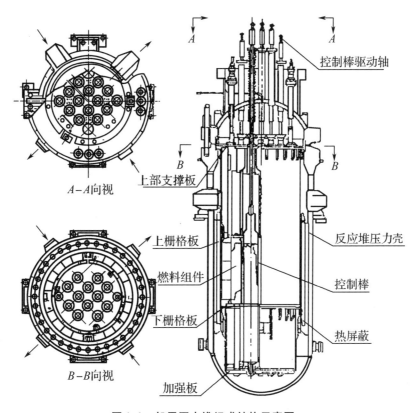

控制棒驱动轴

上部支撑板

上栅格板

燃料组件

下栅格板

反应堆压力壳

控制棒

热屏蔽

加强板

*A—A*向视

*B—B*向视

图 1.1　船用压水堆组成结构示意图

要缺点是水的沸点不高,提高热工参数受到一定的限制,热效率相对较低;压力容器制造要求较高;设备比较复杂;此外,与以天然铀为燃料的堆型相比,它还需要铀同位素分离、浓缩铀元件制造、化学后处理等规模较大的配套工厂。但总地来说,压水堆的各种工艺都已比较成熟。自 1954 年第一座潜艇动力堆建成至 1979 年,在这 25 年之中压水堆经过了从军用到民用、从舰船到陆用的发展过程,其经济性、安全性等各方面的指标都有了许多改进,20世纪 70 年代实现了标准化与系列化,各方面都已比较成熟。按电站堆的主要技术指标特别是单堆电功率大小,压水堆大约可分成以下四代:

　　(1)第一代,单堆总电功率在 300 MW 以下,如美国 1961 年开始发电的扬基·罗等;

　　(2)第二代,单堆总电功率在 600 MW 左右,如美国 1968 年投入运行的哈达姆海峡电站堆,输出总电功率为 600 MW;德国 1972 年正式运行的施塔德 KKS(Stade KKS)电站堆,输出总电功率为 662 MW;

　　(3)第三代,单堆输出总电功率在 900 MW 左右,如 1972 年开始发电的美国齐翁电站

堆,净电功率为 1 050 MW;

（4）第四代,单堆输出总电功率在 1 200 MW 左右,如 1976 年建成的德国比布利斯核电站,净电功率为 1 182 MW;1990 年以后,单堆输出总电功率已达 1 500 MW。

从四代压水堆几个主要技术指标(或称技术参数)的比较可知,除了堆的热功率随电功率的增加而增加外,各主要技术指标也都随着电功率的增加而有所改进。

（1）电站净效率。即电站输出电功率与反应堆热功率之比,它与发电成本密切相关。第一代的效率大致在 28.5%,到第二、三代已提高到 31% ~ 32%,第四代则约为 33%。

（2）功率密度。即堆芯每升体积中所释放的热功率。扬基·罗的最大功率密度为 90.1 kW/L,而萨拉姆 1 号堆已提高到 101.3 kW/L。

（3）比功率。即每千克燃料所产生的实际热功率。第一代扬基·罗为 28.9 kW/kg,但齐翁 1 电站堆已提高到 37.6 kW/kg。

（4）燃耗深度。即到反应堆寿期末了每吨铀或其他燃料装载量平均所释放的总能量。燃耗能否进一步加深很大程度上要取决于燃料元件辐照下的稳定性。而加深燃耗对于降低燃料成本关系密切。第一代扬基·罗为 14 200 MW·d/t,到了第三、四代,则已分别加深到 21 800 MW·d/t 及 32 500 MW·d/t 了。

（5）堆的进/出口温度。第一代扬基·罗堆的进/出口温度为 263 ℃/286 ℃,第四代比布利斯堆为 290 ℃/324 ℃。与第一代相比,第四代进口温度提高了 27 ℃,出口温度提高了 38 ℃。

1.1.2　船用核动力工程技术的应用特色

船用核动力分为军用核动力和民用核动力两类,无论是军用还是民用其关键都是主动力利用核裂变产生能源的核动力装置,核动力装置的核心是核反应堆。核反应堆中原子核裂变所产生的热能通过一回路中的冷却剂带走,在蒸汽发生器中将该热能传递给二回路中的水,所产生的高温、高压蒸汽用来驱动蒸汽轮机,经减速后带动螺旋桨工作。

舰船使用核动力具有突出的优点:速度快、续航力大(一般主要受人员及生活供给的限制)、核燃料的质量与整个装置的质量比例低,提高了船舶的有效载荷。对于水下潜艇,核动力反应堆不需要大量空气就可以长期在海底航行。但是船用核动力与陆地核电厂装置相比,具有其特殊性。由于舰船的空间和质量有限,为提高船舶的有效载荷、航速和机动性能,要求核动力装置体积小而轻,动力设备布置紧凑。同时因舰船长期在海洋环境中工作,所以要求核动力系统、设备、操纵机构等能在摇摆、冲击和振动条件下稳定可靠地工作。另外,船用核动力与陆地动力装置相比,由于舰船的机动性特点,动力装置需频繁地改变功率,且航行中运行工况变化也较大,同时由于舰船上工作人员活动场所较小,运行条件恶劣,给整个运行管理增加了难度。此外,舰船在海洋上可能会遭到碰撞、触礁、着火、爆炸等意外事件,为保证在沉没事故下不发生核污染事故,舰船核动力必须设置有效的安全防护措施,确保核安全。由于舰艇动力装置在使用上与陆用动力装置有很大区别,因此对舰艇动力装置的战术技术性能的要求有些特殊的考虑。除要满足功率大、尺寸小、质量轻、经济性好、抗冲击、可靠性高、寿命长、易于操作、便于维修等基本要求外,舰艇动力装置还要充分保证舰艇快速性、操纵性、机动性、隐蔽性、生命力等性能的正常发挥。

核舰船的优点之一就是装载的核燃料少,可提供给船舶很大的续航力,对于增加船吨位和提高船舶航速来说,其经济上的优越性也是十分重大的。一艘大型的 73 550 kW(10 万轴马力)的快速舰船,全速航行 1 h,大约要消耗 35 t 燃油,但是该船采用压水型反应堆的核动力推进装置,1 h 仅需消耗 17 克铀 – 235 核燃料。为了保证能每小时净消耗掉这个质量,按目前船用反应堆存在的核装料不均匀、燃耗比较浅、需要尽量一次多装料等现实技术水平考虑,参照日本"陆奥"号核动力船装料标准来推算,若该船全速航行一年,以 9 000 h 计,它所携带的核燃料二氧化铀,最多也只需 27.5 t,其中铀 – 235 含量约 970 kg。这样,与船舶 9 000 h 满功率航行的燃油消耗量相比,核燃料二氧化铀的装载量只是燃油的 1/11400。除了有很长的续航力这个优点以外,由于核反应不是燃烧反应,因此核燃料"燃烧"就不需要氧气供应,省去了过去要不断地为推进船舶前进的动力装置输送氧气的操作,这对于核动力潜艇来讲,是又一个极为可贵的突出优点。核动力装置作为船舶推进动力的另一优点是功率比较大,在要求船舶具有较高的平均航速和较大的续航力情况下,由于功率大、耗用燃料少,使得核动力装置在核燃料的供应、核燃料的运输和核燃料的装载量等方面,也获得了极为突出的长处。核动力装置与锅炉蒸汽轮机动力装置相比较,其运行特性较为稳定,且易于控制,其负荷跟踪特性也比较好。压水堆核动力装置本身所固有的特殊的负温度效应的自调节特性,能够使反应堆装置可以较迅速地随着汽轮机进汽阀开度变化而自动跟踪调节,这一特点增大了核动力装置的操纵机动性能,对于核动力装置的控制是十分有利的。

船用核动力与常规船用动力相比具有以下明显的特征。

(1)强放射性

核动力反应堆在核裂变释放巨大能量的同时,伴随着大量放射性物质的生成,在产生的裂变产物中,有容易从二氧化铀芯块中逸出的稀有气体氪(Kr)、氙(Xe)及易溶于水的卤族同位素,并有堆内积累的裂变产物和放射性,从而给人们对核动力装置的运行、维修、管理带来极大的困难。

(2)高温高压水

对于压水型核动力装置而言,反应堆一回路系统内储存有大量的高温高压水,这些水中带有数量不可忽视的放射性物质。一旦反应堆及其一回路系统管道破裂或设备故障,将会使大量高温水从破口喷射出来进入堆舱,迅速汽化。更为严重的是,冷却剂不断流失使燃料元件露出水面而得不到冷却,导致其逐渐熔化。在一回路系统中,无论冷却剂温度变化或容积波动都会引起一回路系统压力的相应变化。压力过高将导致系统、设备损坏;压力过低则使堆芯局部沸腾,甚至出现容积沸腾。因此,既要防止超压,又要防止压力过低造成冷却剂汽化。

(3)衰变热

核动力反应堆停闭后,堆芯内中子链式裂变反应虽然中止,但是积累的裂变产物及俘获产物继续发射β和γ射线,这些射线在与周围物质的相互作用时迅速转化为热能,这就是衰变热。如不及时移出衰变热,将会引起堆芯过热和燃料元件包壳破损,导致裂变产物的释放。这些是常规动力所没有的,给管理带来了特殊问题。

另外,核动力设备与一般动力设备相比,还具有以下几个特点:①一回路系统的主要设备带有放射性,给日常管理和维修带来困难;②要求有较高的安全可靠性,以确保动力装置的安全;③核动力装置中的每个设备都是动力系统统一的、连续性的过程,任一设备、环节中出现异常都将影响动力装置的运行,因此要求设备管理应具有较强的系统性、连续性和协调性。

1.1.3　舰船动力与核动力装置

船用动力装置按其使用的能源不同一般分为两大类:一类为应用常规能源(如煤、油等)作为动力的称为常规动力装置,另一类应用核能作为动力的称为核动力装置。但是船用动力装置往往以推进装置的类型进行分类。推进装置的特点一般体现在动力装置的类型、动力传递方式、推进器种类三个方面。由不同类型的动力装置、不同形式的传动方式和不同类型的推进器进行合理组合,可组成多种形式的推进装置。在这些推进装置中,动力是核心。因此,根据动力装置形式的不同来划分更具有普遍意义。舰船动力按主机能量的热工转换方式来分类,可将动力装置分成蒸汽轮机动力装置、燃气轮机动力装置、柴油机动力装置和核动力装置四种基本类型。

1. 船用蒸汽动力装置

根据主机运动方式的不同,蒸汽动力装置有往复式蒸汽机和汽轮机两种。往复式蒸汽机最早应用于海船。由于它具有结构简单、运转可靠、管理方便等优点,在过去很长的一段时期内占据着统治地位。但由于其经济性差,尺寸、质量大,不能适应机组功率增长的需要,现在已经被其他船用发动机所代替。回转式汽轮机自19世纪末问世并装船使用以来,由于受到柴油机的挑战,发展一直比较缓慢。这种发动机运转平稳,摩擦、磨损较少,振动、噪声较轻,但热效率低,要配置质量、尺寸较大的锅炉、冷凝器、减速齿轮装置以及其他辅助机械,因此装置的总质量和尺寸均较大,这就限制了它在中小船舶中的应用。然而最近十几年来,由于回转式汽轮机发展了系列化、通用化和简单化的装置,降低了造价,提高了蒸汽初始参数,采用中间过热和废热充分回收利用系统,大幅度降低了燃油消耗率;解决了繁重的锅炉水垢清洗问题;采用低螺旋桨转速等一系列措施,再加上这种装置对燃料适应性好的优点,故应用范围有所扩大。不少资料表明,在功率超过 22 000 kW 和船速超过 20 kn 时,汽轮机动力装置比柴油机动力装置更为优越。蒸汽动力装置组成原理如图 1.2 所示。

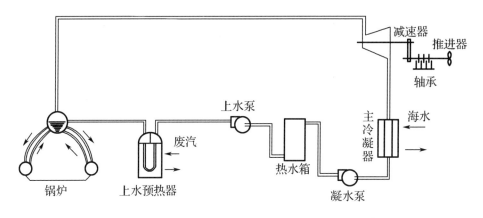

图 1.2　蒸汽动力装置组成原理图

2. 船用柴油机动力装置

柴油机不仅是热效率最高的一种热机,而且还具有启动迅速、安全可靠、装置的质量较轻、功率范围大(从几千瓦至数万千瓦)等一系列优点,因此船舶主机及发电机副机现在多用这种发动机。船舶以柴油机动力装置占绝对优势的状况,在今后一个相当长的时间内还将继续下去。在中、大型民用船舶上所使用的柴油机有大型低速和大功率中速两大类。这两种柴油机在激烈竞争的同时又互相促进,都在迅速地发展着。大型低速柴油机动力装置自 20 世纪 60 年代起发展得特别迅速。一方面是由于当时船舶向大型化、高速化发展,需要大功率的发动机;另一方面由于废气涡轮增压技术的进步,可燃用更低质的燃料,降低了比油耗,为大型低速机发展提供了可能。20 世纪 70 年代两次能源危机的冲击和相继出现的航运事业不景气,从节能需要出发,船舶已不再向大型化和高速化方向发展,除专业化船舶外,一般货船的航速都降至 14 kn 左右。为了适应这种形势,大型低速柴油机的尺度不但不再增加,而且缸径也都回到 1 000 mm 以内,并出现了缸径只有 260 mm 的低速机。从 20 世纪 70 年代末至今围绕着节能这一中心,大型低速柴油机的结构不断改进,大体每隔两年就推出一种新机型。可以认为,降低耗油率、提高经济性仍然是今后发展的方向之一。船用柴油机动力装置组成原理如图 1.3 所示。

3. 船用燃气轮机动力装置

燃气轮机动力装置是 20 世纪 30 年代燃气轮机开始兴盛以后发展起来的,第一批作为商船主机出现在 20 世纪 50 年代。它的优点是单位质量和尺寸小、机动性高、操纵管理简便、便于实现自动化。但它的经济性差、进排气管道大、机舱布置困难、装置较复杂、叶片及燃气发生器在高温高压状态下工作、寿命较短。船用燃气轮机动力装置组成原理如图1.4所示。

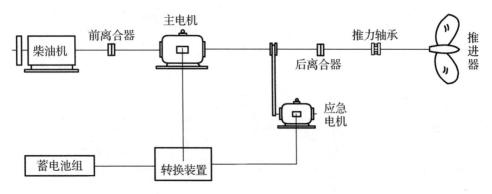

图 1.3　船用柴油机动力装置组成原理图

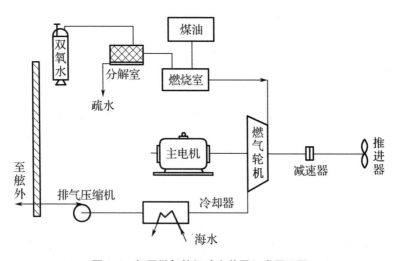

图 1.4　船用燃气轮机动力装置组成原理图

4. 船用核动力装置

利用核裂变产生能源的动力装置称为核动力装置,核动力装置的核心是核反应堆。船用核动力装置的特点是速度快、续航力大、核燃料的装载质量少、机动性强。根据其用途船用核动力装置一般可分为两类:一类为民用核动力船舶,如原子能破冰船、核动力客商船和海洋考查船等,这些民用船舶上的核动力装置与陆上核电厂压水堆动力装置基本相似;另一类为军用核动力舰船,如核动力航空母舰、巡洋舰、潜水艇等。无论民用还是军用船舶核动力装置,它们的工作原理是一样的,即通过核燃料的核裂变产生能量,经蒸汽发生器产生蒸汽推动汽轮机做功,进而驱动推进器工作。

　　船用核动力装置(压水型)一般由反应堆、一回路系统、二回路系统、电力系统、推进轴系几大部分组成。典型的船舶压水型动力装置组成原理与布置如图 1.5、图 1.6、图 1.7所示。

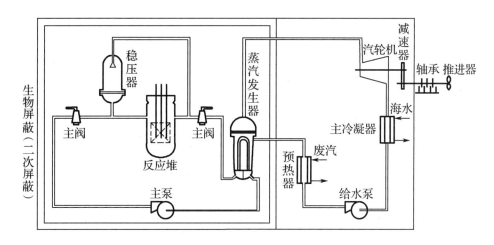

图 1.5　典型核动力船舶动力系统组成原理图

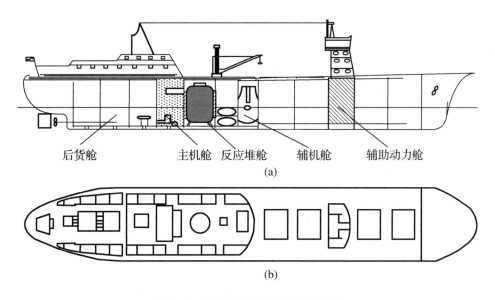

图 1.6　典型核动力船舶舱室布置图

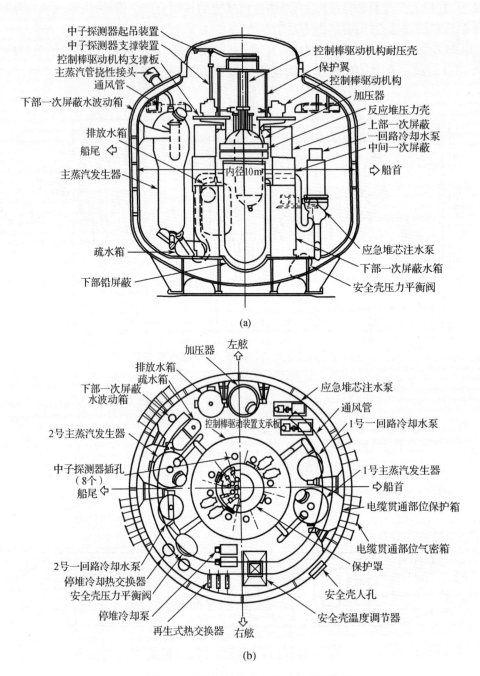

(a)

(b)

图 1.7　典型船舶核动力堆舱布置示意图

（1）反应堆、一回路系统（核岛）

反应堆、一回路系统是利用反应堆核燃料裂变放出的热,产生蒸汽的装置。船舶压水堆动力装置通常是单堆两条环路(三条环路等)的配置形式,即一回路系统是由完全相同的,各自独立且相互对称、平行而并联在反应堆压力壳接管上的密闭环路。其中每一条环路都是由一台蒸汽发生器,两台反应堆冷却剂泵,反应堆进、出口接管处的各一只冷却剂隔离阀和连接这些设备的主回路冷却剂管道组成。兼作反应堆慢化剂和冷却剂的高温、高压水,在反应堆冷却剂泵的驱动下,流经反应堆堆芯,吸收了核燃料裂变放出的热能后,强迫出堆,流经蒸汽发生器,通过蒸汽发生器的大量 U 形传热管壁面,把热量尽可能多地传到 U 形管外侧的二回路系统的蒸汽发生器给水,然后流回反应堆冷却剂泵,再重新被送进反应堆,吸收堆芯核燃料持续释放出的热能,再出堆,如此循环往复,构成了放射性的密闭循环回路。为了维持反应堆安全可靠的工作,一回路系统还包括一些必须设置的辅助系统。如为了稳定和限制一回路系统冷却剂压力波动,而设有稳压器的压力安全和压力卸放系统,这个系统通过波动管将稳压器底部接于反应堆出口的热管段上,通过波动管,冷却剂可以自由地从主回路涌入稳压器,或从稳压器返回主回路中。在堆的入口冷管段上,引出一个能够改变和调节流量的喷雾管接在稳压器顶部喷嘴上,以喷射主回路中冷管段内的冷却剂。在实际装置中,稳压器是跨接在一回路系统的两条环路之间的,即稳压器的波动管接在一条环路的堆出口热管段上,稳压器的喷雾管接在平行的另一条环路的堆入口冷管段上。稳压器的顶部还装有为回路超压起保护作用的电磁卸压阀和机械式弹簧安全阀。装置正常运行时,在系统的工作压力超过整定的设计压力的上限时,压力传感系统自动开启稳压器顶部的雾化喷嘴的压力控制阀,则主回路冷管段内的冷却剂在反应堆进、出口的自身压差作用下,喷射到稳压器的上部蒸汽空间内,由于部分蒸汽冷凝,使得回路系统逐渐恢复到正常压力限值。如果因负荷的急骤变化,或是因出现了某种事故工况而造成系统压力骤然上升,使稳压器喷雾流量开度达到最大值时仍不足以抵消稳压器压力的持续上升,则作为系统第二级超压保护的卸压阀,此时将自动开启而释放掉部分稳压器的饱和蒸汽。若压力仍不见回跌,且继续上升并达到作为系统第三级超压保护的机械式弹簧安全阀自动起跳的压力整定值时,则此阀的阀头跳起进行全排量的卸压而最终限制系统的超压,之后阀头回座,维持主回路内工作压力在一新的低水平上,从而保护了一回路系统、设备不致遭受损坏。除此之外,一回路的辅助系统还包括冷却剂净化系统,危急冷却系统,化学停堆系统,设备冷却水系统,补给水系统,取样分析系统,去污清洗系统,安全注射和安全喷淋系统,放射性废物、废液、废气的收集和处理系统等。

（2）二回路系统（常规岛）

二回路系统是将蒸汽的热能转换为机械能或电能的装置。二回路系统主要是由蒸汽轮机、主冷凝器、冷凝水泵、给水加热器、除氧器、给水泵、循环水泵、中间汽水分离器和相应的阀门、管道组成。二回路系统的蒸汽发生器给水,通过蒸汽发生器大量 U 形管的管壁,吸收了一回路高温、高压水从反应堆载来的热量后,在蒸汽发生器里蒸发形成饱和蒸汽,蒸汽从蒸汽发生器顶部出口通过主蒸汽管,流进蒸汽轮机的主汽门和调节汽门,然后进入汽轮机高压汽缸,推动叶轮做功后自高压缸出来的蒸汽流经中间汽水分离器,提高干度后的蒸汽再进入汽轮机低压缸,驱动低压轮机做功后的乏汽,全部排入位于低压缸下的主冷凝器,通过冷凝器的传热管壁,乏汽经过循环冷却水的冷却后凝结成水,冷凝水经除盐处理后由冷凝水泵驱动进入低压加热器加热,再到除氧器加热除氧,而后经给水泵送到高压加热器再加热,再提高温度后重新返回蒸汽发生器,作为蒸汽发生器给水再进行上述循环。冷凝水如果在冷凝器的热阱中通过其他措施能够进行有效除氧时,则可省去单置的除氧器,从而简化了二回路系统设备。另外,为了减小或者节省大容量循环水泵的功耗,在船舶航行过程中,当船舶航速超过某一定值而使舷外水流相对速度构成的自然循环流速能满足冷凝器原循环水泵的送流速度和所需的循环水流量时,则可以停闭循环水泵而采用冷凝器的自流工作。舷外水自流进入冷凝器以冷却冷凝器中的乏汽,使之凝结成冷凝水。从船舶用途或是从船舶核动力装置性能考虑,主机一般采用饱和蒸汽轮机齿轮机组,如美国的核潜艇就是这样。但也可以采用饱和蒸汽轮机发电机组,如法国的核潜艇就是这样。将蒸汽轮机齿轮机组改换成蒸汽轮机发电机组时,需配合采用电力推进装置,这样可以降低潜艇航行小齿轮机组发出的噪音,有利于提高核潜艇的隐蔽性和增大自身水声声呐系统的作用距离,但是动力装置的质量和尺寸都将因此而有所增加,其结果是相应地降低了核潜艇的航速。对于特殊使命的船舶,如原子破冰船,则当然需要采用电力推进装置进行工作。同样,为了维持饱和蒸汽轮机的安全正常运行,二回路系统也设有若干辅助系统,如主蒸汽排放系统、汽轮机再热及抽汽系统、冷凝水、给水系统、润滑油系统、水化学处理系统等。

（3）电力系统

电力系统由船用电站和配电网络及设备组成。电力系统配电网络可分为交直流主配电网络、交直流 220 V 配电网络,以及交流 400 Hz 中频配电网络。

在正常运行工况时,船用电力系统主要由两台汽轮发电机组提供电能。在出现异常工况（如反应堆故障、汽轮机发电机组故障等）时,可由交流机组、蓄电池组以及柴油发电机组供电。

（4）轴系

轴系是将饱和蒸汽轮机齿轮机组的机械能或者是将饱和蒸汽轮机发电机组的电能传递给螺旋桨,以推进船舶前进的装置。按船舶设置的螺旋桨个数,轴系相应地可分为单轴系、双轴系和多轴系三种。船舶采用轴系的多少由船舶种类决定。为了不致因一次破损事故而损失 100% 的船舶推进功率,船舶采用两个以上的轴系是比较好的,但是核潜艇,尤其是水滴形艇体的核潜艇因要适宜水下高航速所需线型而要求的单轴系则是另外一回事。为了简化结构和尽量少地减少推力与降低航速,布置单轴系船时常使动力装置轴线与船体基线（或龙骨线）平行,但有时也难免和双轴系船一样,很少能满足无倾斜角的要求。无论何种轴系,主要都是由主机机组以后的中间轴、推力轴(或统称主轴)和螺旋桨轴(又称尾轴),以及设置在这些轴上的各种轴承(包括推力轴承和支持轴承)、离合器等设备组成的。

1.1.4 民用核动力船

1."列宁"号破冰船

前苏联第一艘核动力"列宁"号破冰船于 1957 年 12 月下水,次年投入使用。它的核动力装置由三套独立的核动力回路系统组成。每套有一座压水堆、两台汽轮发电机、四台冷却剂泵、两台应急循环泵和一台稳压器组成。反应堆冷却剂工作压力为 20.265 MPa。蒸汽发生器出口压力为 2.93 MPa,蒸汽温度为 310 ℃。图 1.8 和图 1.9 中示出了"列宁"号反应堆舱布置图和"列宁"号核动力回路系统。动力装置总质量约 3 017 t,反应堆、蒸汽发生器和冷却剂泵等一回路主系统设备安装在厚度为 300 ~ 420 mm 的生物屏蔽层密封舱内。

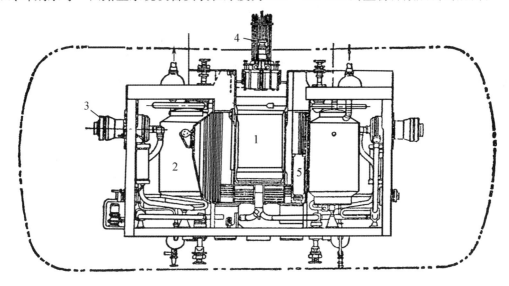

图 1.8 "列宁"号反应堆堆舱布置图

1—反应堆,2—蒸汽发生器,3—主泵,4—控制棒驱动机构,5—稳压器

2."萨瓦娜"号核动力客货船

第一艘核动力客货船"萨瓦娜"号于 1959 年 7 月下水。"萨瓦娜"号动力装置由两部分组成:主动力是核能动力,采用单轴蒸汽轮机,额定功率为 14.71 MW;辅助动力装置采用三台柴油发电机。

核动力装置是由一座反应堆(见图 1.10)及两台蒸汽轮机组成。一回路采用两个并联环路,每条环路上设有一台蒸汽发生器、两台冷却剂泵。两条环路共用一套容积补偿系统,系统足以补偿一回路压力和容积波动。一回路系统和设备紧凑布置在安全容器内,容器外表面覆有钢板和聚乙烯屏蔽层,底部用混凝土作屏蔽层,总重约 1 800 t。

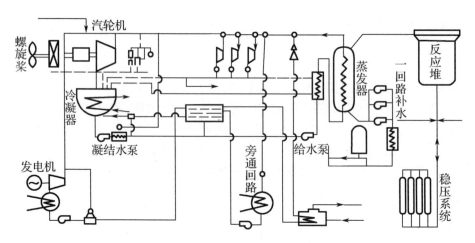

图 1.9 "列宁"号核动力系统图

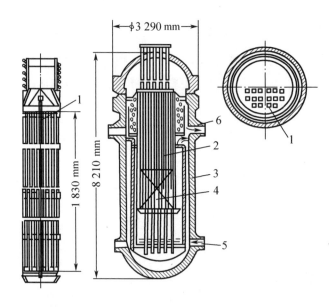

图 1.10 "萨瓦娜"号核动力反应堆结构原理图

1—核燃料元件,2—控制棒,3—压力容器,4—堆芯,5—进口管,6—出口管

3. "奥托·哈恩"核动力研究船

德国建造的"奥托·哈恩"号核动力研究船是前苏联"列宁"号、美国"萨瓦娜"号以后世界上第三艘核动力商船。该船于 1963 年到 1968 年期间建造,是一艘运载矿砂的散装货船。造价 1 400 万美元,载货量 14 000 t,主动力装置功率 8 091 kW(11 000 轴马力),建造该船的主要目的是用作船舶核动力研究,以便从技术上和实践上取得发展核动力商船的经验。

"奥托·哈恩"号船采用改进型压水堆(FDR),即一体化压水堆(见图 1.11)系统作为推进动力装置,FDR 反应堆是 CNSG－1 型一体化压水堆的改进设计。该船从 1968 年 8 月反应堆首次达到临界起至 1972 年 10 月第一次换装活性区止,完成了 80 次货运与研究性航行,共航行了 250 000 n mile,访问了 15 个国家。

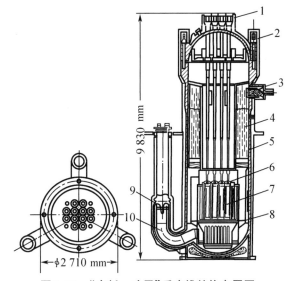

图 1.11　"奥托·哈恩"反应堆结构布置图

1—控制棒传动机构;2—保温层;3—蒸汽发生器出口管;4—蒸汽发生器传热管;5—压力壳;
6—控制棒束;7—燃料组件;8—堆内构件;9—循环泵;10—双套管路

该船于 1963 年 9 月 17 日铺设龙骨,1964 年 7 月 13 日下水,以 1938 年最初发现核分裂的德国原子物理学家奥托·哈恩的姓名为该船命名。

"奥托·哈恩"号船就商业用途而言是不经济的,所以该船的设计建造主要是用作船舶核动力研究。该船舶及其动力推进系统具有良好的性能,超过了建造和使用部门预先提出的要求。

"奥托·哈恩"号核动力研究船是作为矿砂船(散装货船)设计的,但由于该船拥有众多科学研究人员,所以还需按客船标准进行设计。"奥托·哈恩"号核动力研究船的主要性能如下:

总长	172 m	总载重	16 870 t
垂线间长	157 m	净载重吨数	7 257 t

船宽	23.40 m	额定功率	10 000 轴马力
型深	14.50 m	最大功率	11 000 轴马力
吃水	9.20 m	航速(近似值)	17 kn
压载舱容积	14 278 m³	应急航速	8.5 kn
排水量(海水)	25 812 t	船员(包括培训人员)	61 人
载重量	14 200 t	研究人员和来宾	35 人

4."陆奥"号核动力试验船

日本第一艘核动力船"陆奥"号(见图 1.12),是继前苏联的"列宁"号核动力破冰船、美国的"萨瓦娜"号核商船、德国的"奥托·哈恩"号核动力客货舱之后世界上第四艘非军用核动力船。建造第一艘核动力船,乃是日本"核动力研制发展计划"中的特别研制计划,即所谓"国家计划"中的首项计划。随着第一项"国家计划"的确定,"日本原子力船开发事业团"也于 1963 年 8 月应运而生。1967 年 11 月"日本原子力船开发事业团"分别与"石川岛播磨重工业株式会社"和"三菱原子力工业株式会社"签订了建造船体部分和反应堆部分的合同。

1968 年 11 月开工建造,并于 1969 年 6 月 12 日成功下水,并将该船命名为"陆奥"号,于 1970 年 7 月完成了船体的建造工程并交船。1971 年 11 月三菱重工业公司研制的 36 000 kW 的压水堆及有关设备安装上船,全船于 1972 年全部竣工,后因遭到陆奥市当地人民的反对,迫使试航拖至 1974 年才正式启用。

该船的全船试航是 1974 年 8 月末至 9 月初在日本青森县以东 800 km 的洋面进行的。9 月 1 日,在功率提升试验中发生了射线泄漏事故。经有关专家鉴定,其泄漏的原因是由于快中子穿过压力容器和一次屏蔽的缝隙而造成的。由于这一事故的发生,致使该船搁置,最终成为世界上唯一建成而没有投入运营的核动力船。

"陆奥"号船的主要技术参数如下:

总长	约 130 m
垂线间长	116 m
水线长	119 m
型宽	19 m
型深	13.2 m
设计满载吃水	6.9 m
设计满载排水量	约 10 400 t
试航航速	17 kn
航速(满载状态)	约 16.5 kn
辅助推进航速	约 10 kn
核动力续航距离	约 145 000 n mile

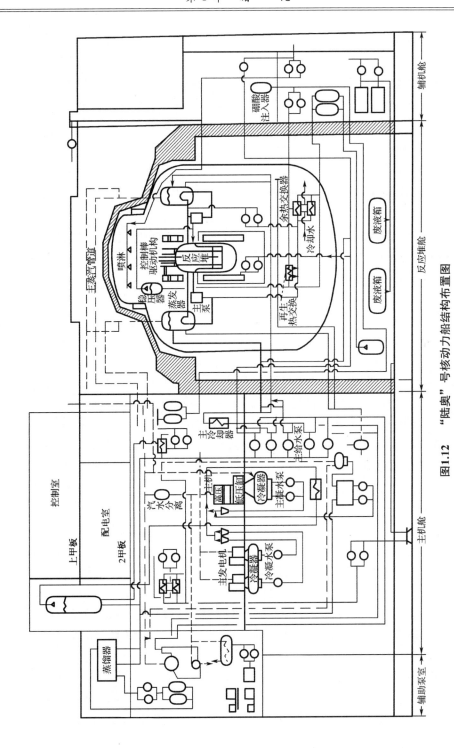

图1.12 "陆奥"号核动力船结构布置图

1.1.5　军用核动力舰船

军用核动力舰船是先进国家海军兵力的重要组成部分,也是核大国核威慑力量的重要支柱。军用核动力舰船包括核动力潜艇、核动力航空母舰和核动力巡洋舰等。

1. 核动力潜艇

潜艇是一种能在水下活动和作战的舰艇。早在 17 世纪 20 年代,荷兰发明家德雷贝尔就用木材和牛皮制造出了世界上第一艘潜艇。在 1775—1783 年进行的美国独立战争的海战中,潜艇第一次作为进攻性武器被使用。但直到 19 世纪 80 年代才出现以蒸汽为动力的潜艇。

第一次世界大战中,潜艇开始成为海军作战的重要武器,德国用它袭击商船。但那时的潜艇水面排水量一般不超过 1 000 t,水面航行时用柴油机推进,水下用电动机推进,水下航速约 10 kn;艇上装备有鱼雷和 1～2 门中口径舰炮。在第二次世界大战中,活跃于各大洋的潜艇屡建战功,著名的有德国的Ⅵ型、U 型和美国的"小鲨鱼"级、"魟鱼"级潜艇。日本还造出了伊 - 201 级快速潜艇和伊 - 400 级特大型潜艇(3 500 t)。最令人瞩目的是出现了柴油机通气管装置,它可使潜艇使用柴油机在潜望镜深度活动,这样水下动力蓄电池充电时就不易被发现。但那时潜艇的潜航时间仍然十分有限,只有数小时。

第二次世界大战后,美国率先着手研制核动力潜艇。1954 年,世界上第一台核动力装置(压水堆)安装在美国"鹦鹉螺"号潜艇上,它在水下能以高速长时间地在极大范围内活动,因此被称为第一艘真正意义上的潜艇。后来美国海军把核动力装置与先进的水滴形艇型结合,建造了核潜艇(水下航速 30 kn 以上)。1960 年美国建造了第一艘战略导弹核潜艇,它能在水下潜航数月、发射远程核导弹而无须浮出水面。1959 年,前苏联建成第一艘核潜艇,并成为第二次世界大战后核潜艇最多的国家。随后,英国、法国相继建造了核潜艇。

(1)世界上第一艘核动力潜艇

1952 年 6 月 14 日,世界上第一艘核动力潜艇"鹦鹉螺"号在美国格罗顿举行铺设龙骨的仪式。1953 年 3 月 30 日美国当地时间 11 时 17 分,陆上模拟堆热中子反应堆达到了临界状态,6 月 25 日,核动力装置达到了满功率,并完成了持续 4 天 4 夜的满功率运转试验,这标志着这艘核潜艇已经具备了以不间断的全速横渡大西洋的能力。

1954 年 1 月 21 日,人类第一艘核动力潜艇"鹦鹉螺"号在上万名观众的欢呼声中下水。经过努力,"鹦鹉螺"号在这年年底全部竣工。1955 年 1 月 17 日,"鹦鹉螺"号进行了首次试航,人类历史上第一艘核潜艇正式开始畅游大洋。

"鹦鹉螺"号核动力潜艇采用压水型反应堆,该堆从 1954 年 1 月 21 日下水到 1957 年 4 月更换第一个反应堆活性区为止,"鹦鹉螺"号总航程达 62 526 n mile,仅消耗了几千克铀。而常规潜艇要是以同样速度航行同样距离,将会消耗大约 8 000 t 燃油。

(2)水下巨艇——"俄亥俄"级核动力弹道导弹潜艇

第二次世界大战后,美国海军共发展了四代核动力弹道导弹潜艇。目前在役数量最多、最为先进的是第四代"俄亥俄"级,它构成了美国海基战略核威慑的主力。由于该级潜艇吨位大,采用了高性能核反应堆、先进电子设备和多种降噪措施,特别是装备了昂贵的"三叉戟"导弹,因此堪称为世界潜艇之王。

"俄亥俄"级潜艇长 170.7 m,宽 12.8 m,吃水 10.8 m;长宽比是 13.3:1,为拉长的水滴形艇型,非常有利于水中航行;采用了一座功率大、寿命长的 S8G 自然循环压水反应堆,总功率 44 MW(6 万马力),使水下排水量虽重达 18 750 t,水下航速仍可达到 25 kn。由于采用了高强度钢艇壳,其下潜深度可达 400 m。

潜艇的中部两舷各有 12 具巨大的导弹垂直发射筒,可以发射 24 枚当今世界上最具威力的"三叉戟"–Ⅱ型弹道导弹。

"俄亥俄"级潜艇是世界上在航率最高的潜艇,在航率可达 65% ~ 70%。

(3)世界上最小的核动力攻击潜艇——"红宝石"

"红宝石"是当今世界上最小的核动力攻击潜艇。别看个头小,该级艇却融汇了诸多先进的核动力推进技术之所长,装备了不少世界一流的武器装备,所以具有非常独特的性能和相当的攻击威力。

"红宝石"核动力攻击潜艇长 72 m,宽 7.6 m,吃水 6.4 m;水面排水量 2 385 t,水下排水量 2 670 t。如此轻吨位、小尺寸的核动力攻击潜艇,具有小艇的优势,它可在活动空间小、情况复杂、声波传播条件差等海域灵活自如地活动,大显身手。这种压水堆具有结构紧凑、系统简单、体积小、质量轻,便于安装调试,可提高轴功率等一系列优点,并且有助于在反应堆一回路间采用自然循环冷却方式,降低潜艇的辐射噪声。

这级潜艇装备了先进的声呐和火控系统,艇上还装有"飞鱼"SM-39 潜舰导弹,能从 50 km 以外的水下隐蔽发射,对敌舰实施突然攻击。据称,它还装备其他新型反舰、反潜武器。

"红宝石"级核动力攻击潜艇的最大下潜深度 300 m,最大航速 25 kn。从上述性能和武器装载量等因素来看,"红宝石"与大中型核动力攻击型潜艇相比尚有一定差距,但其机动性、隐蔽性和经济性等方面却又令其他艇自叹不如。

(4)核潜艇之王——"台风"级弹道导弹核潜艇

俄罗斯是目前世界上拥有核动力弹道导弹潜艇最多的国家,有 DⅠ ~ DⅣ级、Y 级和"台风"级,现服役总数几十艘。其中"台风"级吸收了前苏联 20 多年来发展核动力弹道导弹潜艇的经验,代表了当代核动力弹道导弹潜艇的先进水平,是目前世界上吨位最大的潜艇。

"台风"级艇型极大,长 170 m,宽 25 m,吃水 13 m;水下排水量 26 500 t;动力装置采用 2 座 330 MW ~ 360 MW 压水核反应堆和 2 台蒸汽轮机,轴功率约 5 880 kW;水上航速 19 kn,水下航速 26 kn;潜深 300 m。与美国"俄亥俄"级潜艇相比,其水下排水量增大 40%,但艇长大致相等,艇宽几乎大一倍,长宽比约为 7∶1,这种粗短的流线型使之水下航行阻力较小。

该级艇的艇体结构很特别,其耐压壳体呈品字形,由上面一个耐压壳体和下面两个耐压壳体(直径 8.5 m)组成,内外壳之间沿艇舷有 4~5 m 的间隔,使内壳不易受损伤,且储备的浮力占水下排水量的 33%。为了减低噪音,除艇内部采取很多消音措施外,还在艇外表面采取了减少流水孔、铺设(厚度为 150 mm)等措施。此外,在设计时注重提高艇的破冰力,使之具有突破北极 3 m 厚的冰层上浮的能力。最值得一提的是,该级艇的弹道导弹舱置于指挥台围壳的前部,而不是传统的艇艉,更利于导弹的连续发射。

(4)"奥斯卡"级飞航导弹核潜艇

"库尔斯克"号属俄罗斯最大的一型飞航导弹核潜艇"奥斯卡"级,是其飞航导弹核潜艇的最后一级,俄海军将其定为水下一级核巡洋舰。该级共有两型,北约命名为"奥斯卡Ⅰ"型和"奥斯卡Ⅱ"型;而俄国人则称其为"花岗岩"型和"安泰"型,设计编号为 949 和 949A。

"奥斯卡Ⅰ"型于 1980 年 12 月服役,现均已退役。"奥斯卡Ⅱ"型现有多艘在役。首艇 K-148 于 1982 年开工,1986 年服役,最后一艘 K-530 艇于 1999 年开工。每一艘"奥斯卡"级的潜艇都用一个俄罗斯的城市名称命名。K-141 艇就是失事潜艇"库尔斯克"号,1994 年下水,1995 年 1 月服役。

动力装置:共有 2 座 OK-650B 型反应堆(各为 190 MW);2 台汽轮机,主汽轮机减速箱为 OK-9 型;双桨,72MW(9.8 万马力);有 2 台涡轮发电机组,每台功率 3 200 kW,另有 2 台 Ar-190 型柴电机组和 2 台侧推装置;自给力 120 昼夜。

"奥斯卡"级是典型的俄罗斯潜艇双壳体结构。这种布置给耐压艇体内的舱室留出了空间,既有利于发射筒的布置,又有利于飞航式导弹离开发射筒后保持飞行方向。

2. 核动力航空母舰

目前世界上吨位最大、在役数量最多的一级航空母舰就是"尼米兹"级核动力航空母舰。说它大,一点也不夸张。该级航空母舰满载排水量为 9.1×10^4 t 以上,这相当于 1 100 多节装满货物的火车厢的总质量。"尼米兹"级第五艘"林肯"号由于在建造时格外加装了 6 000 吨重的装甲,因而它的满载排水量骤增到 1.02×10^5 t,成为世界上有史以来最大的一艘航空母舰。"尼米兹"级航空母舰的尺寸也相当惊人,舰长 330 m,宽 76 m,甲板面积比三个足球场面积还要大;舰体吃水 11.3 m,舰体从舰底龙骨到舰桥顶部共高 70 多米,相当于 20 余层大厦的高度。舰上动力装置采用 2 台压水反应堆,最大航速 33 kn。

"尼米兹"级航空母舰自问世以来,以打击力强、反应迅速、机动性好、兵力投送能力大,始终为美国海军和历届政府所青睐,经常作为"急先锋"被派往世界有关海区,以应付地区冲突或局部战争。海湾战争中,美国海军就曾出动了包括"尼米兹"级航空母舰在内的多艘航空母舰。目前,美国海军已有多艘"尼米兹"级航空母舰在役。

3. 核动力巡洋舰

美国曾有 8 级各种巡洋舰服役,其中除"莱希"级、"贝尔纳普"级、"提康德罗加"级三级为常规动力外,其余五级为核动力。第一级核动力巡洋舰是 1956 年着手设计的"长滩"级(Long·Beach),其舷号为 CGM-9,是世界上最早的核动力水面舰艇。该级舰只有一艘,1957 年 12 月 2 日开建,1959 年 7 月 14 日下水,1961 年 9 月 9 日就役。该期满载排水量 17 526 t,标准排水量 15 540 t,长 219.9 m,宽 22.3 m,吃水 9.1 m,装有两座 C1W 堆,布置在后机舱后部,双轴两台蒸汽轮机,轴功率约 5 880 kW,航速 30 kn。美国第二级核动力巡洋舰是舷号为 CG24-25 的"斑布里奇"级,该级也只有一艘。第三级是 CGN-35"克拉克斯顿"级,该级也是只有一艘。前苏联有一级核动力巡洋舰"基洛夫"级。首舰"基洛夫"号(Kirov)1980 年建成,第二艘"伏龙芝"(Frunze)号 1984 年建成,是前苏联第一代核动力水面舰艇。

1.1.6 舰船核动力发展

核动力装置之所以在大型水面舰船和大型潜艇上得以广泛使用,是由于其只需消耗极少的核燃料即可获得巨大的能量,故核动力舰艇在大功率情况下仍具有很大的续航力,而且不需经常添加燃料(如一艘核动力航空母舰可以航行 10 年而不必添加燃料)。又由于核反应不需消耗空气,这使潜艇在水下长期航行成为可能,极大地提高了潜艇的隐蔽性和水下战斗性能,得到了各国的重视,舰船核动力正进一步得到发展。且各国按照自己的国情发展本国的舰船核动力,就核潜艇而言,美、俄、法、英等国都在竞争中发展。

1. 美国潜艇核动力发展概况

美国潜艇核动力的发展,基本上是在西屋公司和通用电气公司两大企业之间的竞争中发展的。由西屋公司(WH)设计和主承包的是 SW 系列,该系列包括一座陆上模式堆 S1W,及其在此基础上开发出的 S2W,S3W,S4W,S5W,S5Wa,S5W-Ⅱ,S6W 等装艇堆。由通用电气公司(GE)设计和主承包的是 SG 系列,该系列包括 S1G,S3G,S5G,S7G,S8G 六座陆上模式堆和 S2G,S4G,S5G,S6G,S8G,S9G 等装艇堆。由燃烧工程公司设计和主承包的是 SC 系列,该系列只建造了一座陆上模式堆 S1C 和一座装艇堆 S2C,没有再建后续堆。

美国潜艇核动力的主要特点如下:

(1)压水反应堆成为美国潜艇核动力的唯一堆型,并在发展中不断改进和创新,带动了世界压水动力堆的迅猛发展,使之成为当今世界各种动力堆中的主流堆型。

(2)核动力装置的自然循环能力是固有安全性好的标志,而且更重要的是可以消除主循环泵所产生的噪音,提高核潜艇的隐蔽性。美国从 1961 年开始研制自然循环压水堆 S5G,建造了一座陆上模式堆,此后又开发出功率更大的自然循环压水堆 S6G,S8G,并装备了"洛杉矶"级攻击型核潜艇及"俄亥俄"级弹道导弹核潜艇。

（3）功率规模不断增大。SW 系列中 S1W 和 S2W 的热功率为 60 MW,可提供 11 MW（1.5 万马力）的轴功率。发展到 S5W - Ⅱ,其热功率达到了 85 MW,S6G 的热功率发展到 120 MW,可提供 26 MW（3.5 万马力）的轴功率,S8G 的热功率达到了 250 MW,可提供 44 MW（6 万马力）的轴功率。

（4）长寿命堆芯。美国潜艇核动力研究发展的方向是极力促进活性区寿命不断延长,其目标是争取与艇同寿命,使核潜艇在整个服役期内不必换料。

（5）板状燃料元件。美国潜艇核动力堆无论是 SW 系列还是 SG 系列都采用板状燃料元件,这是美国核潜艇压水型动力堆的显著特点。

2. 俄罗斯/前苏联潜艇核动力的发展概况

俄罗斯/前苏联潜艇核动力的发展大致可划分为四代。

（1）第一代核动力装置

前苏联 1950 年提出建造舰船反应堆的设想。次年开始方案论证,经研究各种不同类型的反应堆后,1953 年确定主方案为压水堆,有前途的方案为液态金属冷却堆,并分别开始研制工作。为解决压水堆核动力装置上艇的技术问题,制作了 1∶1 实尺模型,并建造了 BM-A 型陆上模式堆,热功率为 75 MW,轴功率 13 MW（1.75 万马力）,采用盘管式管外直流蒸汽发生器。首艇（N 级）1957 年装堆试航,由于燃料循环周期短,试航结束时就需要换料了。N 级定型艇采用了经设计修改的 BM-1A 型反应堆和相应的主汽轮机减速齿轮装置,并将换料周期提高了几倍。

（2）第二代核动力装置

在第一代核动力装置的基础上,第二代核动力装置采用了较大热功率的反应堆装置,热功率为 177 MW,轴功率 29 MW（4 万马力）,并改进为紧凑式分散布置,利用短管将反应堆、蒸汽发生器和主泵的水室都包容在统一的单元中,反应堆由双流程改为单流程,简化了堆内结构,反应堆型号为 BM-4 型,一回路型号分别为 OK-300,OK-350,OK-700 等,采用了螺旋管式管内直流蒸汽发生器。

（3）第三代核动力装置

第三代核动力装置是第二代反应堆的改进和完善,初步实现了通用化、模块化设计,增加了可靠性和可维修性。反应堆为半一体化压水堆（紧凑布置）,型号为 B-3,热功率为 177 ~190 MW,轴功率 29 ~33 MW（4 ~4.5 万马力）,采用了列管式直流蒸汽发生器。

（4）第四代核动力装置

俄罗斯正在建造的"北德文斯克"级攻击型核潜艇,采用了直管式高效直流蒸汽发生器的紧凑布置压水堆,是第四代反应堆。与第三代相比,结构与 Akula-Ⅱ级反应堆基本相同,安静性有了飞跃性的改进。

3. 英国潜艇核动力的发展概况

英国差不多与美国同时于 1949 年考虑应用核动力装备潜艇。并于 1958 年在购买美国 S5W 潜艇压水堆的基础上，结合本国条件改进并设计建造了陆上模式堆 PWR-1。英国通过 PWR-1 的陆上模式堆，成功研制了 A，B，Z 三型堆芯，分别装备了"勇士"级、"快速"级和"特拉法尔加"级攻击型核潜艇和"决心"级弹道导弹核潜艇。

4. 法国潜艇核动力的发展概况

法国政府于 1954 年提出建造核潜艇的计划。但由于缺乏浓缩铀而采用天然铀重水堆，后因不能满足潜艇所需的质量和尺寸及其他困难而取消。同时也否定了沸水堆和气冷堆方案，选定压水堆。后来由于美国停止供应浓缩铀而使计划受挫。法国为了发展独立的核打击力量，决定自己生产浓缩铀，以满足建造核潜艇的需要，并于 1961 年决定首先建造弹道导弹核潜艇。弹道导弹核潜艇陆上模式堆 PAT 堆于 1960 年开工，1964 年满功率运行。第一艘核潜艇"不屈"号于 1971 年服役。其余"可畏"级弹道导弹核潜艇在 1973 年至 1980 年间陆续服役。新研制的 K-15 型自然循环一体化压水堆，单堆热功率为 150 MW（每艇单堆），提供 30 MW（41 000 马力）的轴功率，比分散布置压水堆 PAT 的轴功率增大一倍多。该堆已装备于"凯旋"级弹道导弹核潜艇上。该堆也是应用于戴高乐号核动力航空母舰的动力堆。法国发展核潜艇的道路是先发展建造弹道导弹核潜艇，后发展建造攻击型核潜艇。法国攻击型核潜艇首艇于 1983 年服役，该级核潜艇为"红宝石"级，是世界上最小的核潜艇。

5. 中国潜艇核动力的发展概况

中国核潜艇是中国人集体智慧的结晶。1968 年 11 月，中国第一艘核潜艇开工建造，1970 年 12 月 26 日，中国第一艘攻击型核潜艇下水。1971 年 4 月，各系统码头调试完毕，顺利进行了四个阶段的试验。1981 年 8 月 1 日，中央军委发布命令，将我国研制建成的第一艘核潜艇命名为"长征一号"。从此，人民海军进入了拥有核潜艇的新阶段，中国成为世界上第五个拥有核潜艇的国家。

中国第一艘攻击型核潜艇的动力装置为压水型反应堆，其特点是自行设计，自行建造。

1983 年，中国第一艘弹道导弹核潜艇完成了各种试验之后，正式加入人民海军的战斗序列。1988 年 9 月 28 日，我国宣布：中国核潜艇水下发射运载火箭成功。中国核潜艇的发展，完全是为了保卫国家安全，特别是保卫海洋、领海的安全。

1.2 船用核动力装置的特点

舰船中使用核动力具有突出的优点:速度快、续航力大(一般主要受人员及生活供给的限制)、核燃料的质量与整个装置的质量比例减少,提高了船舶的有效载重量,对于水下潜艇,核动力反应堆不需要大量空气而可以长期在海底航行。但是船用核动力与陆地核电厂装置相比,具有其特殊性。由于舰船的容积和质量有限,为提高船舶的有效载重量、航速和机动性能,要求核动力装置体积小而质量轻,动力设备布置紧凑。同时因舰船长期在海洋环境中工作,要求核动力系统、设备、操纵机构等能在摇摆、冲击和振动条件下稳定可靠地工作。另外,船用核动力与陆地动力装置相比,由于舰船的机动性特点,动力装置需频繁地改变功率,且航行中运行工况变化也较大,同时由于舰船上工作人员活动场所较小,运行条件恶劣,给整个运行管理增加了难度。此外,舰船在海洋上可能会遭到碰撞、触礁、着火、爆炸等意外袭击,为保证在沉没事故下不发生核污染事故,舰船核动力必须设置有效的安全防护措施,确保核安全。

综上所述,船用核反应堆动力装置具有比一般陆地核动力装置更苛刻的要求,人们把这些要求归结为以下几个指标来衡量船用动力装置的性能特点。

1.2.1 质量指标

舰船动力装置的质量指标一般由三个因素来衡量,即相对质量、相对功率、单位质量。

相对质量(α)是指船用核动力装置本身的质量(G)相对于船的吨位(D)之比,即

$$\alpha = \frac{G}{D} \tag{1.1}$$

因此,相对质量 α 越小越好,α 越小,表明能用较轻的核动力装置来推动具有较大排水量的船舶。

相对功率(α_k)是指船舶每吨排水量(D)所发生的功率(P_e),也称为动力强度,即

$$\alpha_k = \frac{P_e}{D} \tag{1.2}$$

式(1.2)表明,相对功率 α_k 越大越好,即在同吨位下,α_k 越大越能获得较高的速度。

单位质量表示动力装置发出单位功率(P_e)所占的质量 G,即

$$g \doteq \frac{G}{P_e} \tag{1.3}$$

1.2.2 尺寸指标

船用核动力装置的尺寸指标比质量指标更为严格。因为它不可能像陆地上的核电厂那样做得足够大,而是要受到体积的限制。所以在设计船用核动力装置时,必须予以综合考虑,选出最佳设计方案。尺寸指标也包括了三个因素,即面积饱和度(k_f)、容积饱和度(k_v)和相对长度(S)。

面积饱和度(k_f)是指装置发出的有效功率(P_e)与动力舱室的横截面积(A)之比,即

$$k_f = \frac{P_e}{A} \tag{1.4}$$

容积饱和度(k_v)是指装置发出的有效功率(P_e)与整个动力舱室的容积(V)之比,即

$$k_v = \frac{P_e}{V} \tag{1.5}$$

相对长度(S)是指动力舱室的总长度(l)与全船总长度(L)之比,即

$$S = \frac{l}{L} \tag{1.6}$$

式(1.6)表明,相对长度反映了动力舱室所占全船的份额。S越大,说明动力舱室相对全船的总长度越大,故要求相对长度S要小,即动力舱室相对全船较短。

总之,船用核动力装置要求在较小的装置质量、尺寸下获得较大的功率。

1.2.3 船舶有效功率

船舶航行时,克服水、风对船体阻力所消耗的功率称为船舶有效功率,也称阻功率,它表示船舶做功能力的大小。船体阻力和船舶的线型、吃水、尺度、航速、气象条件以及航道状况等因素有关。动力装置的功率是按船舶的最大航速并考虑一定的储备后确定的。若船舶的航行速度为v_s,此航速下的动力阻力为R,则船舶有效功率P_R为

$$P_R = R \cdot v_s \tag{1.7}$$

由于在动力装置发出的有效功率变为船舶有效功率的过程中,存在着能量转换和传递损失,船与桨间也有相互影响,因此船舶有效功率仅是动力装置有效功率P_e的一部分,二者之间可用推进系数C来表示,即

$$C = \frac{P_R}{P_e} \tag{1.8}$$

推进系数是一个综合性指标,它表示了整个推进系统及船舶的全面性能,其数值随船体线型、轴系布置、传动方式、螺旋桨效率及船体上附体形式而定。在一般船舶中推进系数的数值范围如下:

①单桨船——0.70~0.80;

②双桨船——0.60~0.70。

在进行新船设计时,用下式估算出螺旋桨应发出的功率 P_P:

$$P_P = \frac{D^{\frac{2}{3}} v_s}{C_B} \tag{1.9}$$

式中　D——排水量,t;

　　　v_s——航速,kn;

　　　C_B——船型系数, $C_B = \dfrac{D_0^{\frac{2}{3}} V_0}{P_{P_0}}$,其中母型船的参数 D_0, V_0, P_{P_0} 都是已知值。

如果推进轴系的传动效率已知,便可确定出动力装置的有效功率。

1.2.4　机动性指标

船用核动力装置的机动性指标,严格说来应从三个方面衡量,即航速、续航力、机动响应。

1. 航速

目前世界上船用核动力装置的航速一般在 25 kn 以上,常规潜艇的水下最大航速为 25 kn 左右,一般的 10 多节,水下只有 2~3 kn,而核潜艇的水下航速可达 25 kn 以上,远远超过一般常规潜艇,况且常规潜艇在水下航行是以蓄电池作能源,由于蓄电池有容量的限制,一般情况都不以最大航速航行,而核潜艇则可常用高速航行,这是常规潜艇所不能比拟的。

2. 续航力

续航力是指船舶一次装载燃料后,所能连续航行的距离。由于核动力装置一次装料后具有巨大的潜在能量,这可供舰船在较长的时间内在水上航行,甚至可以环球航行,且航速也较高。目前,一般常规舰艇以 10 kn 的速度只能航行 10 000 n mile(相当于 18 500 km)。它在水下航行时是以蓄电池作能源来推进的,因此在水下若以 10 kn 的速度航行,最多只能航行 6~10 h,即 60~100 n mile,若以 2~3 kn 的低速可航行 200~300 n mile,且潜航的距离也只占总航程的 3%。而核动力潜艇的续航力却不受一次所装载的燃料的限制。长寿命的堆芯可使用 10 年以上,续航力超过 4×10^5 n mile 以上,若全部是水下全速(30 kn 左右)航行,其续航力也高达 75 000 n mile(这里主要考虑人员的耐力和给养)。同时核潜艇的动力装置不需要氧气,因而它的船体设计无须考虑水面航行的性能。现代核潜艇大多采用水滴流线型,充分利用了潜艇全部浸没在海水中物体的流体动力学特性,它在水下的适航性和航速均优于水面。目前,核潜艇的续航力的决定因素主要是舱室空气调节的技术水平和人员的体质训练及食品供给、武器的储备等问题。

基于这些特点,核潜艇已成为当今世界各国的重点发展对象。

3. 机动响应

船用核动力装置除了航速高、续航力大外,还须具有良好的机动性能,如快速升降功率的机动响应能力及正、倒车,转换时间一般为 20 s 左右,从而保证了舰船离靠码头和特殊情况时具有充分的机动性能。

1.2.5 隐蔽性

对于商用核动力船的隐蔽性主要在战争时期较为明显,由于其动力采用核燃料作为能源,因此噪音较小,相对而言不易被对方发现。而作为一种战舰,隐蔽性的要求就显得尤为重要。潜艇必须具有良好的隐蔽性,以减少自己被敌方发现的机会。噪音是影响隐蔽性的一个极其重要的因素,然而核动力装置的噪音要比常规舰艇上的柴油机运行时的噪音要小得多。不过核舰艇在航行时,动力装置排放的废物和废液往往容易带有放射性的航迹,所以我们在运行管理中要密切注意,避免给舰艇留下放射性航迹。当然舰艇核动力装置上的减速齿轮装置是舰艇上的一个重要的噪音源,另外如电动机、风机、水泵等机械也都是噪音源,应注意尽量减小不必要的噪音,以提高舰艇的隐蔽性。

1.2.6 船用核动力装置的生命力

船用核动力装置具有航速高、续航力大、机动性好的特点,然而由于核动力装置的技术复杂,系统庞大,其生命力(安全、可靠性)如何呢? 回答是肯定的,那就是具有良好的安全性和可靠性。应该说,核反应堆的运行已有半个多世纪的历史,人们已积累了丰富的经验,目前世界上船用核动力装置大都采用压水型反应堆。压水堆具有自稳自调的性能(即负温度系数),这给核舰船的安全可靠运行提供了先决条件;同时为了核舰船的安全,主回路采用左右两条对称的环路系统和两条平行的主蒸汽管道,或三环路、四环路的形式,即使在一条环路故障的情况下,也可以单环路运行,以提高动力装置的生命力;电力系统也配备了两套既独立又可以互换的电源系统,即交流汽轮发电机组组成的交流供电系统和直流柴油发电机与蓄电池组组成的直流供电系统,这两个系统又通过主变流机组、配电网路和可靠配电盘相互联系起来,使舰船不论在正常情况下,还是在故障情况下,都能获得必要的动力。另外在关键性的设备上都采用两套或两套以上的设备(一套工作,一套备用)或双重保护的安全措施,从而保证了舰船的生命力。

但核动力装置也存在着一些问题,如放射性废物的处理、核动力装置的设备维修等具有一定的局限性,同时核动力装置的造价昂贵,这些都有待于进一步改进和提高。

1.3　船用核反应堆运行工况与特点

1.3.1　运行工况种类

船用核反应堆运行工况与核电厂类似,一般分为以下几种:启动运行工况(初次启动、正常冷启动、热启动)、功率运行工况(稳定工况、变工况)、停闭运行工况(正常冷停闭、热停闭)、异常运行工况、事故工况。但与核电厂所不同的是船用动力装置需频繁的改变运行工况(尤其是靠、离码头),而核电厂运行原则上需经常保持在一定的功率上稳定运行。同时对不同的工况,船用反应堆还有不同的要求,这也是船用的特点所决定的。

1.3.2　各类运行工况的特点

1. 启动运行工况

(1)初次启动运行

反应堆初次装料(或换料)后第一次启动(包括连续停堆时间超过 14 个月以上的启动),其特点是需要检查和考核系统及设备的可靠性,校核理论计算及零功率堆上的试验数据,准确掌握堆物理性能,并确定堆的运行方案。

(2)冷启动运行工况

正常冷启动运行一般指常温下的例行启动。在这个过程中必须严格按照最佳提棒程序和温压限制图进行,重点预防短周期和超压事故。

(3)热启动运行工况

热启动运行指一回路系统的稳压器保留蒸汽汽腔状态下的启动运行,由于船用的机动性,其特点是预防在碘坑下启动和在停堆后启动时堆内碘的消失过程对堆内反应性带来的影响。

2. 功率运行工况

功率运行工况一般指反应堆的功率在 1%～100% 额定功率范围内的运行,在其过程中又分为变工况和稳定工况两种。稳定工况与核电厂相似,而变工况则是船用反应堆的一种重要运行方式。在变工况运行时尤其要监督堆内各主要参数的变化,使其在较短时间内完成预定的运行功率的任务。功率运行工况中的自然循环与强迫循环的相互转换应根据核动力装置的实际情况来进行。

3.异常工况运行

异常工况运行是指系统或设备在局部故障情况下的运行。应该说异常工况运行是确保船用动力装置生命力的一个重要手段,尤其在航行中一旦发生局部故障时(在一定的措施下)使舰船能胜利地返回目的地。该工况也是船用核动力特有的。

4.停闭运行工况

停闭运行工况分两种。一种是正常停闭(计划内的反应堆停闭至冷态),另一种是热停闭(计划内的或特殊情况下的停闭),使一回路系统保持热态,稳压器保留蒸汽汽腔。主要用于船舶的临时停泊或特殊情况。

5.事故工况

事故工况运行指的是突然或突发事故下的紧急停闭(一般说来,事故工况将危及堆的安全)。在此工况下运行,要以不扩大事故,确保动力装置的核安全为原则。

1.4　船用核反应堆运行规程

1.4.1　运行规程的类别

与核电厂相类似,船用核反应堆运行规程的类别是以与核动力装置运行直接相关的系统、设备和核动力装置的运行状态进行划分的,而每类系统、设备运行规程的分法主要从传统的专业范围考虑,而运行状态则是按当前国际惯用的压水堆核动力装置的工况分类法进行划分的,其相应的运行规程有正常运行规程、异常运行规程、事故工况运行规程、应急运行规程和极限事故处理规程等。当然正常运行规程还包括对一般性常见故障的判断与处理,而对于某些事件究竟归于异常运行规程还是应急运行规程,主要取决于事件本身的严重程度,对于核动力装置运行阶段有可能出现的个别特殊运行问题,一般以临时规程的形式加以处理。

运行规程的制定和实施,均以船用核动力装置运行安全规定为依据,接受有关部门的监督和管理,在不同的阶段和场合,按照相应的核安全法规去实施。

1.4.2　运行规程在运行管理中的地位

运行规程是核安全法规的一个重要组成部分,是安全运行的指导性文件,因此执行运行规程(一切按运行规程来办)是运行管理中必须遵循的原则。

1.5 船用核反应堆运行管理的任务

1.5.1 船用核反应堆运行管理的组织

船用核反应堆运行管理的组织较常规动力运行管理组织更为严密,因为它经常担负出海航行,独立性较强,不像陆地核电厂那样运行管理具有庞大的辅助机构,从而使运行管理的组织得力而精干,要求具有较强的技术水平,其组织配备一般由图1.13中几部分组成。

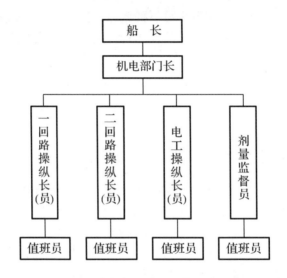

图1.13 船用核反应堆运行管理基本组织

1.5.2 船用核反应堆运行管理的任务

核反应堆运行管理工作的最基本任务是在确保核安全的前提下实现核动力装置安全、可靠、经济、高效率地运转。而对于船用核动力,任务更为艰巨,它经常远离陆地,要求具有良好的机动性和独立性,一旦发生故障能进行自停、自修、自救,使反应堆处于良好状态,完成其使命。这是船用核反应堆运行管理的重要特征。

1. 可靠

要确保动力装置服役期间能可靠地运行,满足航行和使命需要,除各系统设备能协调工作外,还要求其运行安全可靠,随时开得动。这不但要求核动力装置设备本身的质量可靠,同时还要考虑动力负荷需求与动力装置的能力匹配,另外还要留有适应负荷特殊变化的余地,同时要考虑动力设备维护、保养、检修时替换运行的备用机组。

要确保核动力装置安全可靠地运行,必须合理配备和培训一批具有高技术水平的运行管理专业技术人员。

2. 安全

要确保动力装置在服役期间内的安全运行,必须考虑和设置事故状态下的治理措施。对于船用核动力首先要确保核安全,如设置安全注射系统等,在事故情况下,采取必要的手段,使事故影响限制在最低限度。因而在运行管理工作中,对专设安全设备进行定期检查和试运转,使其保证在良好的状态是极为重要的。为确保安全,要求运行管理人员一切按操作规程办理,遇到特殊情况,可以利用专业知识理智地处理突发事件。

3. 经济

核动力设备的管理必须考虑其经济性,因此必须选择经济性最好的保养、维修方案,对不同类别设备根据其可能应设置相应的配件。对一些隐患及时处理,绝不可因小失大,造成大的经济损失。

4. 高效率

在核动力反应堆运行管理要求方面应在确保核安全的前提下具有高效率。这就要求除一般保养管理外,还必须对主设备在运行过程中加强管理,提高装置设备的效率,其方法如下:一是靠技术过硬(严格按操作规程来办);二是要不断积累经验,充分利用耳、目、鼻的作用听、看、闻,遇有异常现象及时处理,绝不能等到事故扩大或已难以处置的情况再进行处理。当然对于核动力装置的主设备一般都备有两套,即一套工作,一套备用。其目的是在一台工作故障的情况下,备用设备投入,使动力装置得以继续运行,即不至于因一台设备故障,而影响动力装置的安全运行。因此,为保证高效率,则要求对备用设备也进行细心保养,使其处于良好状态。显然动力装置的高效率又与各主要设备的利用率有密切的关系。

设备利用率(又称有效利用率),可以用于评价维修工作水平,且

$$设备利用率 = \frac{设备工作时间}{设备工作时间 + 不能工作时间} \times 100\%$$

设备不能工作时间是指设备故障停机时间加上排除故障时间。

设备故障停机率反映设备故障对运行活动的影响程度,也可用于评价维修水平,且

$$故障停机率 = \frac{故障停机时间}{实际开动时间 + 故障停机时间} \times 100\%$$

$$故障停机损失 = 产值的损失 + 故障修理费用$$

因此,船用核反应堆的运行管理,包括了运行操作、使用、维修等环节,从而对运行管理人员提出了更高的要求,无论是基础理论还是专业技术水平都必须经过严密的培训考核,

方能承担起核反应堆运行管理的职责。

复习思考题

1-1　船用核动力装置与核电厂动力装置相比有哪些特点？

1-2　简述可移动核动力的种类、特征与发展。

1-3　试述船用核动力装置的特点。

1-4　试述船用核动力装置的组成原理。

1-5　简述船用核动力的发展趋势。

1-6　试述船用核动力的机动性能指标。

1-7　核反应堆运行管理与常规动力运行管理相比具有哪些明显的特征？

1-8　船用核动力装置运行工况有哪几种，其特点各是什么？

1-9　叙述核反应堆运行规程的类别，并说明运行规程在核反应堆运行管理中的作用。

1-10　船用核反应堆运行管理的基本任务是什么？

第2章 船用核反应堆的启动运行

船用核动力装置同其他动力装置一样,在设计、安装完工后,均需经过启动阶段,才能达到额定功率的输出。船用核动力装置在交付使用后,由于其船用特点所在,需经常启动反应堆,从而使得启动工况成为船用核动力装置的一种重要工况。根据启动时的初始状态,反应堆启动一般可分为初次启动、冷启动、热启动三种情况。

2.1 初 次 启 动

初次启动是指所建成(或换料后的)的反应堆第一次启动。对于新堆或刚换料的堆,启动前虽然必须经过物理热工参数的计算,也在零功率堆上进行过各种试验,掌握了一定的物理热工性能,但由于计算中参数取舍、公式简化、零功率堆上试验条件的局限,初次启动所得出的数据往往与理论计算有很大差距。故理论计算和零功率堆试验所得的数据不能完全作为运行的依据,而只能作为初次启动运行的参考。

初次启动的目的是校核计算零功率堆上的试验数据,准确地掌握新堆的性能,确定运行方案,最后将反应堆的功率升到设计的额定功率水平。

初次启动大致有以下几个方面的工作。

2.1.1 系统检查

在核反应堆安装完毕,启动之前,首先要做的工作就是要进行系统检查,此项工作的目的是为了检查安装工作的质量,找出薄弱环节或不足之处。系统检查的重点是核反应堆的系统及所属设备。

系统检查是一项细致的工作,它既花时间,又费人力,需要做大量的工作,主要需对以下系统和设备进行检查。

1.一回路

(1)一回路主系统

通常又称主冷却剂系统,此系统需要检查的主要设备除反应堆外,还有主泵、蒸汽发生器、稳压器、主闸阀及管道等。

（2）一回路辅助系统

一般船用核反应堆的辅助系统有十多个,各辅助系统需要检查的主要设备有以下几个。

①压力安全系统:稳压器、各种阀门及管道等。

②危急冷却系统:危急冷却器、阀门管道等。

③安全注射系统:安全注射泵、阀门管道等。

④补水系统:补水冷却器、补水离子交换器、补水波动箱、补水储存箱、仪表阀门管道等。

⑤废物处理系统:废水储存箱及阀门管道等。

⑥设备冷却水系统:设备冷却水泵、设备冷却水冷却器、设备冷却水波动箱、设备冷却水进出口阀箱、缓腐剂添加箱及相应的阀门、管路和仪表等。

⑦一次屏蔽系统:屏蔽水箱、屏蔽水波动箱、阀门、管道和仪表等。

⑧净化系统:再生式热交换器、非再生式热交换器、离子交换器及阀门、管道。

⑨化学物添加系统:化学添加容器、阀门、管道和仪表。

⑩取样系统:电磁隔离阀、减压阀、安全阀、电导仪及相应的管道、阀门。

⑪化学停堆系统:主要是加硼容器及相应的管道、阀门和仪表等。

（3）测量控制系统

可分为核控和热控装置及其相关仪表,且主要是检查和校验,调整有关参数整定值。

①核控装置与仪表:功率调节系统、保护系统、低频电源、控制棒驱动机构、核测量及相关仪表等。

②热控装置与仪表:巡检装置、热工测量与控制及其相关的流量表、压力表、压差表、温度表等。

（4）其他系统

如通风空调系统、剂量防护系统等。

2.二回路

二回路主要检查主汽轮机组、发电机组、主冷凝器、主冷凝泵、给水泵、稳压器、循环泵、汽水分离器等系统及相应的仪表、阀门、管道等。此外,还有蒸汽排放系统、凝给水系统、水化学处理系统、事故给水系统等。

2.1.2　系统清洗

在核反应堆回路系统安装完毕后,反应堆未装料前,必须进行系统清洗。

核动力装置系统,特别是一回路系统必须有很高的清洁度,为此有些设备在安装中要用酸洗、擦洗等方法尽量将其清洁干净。实践表明各系统在安装过程中,即使采取了各种措施,仍可能有少量杂质和污物混入系统,它们不仅会污染工作介质,还有可能对反应堆运行带来不良的后果。所以,各系统安装完后必须进行清洗。

一回路的清洗,一般采用除盐、中性水冲洗的办法,有的如小直径管道用水流冲洗,有的需要开动水泵,部分换水,循环冲洗。冲洗时要注意压力与流量的变化,对于泵、热交换器的进出口处加装临时过滤器,再继续冲洗。为提高冲洗效率,水流速度至少应等于正常运行时的流速,如此反复,取样分析直至水质符合标准。冲洗结束后,将临时过滤器拆除。应注意的是,在系统清洗的过程中,净化离子交换器不要投入,或将其隔离。

二回路的清洗与常规蒸汽动力装置相似。

2.1.3　水压试验

对一回路辅助系统和二回路系统进行水压试验是核反应堆装置初步调试时必做的工作之一。由于这些系统的工作压力较低,所以水压试验与一般常规设备的试验相同。试验压力的选取可按常规设备试验压力标准,对系统加压后按正常程序作加压耐压、泄漏率的检查。

水压试验是指反应堆冷却剂承受高压边界范围内对设备的水压试验,试验压力一般取工作压力的 1.5 倍,或不得低于下述公式得到的 p_s(试验压力)值:

$$p_s = Kp_C \frac{\sigma_F}{\sigma_C} \tag{2.1}$$

式中　p_C——设计压力;

σ_F——试验温度下设备所用材料的许用应力;

σ_C——设计温度下设备所用材料的许用应力;

K——系数,对于锻件取 1.25,铸件取 1.5。

试验时水温应高于压力容器脆性转变温度 −80 ℃,以防止在试验时发生脆性破裂。

试验时用高压补水泵分五级逐步升压,在每一压力等级上稳定 1 min 钟,直至最后,试验压力维持 30 min。在这期间,对一回路系统的设备进行全面的检漏试验合格后,再缓慢降到设计压力,检查密封面及焊缝有无泄漏、渗水等现象,然后再逐级缓慢地卸压。如果在水压试验过程中发现有泄漏或压力不能保持,则需要降压检查、修理,再重做试验。

在一回路主系统水压试验中,要同时检查压力容器法兰内侧"O"形环的耐压密封性,观察其是否泄漏。

对反应堆压力容器的密封锁紧装置还必须检验其密封性能,也必须进行压力试验,为了检查压力容器密封锁紧装置的密封性能,必须对堆本体做水压试验。初次水压试验方法如下:假设压力容器允许的最高压力为 21.56 MPa,那么新堆的水压试验压力应为 20.58 MPa,然后用逐渐升压或卸压的方法逐渐升(卸)压进行试验,即升压时,启动补水泵打压,按 4.9 MPa,7.84 MPa,10.87 MPa,12.74 MPa,…,20.58 MPa 的压力逐渐上升,各级间的压力稳定时间为 15 min,当压力达到顶点压力 20.58 MPa 时,保持 30 min,然后开放水阀,使压力按 18.62 MPa,16.66 MPa,15.68 MPa……逐渐下降;其间压力稳定 15 min,当系统压力为设计工作压力时,要保持压力做全面的检查;检查完毕,逐级卸压,级间稳定时间为 15 min,直至降到常压。

2.1.4 系统综合调试

在进行了系统检查、系统清洗、水压试验后,就需要进行系统的综合调试,主要分为三部分。

1. 辅助系统的调试

辅助系统调试的主要项目有电气系统、供水系统、通风空调和控制监测系统等。此项工作要做大量的繁、杂、细的工作。

2. 全系统综合调试

全系统综合调试是运行前的调试,它包括反应堆冷、热试车及一些性能试验。

(1)冷态调试

冷态调试主要对冷却剂泵和主系统进行特性测试与振动测量,其内容有逐台启动与联合运转主冷却剂泵,测量电流、转速、流量、扬程及停泵后的惰转流量特性等;用差压计测量反应堆进出口的总压降、管路各分段压降、蒸汽发生器压降等;用振动仪测量设备及管道的振动频率及阻尼特性,及与其相关的一些设备性能试验。

主系统冷态试验时间不能太长,否则系统温度会因冷却剂泵做功而升高,需要采取冷却措施。

(2)热态试车

冷态试车结束后,对高压设备与管道包扎绝热保温层后按运行规程对一回路系统升温升压。

①升温升压

a. 向系统冲水并放气

首先启动一回路补水系统的补水泵向一回路系统充水,充满为止,同时相继打开各高点放气阀进行放气,直至有水溢出,关闭各放气阀停止放气。

系统充满水后,继续用补水泵对一回路系统升压,直到压力升至一定值以上时关闭补水泵,并启动设备冷却水系统使其投入运行,为启动主泵运行创造条件。

二回路系统的充水可用事故给水泵(电动泵)向蒸发器二次侧注水到一定的水位高度,如果不同时调试二回路系统,则应关闭主蒸汽管道上的隔离阀。

b. 系统预热

排气结束后,一回路系统压力增加到一定值后,启动主冷却泵并投入稳压器的电加热器预热一回路系统。

系统加热到所需温度时,由化学物添加箱向冷却剂系统加入联氨(N_2H_4),以消除溶解氧,这时除氧效果最好。在此过程中,要手操喷雾阀,使稳压器内冷却剂与回路中冷却剂混合均匀。在除氧过程中可通过改变电加热器的投入量或主冷却剂泵低速运行来维持系统温度不超过基本限值,以防止联氨分解。直至通过取样分析,确认冷却剂含量小于规定标准后,才允许系统继续加热升温。

c. 升温升压

关闭喷雾阀,将电加热器(启动组、稳态组)全部投入,使一回路升温。但升温速率要限制在一定范围内,稳压器的升温速率也要进行限制,并调节电加热器功率使稳压器中的水温高于回路水温 70 ℃左右,但不能高于 120 ℃,以避免在稳压器与一回路热管段之间的膨胀管段上出现热冲击。

当稳压器达到 220 ℃时,可用回路正常排水阀的开启来向外排水,这样在稳压器内就形成了蒸汽空间,此时应注意维持稳压器水位。

随后系统继续升温升压,最后在达到额定工况的同时,一回路水质也应达到运行标准。

②冷却剂系统热态性能试验

a. 稳压器压力与水位控制试验

稳压器控制系统置"自动"方式,通过手动改变稳压器压力调节器的控制整定值,确定控制系统的运行特性。试验时,首先接通稳压器的电加热器,使稳压器压力逐渐升高。分别记录以下参数信息:一回路压力控制系统中的电加热器断开,喷雾器开始动作到全开(喷雾流量调节阀,经校准后立即关闭),发出稳压器高压报警信号,卸压阀打开,反应堆紧急停堆等。然后将稳压器电加热器投入自动,喷雾阀投入自动,在升压与降压过程中,分别记录一回路压力调节系统中的下述特性:卸压阀回座,稳压器高压报警信号消失,电加热器接通,卸压阀联锁发出稳压器低压报警信号等,最后系统恢复正常。

通过上述试验可以校验报警信号和控制整定值,观察动作过程和响应特性;校验喷雾流量及电磁阀全开时的流量等;校验稳压器电加热器的容量;根据试验结果作出稳压器压力 - 温度控制图。

b. 冷却剂流量试验

稳压器压力控制置于自动操作方式,系统稳定在热态工况下,停止一台主冷却剂泵,检验该泵所在环路上流量二次仪表的比较器,发出低流量报警和停止一条回路运行的信号。检查主冷却剂泵失电后防反转机构的功能。然后启动停闭的主冷却剂泵,测量最大启动负荷,观察报警和停堆信号的消失过程。

c. 一回路系统热损失测定

一回路系统(包括稳压器在内)热损失根据回路的热平衡关系来测定。冷却剂温度保持不变时,一回路系统功率(主冷却剂泵加热功率与电加热器功率之和)减去蒸发器与再生

式热交换器带走的热量,即为一回路系统热损失(包括辐射热损失和泄漏损失),即

$$\sum_{i=1}^{2} P_{mi} + P_{EH} = \sum W_i c_p (T_{sG1i} - T_{sG2i}) + W_{BD} c_p (T_{BD} - T_{CH}) + Q_{rl} \qquad (2.2)$$

式中　P_{mi}——第 i 个环路主冷却剂泵加热功率,它等于泵的电功率减去冷却和损耗功率,kW;

　　　P_{EH}——稳压器电加热器功率,kW;

　　　W_i——第 i 个环路冷却剂质量流量,kg/h;

　　　c_p——冷却剂比定压热容,kJ/(kg·K);

　　　T_{sG1i}——第 i 个环路蒸汽发生器冷却剂进口温度,℃;

　　　T_{sG2i}——第 i 个环路蒸汽发生器冷却剂出口温度,℃;

　　　W_{BD}——进入再生式热交换器的净化流量,kg/h;

　　　T_{BD}——再生式热交换器的入口冷却剂温度,℃;

　　　T_{CH}——再生式热交换器的出口冷却剂温度,℃;

　　　Q_{rl}——一回路系统热损失。

在测量过程中,通过调节蒸汽发生器(蒸汽产生量)的办法,保持蒸汽发生器水位不变,建立一回路系统的稳定工况,然后分别记录下列数据:各个环路冷却剂温度和流量,再生式热交换器入口和出口的温度和流量,主冷却剂泵功率,稳压器电加热器电功率等。可通过式(2.2)算出一回路系统的热损失。

d. 冷却剂系统泄漏测定

一回路系统工况维持不变,净化系统水流量不变的情况下观察稳压器水位下降速度,计算泄漏量。

(3)汽轮机初始转动试验

汽轮机组可利用外汽源(如调试锅炉)或在一回路系统热态试验向二回路供汽时进行调试启动。如用外汽源,汽轮机组的热态调试能提前进行,可及早发现问题,但需要一套辅助的供汽设备。用一回路供汽,由于受冷却剂泵和电加热器功率的限制,只能进行短期的汽轮机转动试验。供汽方法虽不同,但汽轮机组调试启动的原则和方法是一样的。

这里介绍的是利用一回路主冷却剂泵和稳压器电加热器作为热源产生蒸汽,来转动汽轮机的试验方法,要求具备下列条件:

①一回路系统冷却剂参数处在或接近额定工况运行参数;

②电加热器和喷雾阀处在自动状态,备用电加热器处于手动控制方式;

③蒸汽发生器二次侧水位增加到水位指示仪表的95%左右,但不超过100%,防止溢入蒸汽管道;

④由蒸汽排放系统控制蒸汽压力维持在额定参数下的压力值;

⑤关闭蒸汽发生器隔离阀,停止排污。

汽轮机转动试验可按如下三个步骤进行。

第一步,暖管。在蒸汽发生器二次侧达到一定温度压力后,即可打开隔离阀的旁通阀,又称启动汽门对主蒸汽阀(又称主汽门)前的管道进行暖管,通过调节阀门的开度来控制暖管的速度。利用饱和蒸汽暖管,由于参数比较低,应注意及时疏水。暖管过程中还要进行下列操作:

①辅助蒸汽系统启动;

②先由蒸汽射流泵,再由真空泵提高冷凝器的真空度;

③预热汽轮机组的润滑回路,润滑油泵投入运行,机组进行低速(如 60 r/min)盘车,避免引起大轴变形;

④辅助蒸汽系统向汽轮机轴封供汽,并清洗轴封系统;

⑤启动凝结水泵,将蒸汽注入冷凝器,凝结水通过再循环在冷凝器中除氧。

第二步,低速暖机。蒸汽参数达到额定值后,打开主汽门和调速汽门,冲动汽轮机转子进行低速暖机。此时要严格控制进入汽轮机低压缸第一级叶轮的蒸汽温度,叶轮温度高于大轴温度的最大允许值为 70 ℃,以防止热套在大轴上的叶轮松脱。

第三步,高速暖机。增加供汽量,按生产厂规定的程序进行升速直到额定转速。在升温过程中,要测量汽轮机各轴承、转子与外缸的差胀变化及机组振动情况,尤其应注意通过临界转速时的变化。

在试验过程中,蒸发器水位降到低水位时,应立即停止试验,停止向汽轮机供汽。这时可向蒸发器添加给水,但不应太快,一般在 20 ~ 30 ℃/h 的范围内直至蒸发器水位恢复到95%左右,然后继续试验。

(4)主要试验项目及程序

全系统综合调试的主要项目及程序,如图 2.1 所示。

2.1.5 装料与临界监督

1.燃料装载

(1)装料前的准备工作

①首先要准备好合格的水源及接好所能用到的设备电源。

②检查燃料组件及控制棒组件。根据燃料的组件编号,再作目测检查,并核对其浓度。同时还要逐一检查控制棒组件、可燃毒物组件和中子源组件。

③检查压力容器。打开压力壳顶盖,取出过滤器,检查体内清洁程度。

④增设核测仪表。除原有的堆外核检测仪表外,为确保试验临界的安全,在堆芯可临时加装二至三套 BF_3 计数管装置,对首次临界试验进行监测。

⑤为保证装料工作顺利进行,并确保安全,必须对装料人员进行实地操练装料培训工作,使装料工作既保证工程质量又安全地按计划圆满完成。

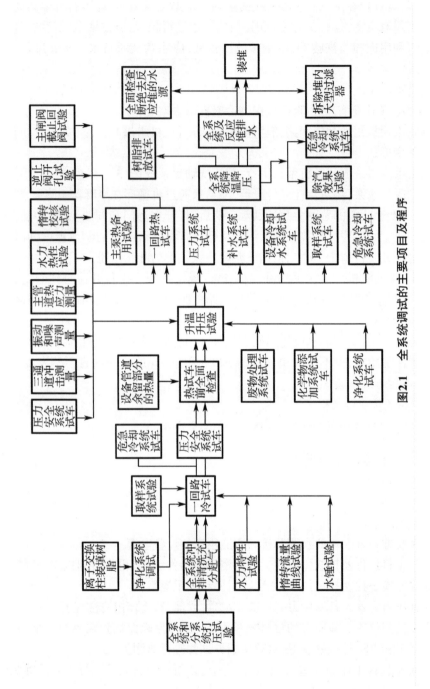

图2.1　全系统调试的主要项目及程序

（2）装料方法

目前压水堆装料的方法是采用干装料法。在向堆芯安装元件盒的过程中，要保证堆芯中无水。装料的顺序是先里层后外层，并随同元件盒一起把固定中子源装入。装好后密封压力壳顶盖及控制棒机构。

（3）安全准则

为保证初次装料的安全，在装载过程中要遵循以下准则：

①在运输和操作过程中，防止发生燃料组件的损坏及错装事故；

②在装料过程中要严防水漏到堆芯内，以避免因水而造成的超临界事故；

③当发现监测仪表工作不正常或计数率有意外的上升趋势时，应立即停止装料，待查清原因或排除故障后再继续进行装料；

④在堆顶平台上的操作人员，要严禁携带无保护措施工具，以防止物品或工具掉入压力容器内。

2. 临界监督

在燃料组件装入堆芯过程中，要进行临界监督。其方法是随着燃料组件装载数的增加，中子计数率也将增加，这样取中子计数率的倒数对应燃料组件装载数作图，便可实施对趋于临界的监督。

2.1.6　初次临界

初次启堆冷态临界的目的是校准堆性能参数，确定运行方案，为例行运行时提供各种状态下初始临界棒位，指导操纵员例行开堆的操作。初次启动具有一定的特殊性，故必须严格控制安全问题。首先在新装料的反应堆冷热试车后，使回路系统充满合格的无离子水，先不启动主泵，让仪表和控制系统投入工作确保初次启动的安全。一般必须设立附加的定标器或监测系统来监督开堆，待仪表及控制系统设备正常运转后，再以理论计算和零功率堆上试验数据为指导，开始按最佳提棒方式提升控制棒开堆，以外推临界法向临界逼近。

此时应主要监督控制棒位置指示器、堆功率水平、反应堆周期表，除此之外，还有回路温度、压力、堆舱剂量水平及其回路系统各设备运转情况等。在开堆过程中，要将反应堆周期严格控制在 $50 \sim 100$ s 以内，同时还要控制堆功率水平。一般在初次启堆过程中，断续提棒速率的选择按反应堆临界点的中子功率水平进行，在 $0.005\% \sim 0.01\%$ 的额定功率内为宜，相应的中子测量仪表放在 10^{-8} 挡为合适。换句话说，断续提棒速度不能太快，也不能太慢。若提棒太快，则达到临界位置时的中子功率水平太低，较低的中子功率水平比堆内原中子水平略高或几乎在同一数量级，则测量误差较大，容易造成操作上的困难。若提棒速率太慢，则反应堆达到临界时的中子功率水平就高，太高的中子功率水平将会引起堆芯温度的升高,并向堆内引入温度效应,同时太高的中子功率水平也会引起氙毒效应,大大影响初次启动的临界棒栅位置。要求运行人员在初次启动过程中,既谨慎又大胆,使反应堆以适当的中子通量水平逐步逼近临界。

通过冷热态临界试验,我们可得到关于临界棒位的认识,即临界棒位是随提棒条件和状态的变化而变化的。这表现为以下几个方面:

①提棒程序(条件)不同,则临界棒位就不同;

②反应堆温度状态不同,也随之会有不同的临界棒位;

③反应堆功率状态不同,则临界棒位也不同;

④燃耗时间长短不同,燃耗毒物分布不同,则临界棒位也不同。

进行临界试验操作时,所有控制棒驱动机构的工作要求正常可靠,同时禁止启动或停闭大的用电设备,防止电源波动而影响其试验工作。功率保护、周期保护装置均需投入工作。此外,还要在堆上设置专门的保护装置、剂量监测系统,并连续投入正常工作,以确保初次启动的安全。

反应堆达首次临界后,可通过零功率和有功率条件下的各种试验手段来研究反应堆的动态特性,如停堆深度的测量、卡棒规范试验,研究反应堆的可控性、温度系数的测量,研究反应堆的自稳自调性能、对自动控制棒的刻度,了解堆的调节性能,进行堆中子通量分布的测量,了解堆功率的分布情况,校核堆中子功率表以提供堆功率的正确指示等。

这些工作是为了认识反应堆装置的综合性能,为以后的安全可靠运行提供操作依据和指导。

2.1.7　测试与试验

燃料组件装完后,就要安装压力壳压紧部件、压力壳顶盖及堆顶其他部件,然后进行临界前全系统试验。试验项目主要有一回路水力特性试验、控制棒机构试验、控制棒位置指示系统试验、保护系统试验、核测仪表试验等。

根据安全准则要求,应在堆芯满流量条件下做控制棒下落时间测量试验。试验前,将源区量程的中子通量测量通道投入工作,以监视堆内反应性的变化。试验中测量每个控制棒组件从脱扣开始下落到导向管缓冲段入口的时间,要求该时间小于规定值。如果发现控制棒组件不能被控制棒驱动机构带动或落棒时间超过了规定值,就需要立即检查原因,进行检修。

主泵惰转流量试验是为了测量主泵断电后的堆内冷却剂流量的下降情况,与其有关的停堆保护信号的延迟时间、主泵惰转流量的测量,是根据离心泵的流通与叶轮转速间的线性关系求得的,即通过测定转速来求得流量:

$$W = \alpha \gamma \tag{2.3}$$

式中　α——比例常数；

　　　γ——水泵转速，r/min。

主泵断电后流量随时间变化率为

$$\frac{W(t)}{W_0} = \frac{\alpha\gamma(t)}{\alpha\gamma_0} = \frac{\gamma(t)}{\gamma_0} \tag{2.4}$$

式中　$W(t)$——t 时刻的流量，kg/h；

　　　W_0——下降前的流量，kg/h；

　　　$\gamma(t)$——t 时刻的主泵转速，r/min；

　　　γ_0——流量下降前的泵转速，r/min。

试验中要测量主泵断电后的流量下滑曲线，并要求从主泵断电到全部控制棒组件落下堆芯时间应短于流量下降到5%时的时间。

2.2　正　常　启　动

船用核动力装置的正常启动是反应堆的一般平常启动，又称为例行启动。它是指反应堆在人为的有计划的停闭或事故停闭后的启动，反应堆的正常启动又可以分为冷态启动和热态启动。反应堆停闭一段时间后，堆内处在常温常压时的启动称为反应堆的冷启动；反应堆短时停闭后，堆内具有一定温度压力时的(一般指保留蒸汽汽腔状态下)启动称为反应堆的热启动。反应堆的热启动根据停堆时间的长短又有其特殊的问题。

2.2.1　反应堆动力装置的冷启动运行

反应堆的冷启动是指具有一定停堆深度的次临界反应堆开始提棒，使之达到所需的功率水平的运行过程。这个过程反映了反应堆的状态变化，使主回路冷却剂从相对冷态(堆内的常温)升到热态(额定工作温度)，使反应堆从相对零功率上升到有功率的状态。冷启动有两种形式，一种是靠外热源(相对于不依靠反应堆内中子裂变产生的热源，而投入电加热器和主泵高速)，将反应堆主回路加热到一定温度，再提升控制棒开堆运行，这通常称为外加热启动；另一种形式是从反应堆启动的一开始就启动反应堆用其低功率运行，用反应堆核裂变产生的热量来加热主回路系统，这通常称为核加热启动。这两种方式各有其优缺点。前一种形式，启动时间长，但较为安全，后者则启动时间短，但从安全角度上将给操纵带来一定的困难，因为核加热开堆，堆内温度效应与抑制中子功率的作用不显著，故产生启动事故的概率大。当然只要运行人员有丰富的经验和谨慎的操作也完全可以克服。一般来说，在平常靠码头停泊时大都采用外热源加热启动，而在有任务或特殊情况下采用核加热启动反应堆。下面主要介绍外加热启动反应堆的程序。

1. 启动前的准备

（1）为了使反应堆、主泵、汽轮发电机组、主机及一二回路辅助系统处于能运转的状态，正常供电系统应开始供电，检查重要负载的电压是否正常，检查可靠电源在正常供电系统故障情况下能否给出电源。

（2）反应堆控制、保护系统的启动准备及其检查，主控台各开关按钮要处于正常位置。

（3）检查所有热工、物理监测仪表能否投入工作，对核测仪表、热工测量仪表进行零点检查，调整整定值，并重点检查反应堆出口流量及温度表是否完好。

（4）一回路各辅助系统处于可启动状态。化学添加系统、停堆冷却系统、安全注射系统的充水、主泵润滑系统的充油等应处于正常状态。各种阀门，如安全阀、调节阀等能够灵活开启，并要处于正常位置。

（5）剂量监测系统的检查，使其能正常投入工作。

（6）检查控制台的事故灯光信号指示灯能否正常工作，起到提示事故警告的作用。

（7）各组控制棒进行提升和下插，检查其能否达到上、下极限位置，挂棒是否灵活，能否进行刹车等。

（8）检查造水的质量是否达到运行要求。

（9）检查通风空调系统能否投入正常工作。

另外，二回路系统也要做好接受蒸汽和送回给水到蒸汽发生器的准备。如除氧给水箱充水，启动循环水泵，使冷凝器循环水侧通水，凝给水作再循环的准备工作等。

2. 系统的充水放气

系统充水放气的目的是使回路系统中不含气体，主要有以下几方面要求：

（1）主泵的电机在主泵上方，回路中若含气体，气体将自动逸到电机转子空腔中并积累，时间长了，会导致主泵轴承干摩擦，影响主泵的安全运行；

（2）若回路中有气体存在，其在堆内将会引起气泡效应，尽管很小也会影响传热的性能和反应性的变化；

（3）控制棒的磁阻马达在堆芯顶部，若回路中的气体跑到控制棒顶端的磁阻马达内，将会引起磁阻马达内腔的腐蚀；

（4）稳压器中若有气体，就会使稳压器中饱和水温度和压力一一对应的关系遭到破坏，从而影响传热性能和测量仪表的精度，因此在启动过程中，充水放气工作是很重要的。

在严格检查阀门后，将各点放水阀全部关死，打开各高点放气阀。然后开始向堆芯注水，注水时采用的是单向流动，将堆内气体向一个方向赶出。水流方向是从危急冷却器进入，经蒸汽发生器、主泵流入堆芯（注意此时堆出口的两个主阀是关闭的）。为加快速度，可以投入两台补水泵向堆芯充水。在充水过程中一回路值班员要严格注意各高点放气阀，哪一个高点放气阀冒水就说明某部分已充满水,则应关闭放气阀,直至所有的高点放气阀都冒水,则说明充水工作已经完成。为了使回路内气体充分赶尽,可以点试主泵赶气。主泵点试的时间要尽可能地短,点试时打开放气阀放气,再由补水泵补水,如此进行几次,直到把回路中的气体全部赶尽排出,则充水放气的工作就完成了。但应注意,对经常进行冷启动的反应堆可省去充水放气的过程。

3. 升温升压

准备工作完毕,充水放气工作完成后,即可对回路实施升温升压。外加热的升温升压主要是将主泵投入高速运行,将稳压器启动组全部投入。为加快升温的速度,也可将稳定运行组全部投入或局部投入。当回路温度达一定值时,停止升温,将主泵由高速切换成低速,并维持其温度,进行添加联氨的工作。因为在一定值温度下,加联氨除氧的效果最好,在此温度下能使联氨得到充分的反应,在 90 ℃以下联氨除氧的效果差,温度太高时联氨会开始分解。因此,回路在规定值范围内进行除氨最为适宜。加联氨的工作完毕后,即将主泵由低速切至高速,投入电加热器继续升温升压。在升温升压过程中,应注意以下方面。

(1)回路系统需不断进行排水的工作

在升温升压过程中,水被加热,温度升高,体积膨胀,在稳压器无汽腔时,表现为系统的压力上升,这可以用定容曲线来说明。图 2.2 表示水的比体积为 0.001 010 8 m^3/kg 时压力随温度的变化曲线。由图可以看出,温度由 50 ℃上升到 60 ℃,再上升到 70 ℃,比体积不变,则系统压力由 2.94 MPa 上升到 26.24 MPa,即温度由 50 ℃上升至 70 ℃,变化了 20 ℃,压力则变化了 23.52 MPa,这种情况类似于回路系统不排水的升温过程。如此快的

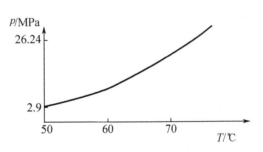

图 2.2　温度与压力关系曲线
$(\gamma = 0.001\ 010\ 8\ m^3/kg)$

上升远远超过了反应堆的额定工作压力,而温度仅上升 20 ℃,这是实际情况所不允许的。因此在升温过程中必须经常不断地排水,用间断排水来改变回路系统中水的比体积,随着回路温度的逐渐上升,系统排水的次数也越来越多,其排水量也越来越大。回路系统的排水是通过排水阀来实现的。

(2)温度压力的限制

在升温升压过程中,要严密控制升温速率,压力的上升也不能太快。这主要是由压力容器的冷脆性、管路及系统设备的热应力及设备的工作性能所决定的。

压力容器材料采用低碳合金钢,它和普通钢一样,在常温下具有很好的塑性。但随着温度的变化,钢材逐渐由塑性向脆性转变,在温度低到某一特性温度时,钢就要转变为完全

的脆性(此时塑性为零)。低碳合金钢的脆性转变温度为 −80 ~ −50 ℃左右。由于压力容器在工作寿期内,不断受到堆芯高能(快中子)中子流的辐照,使其结构材料韧性降低,脆性增加,脆性转变温度升高。脆性转变温度的升高就给压力容器带来可能发生破裂的危险。特别是此期间启(停)堆或作水压试验,若不作规定,将会造成脆性破坏的危险。另外,反应堆装置系统在升温升压的过程中,无论是压力容器还是回路与管路系统等设备都将产生一定的热应力,为防止热应力产生破坏,限制稳压器比回路温度高 40 ℃ ~90 ℃。还有系统设备的工作性能,也要求反应堆在升温升压过程限制升温升压的速率来保证系统装置的安全运行,如主泵出厂时要求其工作压力在一定的压力之上,不能低于这一压力。堆芯在高温高压下工作,一些接管处、开孔过渡段,如稳压器与回路相接的波动管等,都要求升温、降温的速率不能太快,否则也将引起应力集中而损坏装置设备等。这些都是限制的因素,图2.3为典型的温压限制图,它是根据反应堆装置的脆性和热应力、设备性能等的

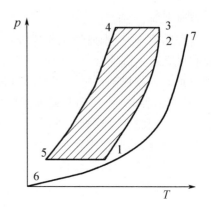

图 2.3　典型的船用压水堆温压限制图

综合性能而绘制的。图中纵坐标表示反应堆装置的工作压力,横坐标为温度,曲线 6 ~7 表示水的饱和温度与压力的对应关系曲线;曲线 1 ~2 表示反应堆出口温度比饱和线低,它所对应的压力是使堆芯不致产生水容积沸腾所允许的压力下限;曲线 4 ~5 表示反应堆出口温度比饱和线低,与之对应的压力是稳压器和主回路的波动管所允许的热应力所要求的压力上限;曲线 3 ~4 表示主回路正常工作压力;曲线 2 ~3 表示反应堆出口温度所允许的最高温度;曲线 1 ~5 表示主泵允许的最低工作压力。这个闭合曲线所围起的区域是反应堆主回路系统工作温度、压力允许运行范围的安全区域。如果主回路系统工作温度压力超过这个范围,就会产生不安全因素影响正常运行,因此不仅在升温升压中,而且在反应堆运行中也必须把温度压力限制在这个范围内。

　　在控制升温升压的同时必须注意逐步拉大稳压器与回路的温差,温差范围为稳压器比回路温度高几十摄氏度。当回路温度、稳压器温度达基本要求时,即可实施建立稳压器汽腔的操作。

　　4. 建立稳压器汽腔

　　建立稳压器汽腔的目的是维持系统稳定的工作压力。建立汽腔的条件是当稳压器升高的温度所对应的饱和蒸汽压力,满足主泵运转所允许的下限压力。

　　建立蒸汽汽腔的方法是通过对回路系统的排放水来实现的。回路系统中水体积的膨

胀引起压力变化,通过设定的电磁阀排放水来维持回路的压力。因为排放水,稳压器水位下降,上部空间形成了饱和蒸汽汽腔。建立汽腔排放水的原则是使稳压器的温度和压力成饱和状态下的对应关系,稳压器水位调节在规定的范围内,则建立汽腔工作完毕。

5. 开堆

蒸汽汽腔建立后,便可适当关闭电加热器,进行启堆操作。具体操作如下:首先按操作规程做好启堆的全面准备工作,开始投入核控设备及仪表工作,主泵高速切向低速运行,以维持冷却剂的循环,完成以上工作后,即可按最佳提棒方式开堆,以核裂变产生的热能继续对回路进行升温升压,直至达到额定的工作压力和温度。

在提升控制棒开堆前,必须明确前次停堆离这次开堆的间隔时间。这样也就可以确定这次是否在碘坑开堆的问题,同时也能估计反应堆的次临界度、中子源水平有无变化等。其次,还要明确前一次开堆时的临界棒位,以确定此时开堆的临界棒位,不得随意超过前次临界棒栅位置,当提到接近这一高度时,就应注意安全,防止事故的发生。在手动提升控制棒过程中,要严密注视源区的周期表和中子功率表的变化,使得周期在合适的范围内。在经过盲区时,更应特别小心。如果盲区使用 BF$_3$ 计数管,则仪表指示没有盲区或盲区较小。当越过盲区以后,BF$_3$ 管指示达 10^5 s^{-1},裂变室指示达到 $10^2 \sim 10^3$ s^{-1} 时,即停止提棒,功率稳定后,进堆舱解除 BF$_3$ 管的工作。如果不用 BF$_3$ 管而用裂变室时,盲区为两个数量级或更大些,这时要更加谨慎。

棒继续提升时,棒位置灯光指示器和钟表式指示器及功率表、周期表等都要有相当的反映。操纵员或监护人员可根据仪表指示判断是否达到临界或超临界状态。判断的根据是如果提棒时功率以某个周期值上升,而在停止提棒时,功率上升停止并有所下降,此时表明反应堆是处于次临界状态;若提棒功率上升,停止提棒时功率继续以某个周期上升,则表明反应堆超临界了,这时操纵员要注意下插控制棒,使之制止功率上升;若提棒时,功率以某个周期上升,停止提棒时,功率上升停止,并能保持这一功率,则说明反应堆已达到临界。

6. 提升功率带负荷

当蒸汽发生器的压力达到一定值时,可以向二回路供汽,对主管道、主辅机等进行暖管暖机,然后开始向辅机供汽。启动主冷凝器,与此同时给主机暖机,待蒸汽发生器压力稳定后,即可启动给水泵。在向二回路供汽时,必须手操控制棒进行跟踪负荷,使蒸汽发生器压力不超过规定值。其在主机启动时更应注意,否则将影响一回路温度大幅度下降,一般在此情况下用手动来操作。当堆功率达 20% ~ 30% 额定功率时,一般可投入自动。但在投入自动前,首先要选择投入自动的棒组,然后调节积分器刻度盘,使需求功率与实际堆功率大致相等,再投入自动,直至调节到所需的额定功率,转入正常的功率运行状态。

在反应堆转入功率运行时,要投入堆舱负压机工作。如果负压不能建立,应启动堆舱排风机,投入制冷机,另须调节舱室温度在 50 ℃ 以下,并维持其稳定运行。

上述介绍的是利用稳压器电加热元件和两台主冷却剂泵高速的机械功对回路实施加热,通常反应堆的启动均采用这样的方式来操纵,将反应堆加热至一定的工作温度和压力的额定参数,再启动反应堆使之达到临界,进而再提升功率达额定功率水平。这个过程大约需 20~24 h,此过程可由图 2.4 表示。

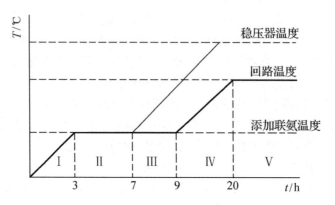

图 2.4　冷启动过程曲线示意图

I—外加热;II—加联氨降氧;III—拉大温差,建立汽腔;
IV—开堆、提升功率;V—功率运行

另一种是核加热的启动过程,与外加热不同的是,它在准备工作及充水放气工作完成后,就启动反应堆,用反应堆的低功率(一般为1%左右)加热回路。应注意的是,由于冷态下一开始就启动反应堆,开始回路温度低、温度效应不明显,因此应特别小心,谨防发生启动事故,其步骤一般为:①启动前的准备工作;②系统的充水放气;③开堆;④升温升压;⑤建立汽腔;⑥提升功率带负荷。核加热的方式比外加热方式时间短些,约需十几个小时。美国西屋公司采用核加热,其时间大致分配如下:

①利用主冷却剂泵和稳压器电加热器加热,以每小时不超过 30 ℃ 的温升速率,一回路系统升压到 2.74 MPa,稳压器达饱和温度 229 ℃,约需 6.5 h;

②稳压器疏放下泄,降低水位建立蒸汽空间,约需 2 h;

③开堆达临界,然后以 $T > 26$ s 提升到 1% N_{H} 范围,进行核加热,约需 0.5 h;

④系统升温升压到有功率工况,即压力为 15.484 MPa,出口温度 292 ℃,温升为 20 ℃/h,需 3.5 h,在此过程中,当一回路达到 200 ℃ 以上时,就可以对二回路进行暖管、暖机;

⑤达 15% N_{H} 时,投入自动控制后,反应堆以每分钟 5% N_{H} 的速率提升至满功率,约 0.5 h。

但是必须指出:核加热的操作比较复杂,且不如外加热安全,所以要根据具体情况采用不同的加热方式。

另外,在启动阶段,反应堆各辅助系统都要分别启动,加入反应堆启动运行的行列。

表 2.1 表示各辅助系统在启动运行各阶段的工况。

表 2.1　典型反应堆装置启动运行时有关辅助系统工况

系统名称	启动阶段			
	充水放气	预热	建立汽腔	升温升压
化学物添加系统	投入	投入	投入	投入
停堆冷却系统	要求投入	投入	投入	隔离
设备冷却水系统	投入	投入	投入	投入
安全注射系统	隔离	隔离	隔离	隔离
补水系统	按要求投入	隔离	隔离	隔离
主泵润滑系统	投入	投入	投入	投入
取样系统	备便	投入	按要求投入	按要求投入
疏排水系统	按要求投入	备便	备便	备便
二回路给水系统	按要求投入	隔离	按要求投入	备便

2.2.2　反应堆动力装置的热启动

所谓热启动是指一回路依靠前次停堆后的剩余功率来维持反应堆装置处于热态下(一般回路温度 200 ℃左右,稳压器有蒸汽汽腔)的启动。热启动程序较为简单,它可省去充水放气、添加联氨、升温升压、建立蒸汽汽腔等操作,而直接提升控制棒开堆,其步骤与冷启动的后三个过程基本相同。这里主要讲一下与冷启动的不同点:①了解离停堆的时间;②了解停堆前的运行功率;③了解停堆前控制棒的棒栅位置。因为了解这几点,主要是考虑此次启动是否是碘坑下的启动。碘坑下的启动属于热启动,在碘坑逐渐消失的过程中,堆芯的氙毒逐渐下降,这相当于向堆内引入正反应性,即使控制棒不动,反应性也将随时间变化而明显地增加,氙毒减少得最快的时候,就相当于引入最大的正反应性速率。不但如此,在启动过程中,还因中子通量的突然增加,毒性的消失比正常的衰减更为迅速。如果此时反应堆正处于临界,此时的情况就值得注意,若操作人员精力不集中,不采取必要的反插控制棒,则会因反应性过大而发生严重的反应性事故。如果此刻已投入自动工况,也需手操下插其他补偿棒组,使自动棒的位置保持在线性效率段。若不操其他棒组下插,会使自动棒完全到底而失去自动棒的作用,同时也补偿不了正反应性的引入,这同样也会造成反应性事故。

　　核动力船舶在码头临时停泊后的启动,需提升功率,这虽是一个特例,但它是经常使用的备航的一种重要形式。停泊时,主机功率为零,但反应堆不完全关闭。为了供给辅助发电机组工作,要有15%额定功率的输出。在这种情况下当船舶要起航时,反应堆立即提升功率,以使主机迅速投入工作。这种启动方式实质上已属于反应堆装置的功率运行的范围,只不过功率低罢了。

　　热启动的特殊问题,根据停堆后与再次启动的时间长短而决定,同时还与停堆前运行功率及在其功率上运行的时间有关。若停堆后再启动的时间大于40 h,即此时无特殊问题,只同于一般的正常热启动;若停堆后再启动的时间小于40 h,则存在一特殊问题——碘坑下的启动。

　　碘浓度的变化可由下列方程表示:

$$\frac{\mathrm{d}N_{Xe}}{\mathrm{d}t} = -N_{Xe} \cdot \sigma_{Xe}\varphi_{Xe} + \lambda_1 I + \gamma_{Xe}\Sigma_f\varphi \tag{2.5}$$

式中　　N_{Xe}——每秒每立方厘米衰变的^{135}Xe,1/s;

　　　　$\sigma_{Xe}\varphi_{Xe}$——每秒每立方厘米内^{135}Xe吸收的中子数;

　　　　$\lambda_1 I$——每秒每立方厘米内衰变的^{135}I核数,即增加的^{135}Xe的核数;

　　　　$\gamma_{Xe}\Sigma_f\varphi$——每秒每立方厘米内由裂变直接产生的^{135}Xe的核数。

　　由式(2.5)可看出,当堆功率变化到工况稳定后,φ可认为是常数,只有第一、三项在瞬变过程中是引起氙浓度继续变化的根本原因。由于^{135}I的半衰期短于^{135}Xe的半衰期(即$\lambda_1 > \lambda_{Xe}$),致使在降功率后的一段时间(约7~10 h),与降功率前的功率有关。氙的产生率大于消失率,氙浓度不断增加,最后达到极大值。接着,由于堆内中子通量的降低,碘产生率减少,氙浓度转而逐渐下降,从而稳定在新的功率水平上,从这可以看出碘坑的大小随着功率的不同而不同,如图2.5所示。一般碘坑下的启动属于热启动的范畴。

　　碘坑是反应堆从高功率向低功率过渡的一种现象,尤其对于高功率运行的反应堆,突然停堆后氙毒的最大浓度可能比平衡值要大几倍,使反应性大大下降。如果此时堆内后备反应性不足,反应堆就可能启动不了。因此,在反应堆降功率或热停堆时,必须要考虑氙毒变化的特殊情况。

　　由图2.5可以看出,在停堆后的11 h内,由于碘的衰变速度大于氙的衰变速度,因此氙的积累是主要的。这时堆内的剩余反应性下降,这称为积毒阶段,反应堆由于次临界加深而偏于安全,而停闭后11 h,碘的衰变速度与氙的衰变速度相等,氙中毒引起的反应性损失达极大值;之后由于氙的衰变速度大于碘的产生速度,反应性损失减少,即中毒的程度逐渐减小,反应性开始回升,这个阶段称为氙的"消毒"阶段。

　　从碘坑曲线可看出,碘坑首先取决于停堆时刻的碘浓度,即与停堆前反应堆的运行功率及在此功率上稳定运行的时间有关。碘坑的存在也使停堆时堆内反应性的变化复杂化。

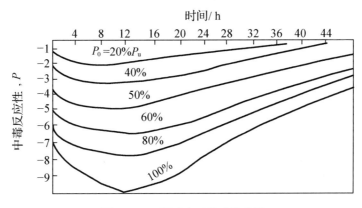

图 2.5　不同功率下的碘坑曲线

它给停闭后再启动时的操作带来一定的复杂性,具体有以下三种典型的情况。

（1）在积毒阶段启动

在积毒阶段最大碘坑出现前启堆,例如在停堆两三小时内就开堆。这是最简单的情况,这时可直接提升控制棒,按最佳程序启动开堆,使堆达临界。在提升控制棒时,应估计到反应堆随时都可能达到临界。此时应特别注意,严密监视堆功率表及周期表的变化,视情况可下插控制棒加以适当地调节。

（2）最大碘坑中的启动

如果停堆时间较长,则在最大碘坑中开堆。如果在堆寿期的后期,堆内的剩余反应性不足以抵消碘坑深度时,即使全部提起控制棒也不能使堆达临界,在所需的功率水平上运行。只有降功率运行或待最大碘坑过后再启动反应堆。另一方面,一旦反应堆启动后,随着功率的提升,堆内出现了较高的中子通量;氙毒因吸收大量中子而迅速减少,碘的生成在初期还很少,因而氙的产生十分缓慢时,氙的浓度会急剧下降,使反应性相应地上升,这时又需要及时下插控制棒,以抵消氙毒下降而释放出的反应性,抑制反应性的增加,不使反应堆的功率有急剧增加的可能。

由此可见,在最大碘坑下启动时,为消除氙毒的影响,控制棒移动的幅度大而且较频繁,操作过程也十分复杂,所以应尽量避免在这样的情况下启动反应堆。

（3）在消毒阶段启动

在最大碘坑过后的消毒阶段再启动反应堆。由于氙的自发消毒而向堆内引入反应性,所以在开堆时必须十分小心,特别要防止因引入过大的反应性而发生短周期事故。

以上是碘坑时启动的三种情况,从中可看出,在碘坑下启动时运管人员必须对堆的状态有足够的了解。这包括反应堆停堆前的功率情况及在此功率下运行时间的长短,反应堆停堆前的棒栅位置,对剩余反应性充分的估计,使其在足以大于碘坑毒性的情况下启动。另外操作时要小心,若不是特别紧急的情况,应待碘坑过后再启动反应堆。

2.3 核反应堆的最佳提棒程序

船用核反应堆频繁地改变功率是靠控制棒的移动来实现的。在前面的叙述中我们已经了解了控制棒的结构、材料、作用等,这里仅简单地介绍一下控制棒的效率和最佳提棒程序。

2.3.1 控制棒效率

控制棒的作用是向堆内提供一定量的反应性,以使堆内的自持链式反应得到有效的控制,使堆功率根据人们的需要而增加或减少。向堆内提起或插入一定量的控制棒,就是向堆内增加或减少一定量的反应性,这二者几乎是一个近似正比的关系。我们知道,控制棒的效率不是一个正比线性关系,而是一个非线性关系,主要有控制棒的积分效率和微分效率,而且计算起来也很复杂。在反应堆运行中,控制棒的效率删去了较复杂的计算,将其等效成单位长度的反应量来近似估算,以指导实际工作。

2.3.2 最佳提棒程序

最佳提升控制棒的程序是在反应堆零功率装置上所进行的临界试验得到的。控制棒是反应堆运行的一个关键性设备,开堆、停堆、功率运行、改变功率等各个环节都涉及控制棒的提升和下插的问题。控制棒的提升有很多种程序,但其中一种提棒程序最有利于中子通量的均匀分布,使堆内发热均匀。最有利于反应堆功率发挥的程序称为最佳提棒程序。最佳提棒程序的确定是根据在反应堆的有效寿期内都会得到的额定功率,同时又不至于破坏热工安全准则,尽量展平功率分布,减小不利因子,又能得到一个较均匀的燃耗分布的原则。通过物理热工计算和有关实验而选择的不同的堆型有不同的提棒程序,且不同的燃耗寿期也有不同的提棒程序。为了方便起见,这里介绍一个典型船用压水堆的控制棒的分组情况。

全部控制棒分为 A,C,E,F 四种类型,其中 A 棒是位于堆中心的单棒,其余的 C,E,F 都是组棒,分别在堆芯的里圈层、中层和外层,每个棒组又分为两个组棒,如 C 棒有 C_1,C_2,E 棒有 E_1,E_2,F 棒有 F_1,F_2,总共 6 个分组棒,其中 E_1,C_1 可作为自动棒。

一般典型压水堆的最佳提棒程序的操作原则是先提外圈棒,再提中心棒,然后再提里圈棒。具体的燃耗初期、补偿期和燃耗末期的最佳提棒程序一般根据零功率堆上所得的试验数据而定。

2.4　中 子 源 与 启 动 盲 区

船用反应堆在启动过程中,虽然有各种仪表指示、显示、监控,但还不同程度地存在着死区,且有些仪表的精度也存在着一定的误差,因此在启动过程中存在着一定的操作盲区,而操作盲区的大小又和中子源的源强有着极为密切的关系。

2.4.1　长期停堆后堆内中子源强的估算

1. 概述

一般动力装置的启动均需在一定条件下才能完成。反应堆装置的启动也是一样,应具备一定的条件才能启动。人工中子源的设立是反应堆能快速启动的首要条件。

反应堆内增设中子源的主要作用是提高堆内中子通量水平,增加仪表测量精度,为堆的安全启动提供可靠的依据,预防事故的发生;其次,在反应堆启动时起"点火"的作用。

反应堆内通常采用两种中子源,一种是放射性中子源(也称初级中子源),如 Po – Be (钋 – 铍)源等;另一种是光激中子源(也称次级中子源),如 Sb – Be(锑 – 铍)源等。前一种源按 138 d 的半衰期衰减,后一种源半衰期为 60 d,它属于再生性中子源。

当反应堆停闭后,裂变产物中的瞬发中子急剧衰减,缓发中子也以一定的稳定周期的速度衰减,而一般在 20 min 以后几乎全部消失,如图 2.6 所示。

反应堆在长期停闭后进行冷启动时,堆内所有中子仅仅只是铀核自发裂变所产生和存在于宇宙射线中的中子,其数量远远低于源量程探测器所能测定的中子水平。如果在这样的状态下,即探测器存在着探测盲区的情况下提起控制棒组件,使反应堆达临界并提升功率,这对堆是非常危险的。因此,为了消除探测盲区,提高堆内本底中子通量和初始功率水平,在堆芯内安置了人工中子源。其中,初级源 Po – Be 源是反应堆初次启动时用的,次级源 Sb – Be 源用于以后的启动,它们能在裂变产物 γ 辐射作用下,每秒放出 $10^6 \sim 10^7$ 个中子,以便堆的启动。总之增设人工中子源的目的是为了维持反应堆内核链式反应能正常有效地进行。另外,还提供一

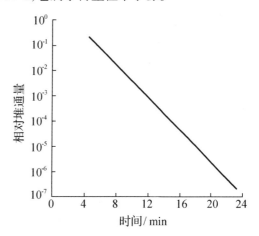

图 2.6　停堆后缓发中子产生的相对中子通量

定的中子通量给核探测仪表,以进一步提高源区的仪表精度,有助于克服操作上的盲区,保证启动的安全,便于操作运行。

2. 反应堆长期停闭后中子源强的估计

(1)Po – Be 源强度估计

钋–铍源由钋的放射性衰变发射出 α 粒子,然后 α 粒子与 Be 核进行核反应而产生自由中子。因此对中子源强度估算通常用钋的衰变 α 粒子的公式来描述,即

$$q_{\mathrm{P}} = q_{\mathrm{Po}} \mathrm{e}^{-\lambda t} \tag{2.6}$$

式中　q_{Po}——钋-铍源的最大源强,若有两个钋-铍源时,则 $q_{\mathrm{Po}} = q_{\mathrm{Po1}} + q_{\mathrm{Po2}}$;

　　　　λ——衰变常数,$\lambda = 0.005\,022$,$1/\mathrm{d}$;

　　　　t——距离出厂时间的天数。

有时也采用下面的经验公式来直接计算源强,即

$$q_{\mathrm{P}} = \frac{q_{\mathrm{Po}}}{2^{n}} \tag{2.7}$$

式中,n 为半衰期的数目。

(2)Sb – Be 源强度计算

它是由天然的锑和铍的混合物所制成的棒状物装入反应堆堆芯中。在强中子辐射场的作用下,Sb 产生 ^{124}Sb,使 ^{124}Sb 在混合物中发射 γ 射线,此 γ 射线与铍发生核反应产生中子,这种源将随时间聚集起来,形成一定的强度。所以在反应堆稳定运行时,源将聚集到一个固定饱和值,在反应堆停堆后以自己的半衰期开始衰变。可是经过每一次照射后,这种源都要恢复到它的稳定值。计算它的强度是根据运行期间被激活生成 ^{124}Sb 的生成率和它在停堆后的衰变率来进行的。这样,假设反应堆以某一功率运行 T_1 天后,停堆 T_2 天时锑-铍源的强度(单位长度上的强度)为

$$q_{i(T_1 - T_2)} = 3.61 \times 10^{-7} \cdot \varphi \cdot r_2^3 \cdot (1 - \mathrm{e}^{-\lambda T_1}) \cdot \mathrm{e}^{-\lambda T_2} \tag{2.8}$$

式中　λ——$0.011\,55$,$1/\mathrm{d}$;

　　　　r_2——铍管半径,cm;

　　　　φ——中子通量,$(\mathrm{cm}^2 \cdot \mathrm{s})^{-1}$。

假设堆内装有两个一样长度的 Sb – Be 源,其源长度为 l_1,另有两个同样长度的 Sb – Be 源,其源长度为 l_2,则共有四个 Sb – Be 源,所以其总长度 l 为

$$l = 2(l_1 + l_2) \tag{2.9}$$

Sb 管棒的半径为 r_1,它套在半径为 r_2 的管里,其中 Sb – Be 源强度为

$$q_{\mathrm{s}} = q_l \cdot l \tag{2.10}$$

堆芯中子源的总源强是 Po – Be 源和 Sb – Be 源强度之和,故有

$$q = q_{\mathrm{P}} + q_{\mathrm{s}} \tag{2.11}$$

堆芯有效体积为 V,单位体积的总源强为

$$S = q/V \tag{2.12}$$

例 2 - 1　设某堆装有两个 Po - Be 源,初始最大源强为 $0.9 \times 10^8 \ \text{s}^{-1}$ 和 $0.7 \times 10^8 \ \text{s}^{-1}$,一次启堆距新装料的时间为 1 380 d。同时又装有 6 个 Sb - Be 源,其中 4 个源长度为 20 cm,2 个源长度为 40 cm,Sb 源的衰变常数 $\lambda = 0.011\ 55(1/\text{d})$,Be 管外半径 2 cm,这次启堆前以 50% 的额定功率运行了 10 d 后,额定功率对应中子通量为 $4.0 \times 10^{13} (\text{cm}^2 \cdot \text{s})^{-1}$,连续停堆 15 个月,堆芯有效体积 $V = 2.0 \times 10^6 \ \text{cm}^3$。试计算 Po - Be 和 Sb - Be 源的总的源强和单位体积源强。

解　①Po - Be 源的源强:Po - Be 源距新源出厂日期为 1 380 d,它的半衰期为 138 d,所以有

$$n = 1\ 380 \ \text{d}/138 \ \text{d} = 10 \ \text{个半衰期}$$

根据式(2.7)有

$$q_\text{p} = \frac{q_{\text{Po}} + q_{\text{Po2}}}{2^n} = \frac{(0.9 + 0.7) \times 10^8}{2^{10}} = 1.56 \times 10^5 \ \text{s}^{-1}$$

②Sb - Be 源强:$T_1 = 10$ 天,$T_2 = 30 \times 15 = 450$ 天,X = 0.5,$r_2 = 2$ cm,那么根据式(2.8)有

$$\begin{aligned}
q_l(T_1, T_2) &= 3.67 \times 10^{-7} \times 4.0 \times 10^{13} \times 0.5 \times 2^3 \cdot (1 - e^{-0.011\ 55 \times 10}) \cdot e^{-0.011\ 55 \times 450} \\
&= 5.776 \times 10^7 \times (1 - 0.890\ 92) \times 0.005\ 530\ 373 \\
&= 5.776 \times 1.1 \times 5.530 \times 10^{-4} \times 10^7 \\
&= 3.51 \times 10^4 (\text{s} \cdot \text{cm})^{-1}
\end{aligned}$$

有 4 个 Sb - Be 源的长度为 $l_1 = 20$ cm,$4l_1 = 20 \times 4 = 80$ cm,有 2 个 Sb - Be 源的长度为

$$l_1 = 40 \ \text{cm}, l_2 = 40 \times 2 = 80 \ \text{cm}$$

$$l = 4l_1 + 2l_2 = 80 + 80 = 160 \ \text{cm}$$

根据式(2.10)有

$$q_\text{s} = q_l \cdot l = 3.51 \times 10^4 \times 1.6 \times 10^2 = 5.616 \times 10^6 \ \text{s}^{-1}$$

③总源强

$$q = q_\text{P} + q_\text{s} = 1.56 \times 10^5 + 5.616 \times 10^6 = 5.772 \times 10^6 \ \text{s}^{-1}$$

堆芯有效体积为 $V = 2.0 \times 10^6 \ \text{cm}^3$,那么体积源强为

$$S = \frac{q}{V} = \frac{5.772 \times 10^6}{2.0 \times 10^6} = 2.886 \ (\text{cm}^3 \cdot \text{s})^{-1}$$

2.4.2　反应堆启动盲区的估计

要使反应堆启动安全越过盲区,首先对盲区的大小要心中有数,它直接关系到反应堆

启动的安全。

1. 一般情况下盲区大小的估算

盲区大小是根据堆内中子源强度的大小来进行估算的，下面介绍盲区的估算方法。

停闭时的反应堆内的热中子通量由式 $\varphi = \varphi_0/(1 - k_{\text{eff}})$ 表示，具体为

$$\varphi = \frac{S l_0 v}{1 - k_{\text{eff}}} \qquad (2.13)$$

式中　l_0——一代热中子时间，s；

　　　S——中子源强度，$1/(\text{cm}^3 \cdot \text{s})$；

　　　v——热中子速度，为 2.2×10^5 cm/s 的量级。

从式（2.13）看出，源区中子通量 φ 与中子源的通量 φ_0 成正比。而 S 的大小与停闭时间的长短有关，停堆时间短，S 值越大，反之就小。

启堆前，堆内的次临界 $1 - k_{\text{eff}}$ 是一个可变的量，它与反应堆内的温度、中毒、燃耗等因素有关，因此源区通量 φ 每次启堆前都不一样。为说明盲区的大小，下面我们举两个例子。

例 2 - 2　平时启动前，假设堆内一代中子的时间 $l_0 = 4.5 \times 10^{-5}$ s，源总强度 $q = 6 \times 10^7 \text{ s}^{-1}$，$\Delta k_{\text{eff}} = 0.05$，试估算此时启动盲区有多大？

解　根据式（2.13）知堆内热中子通量为

$$\varphi = \frac{S l_0 v}{\Delta k_{\text{eff}}}$$

中子源的单位体积源强 $S = q/V$，其中，V 是堆芯有效体积，假设 $V = 2.0 \times 10^6 \text{ cm}^3$，那么

$$S = \frac{q}{V} = \frac{6 \times 10^7}{2 \times 10^6} = 30.0 \ (\text{cm}^3 \cdot \text{s})^{-1}$$

热中子速度 $v = 2.2 \times 10^5$ cm/s，这样

$$\varphi = \frac{30.0 \times 4.5 \times 10^{-5} \times 2.2 \times 10^5}{5 \times 10^{-2}} \approx 6 \times 10^3 (\text{cm}^2 \cdot \text{s})^{-1}$$

可是，核测量探头 BF_3 计数管和裂变室都布置在屏蔽水套内，从堆内泄漏到屏蔽水套中的热中子通量是堆芯的 10^{-3} 倍，那么探头接收到的热中子通量对 BF_3 计数管来说为

$$\varphi_F = 6 \times 10^3 \times 10^{-3} = 6 \ (\text{cm}^2 \cdot \text{s})^{-1}$$

设 BF_3 计数管的测量范围为 $3.75 \times 10^{-2} \sim 3.75 \times 10^3 (\text{cm}^2 \cdot \text{s})^{-1}$，$\varphi_F = 6 \ (\text{cm}^2 \cdot \text{s})^{-1}$ 刚好落在测量范围的中段，因为 BF_3 管的灵敏度是

$$13.5 \frac{\text{计数}}{1/(\text{cm}^2 \cdot \text{s})}$$

则 BF_3 的计数率为

$$C_F = 13.5 \times 6 = 81 \text{ s}^{-1}$$

所以此时统计误差小,故此时无盲区,会得到每秒 81 个计数。

若不用 BF_3 管而直接用裂变室时,裂变室接收的通量 $\varphi_F = 6\ (cm^2 \cdot s)^{-1}$,它是落在裂变室测量灵敏度较低的区段上。因裂变室的测量范围是 $1 \sim 10^5 (cm^2 \cdot s)^{-1}$,这就要造成很大的误差,虽然会得到 6 个计数(因裂变室的灵敏度计数($s/(cm^2 \cdot s)$)),但由于落在测量仪表较低的区段上,再加上仪表指示的不准确,存在着误差,因此仍有两个数量级左右的盲区。

例 2 - 3　在例 2 - 2 的条件下,若 $S = 4.34\ (cm^3 \cdot s)^{-1}$,试计算此时的盲区有多大?

解　由题中的要求求解得 $S = 4.34\ (cm^3 \cdot s)^{-1}$,根据式(2.13),可得

$$\varphi = \frac{S l_0 v}{\Delta k_{eff}} = \frac{4.5 \times 10^{-5} \times 4.34 \times 2.2 \times 10^5}{5 \times 10^{-2}} = 8.6 \times 10^2 (cm^2 \cdot s)^{-1}$$

$$\varphi_F = 8.6 \times 10^2 \times 10^{-3} = 0.86\ (cm^2 \cdot s)^{-1}$$

则 BF_3 的计数率为

$$C_F = 13.5 \times 0.86 = 11.61\ s^{-1}$$

若使用 BF_3 计数管作为启堆监测仪表,虽停堆 15 个月后再启动,堆内中子源水平仍能满足启堆无盲区的要求。

2.启动过盲区的安全措施

通过计算,若盲区存在,则必须采取一定的措施。一般来说,船用核动力装置在启堆过程中,为克服盲区主要采取如下措施:

(1)了解前次临界点,在接近临界点时应采用适当的控制棒速率,以防引入过量反应性,引起事故;

(2)在仪表指示缓慢时,应采用断续提升控制棒且适当延长两次提棒的时间间隔,待功率增长稳定后再断续提棒,且每次提升按距间的等待时间适当延长,并严格限制控制棒引入的反应性速率,不能太快,也不能太慢,而应采用正常的速率;

(3)对各种控制仪表,平时应注意维护保养,保持仪表的精度,使反应堆在次临界状态下就能达到仪表最低的可测功率水平,使反应堆在首次临界之前就处在可测状态,以使运行管理人员操作有依据,动作不盲目,防止不应出现的事故,使反应堆安全越过盲区。

2.4.3　源区特性

所谓源区是指堆内功率很低,接近于源功率水平阶段,此时反应堆在启动时具有特殊性。

在具备启堆的条件下,即可按提棒方式进行手操提升控制棒,在 100 ℃ 以下的冷态时提升 F 组棒选择快速提升没有什么危险。但在提升 A 棒时,就要慎重且缓慢些,断续地提棒,并注意监视堆功率的增长情况。

次临界状态下,在提棒的过程中堆功率也是按指数规律变化的,即

$$\frac{P(t)}{P_0} = \mathrm{e}^{t/T_\mathrm{s}}$$

式中　$P(t)$——t 时刻反应堆功率;

　　　　P_0——堆功率初始水平;

　　　　T_s——次临界向临界过渡的周期,且

$$T_\mathrm{s} = \frac{|\rho_\mathrm{s}|}{\mathrm{d}\rho/\mathrm{d}t} = \frac{|\rho_\mathrm{s}|}{\gamma} \tag{2.14}$$

根据式(2.14)可知,有下列三种情况:

(1)若 $\gamma > 0$,则 $0 < T_\mathrm{s} < \infty$,那么 $P(t) > P_0$,指数上升;

(2)若 $\gamma = 0$,则 $T_\mathrm{s} \to \infty$,那么 $P(t)$ 不变,即功率停止上升;

(3)若 $\gamma < 0$,则 $T_\mathrm{s} < 0$,那么 $P(t) < P_0$,功率指数下降。

通过上述分析表明,这个阶段的特点是提棒时功率指数上升,周期为正;停止提棒时,功率上升停止,周期为∞,说明此刻功率在次临界状态下平衡,有一稳定功率输出,并对堆芯实施核加热。若反插控制棒则功率下降,裂变率下降,周期为负值。

在越过盲区后,这些情况可通过 BF₃ 管或裂变室所对应的功率表和周期表明显地指示出来。实际操纵时根据仪表的指示就可判断反应堆此刻是否处于次临界的增殖阶段,这个阶段不会很长,功率上升也不会很大,大概上升到 $10^3 \sim 10^4$ 倍的源功率水平,即 $100 \sim 1\ 000$ W 量级水平左右。

一般情况下,次临界状态的提棒与周期的关系主要是提棒时周期为正,停止提升时周期为∞。但实际中有时会出现一种特殊情况。如刚开堆以断续提棒形式提升控制棒时,会出现提棒时周期为正,但停止提棒后功率仍以 100 s 左右的周期上升,此时反应堆仍是次临界状态。但为什么在停棒后出现上升的周期呢? 这是由于堆芯中子源的作用,而刚开堆提棒时,时间很短,停棒后会出现一个较大的正周期。这时表征在次临界反应堆中,提棒过程中和停棒后的倒数周期是

$$\omega = \frac{\gamma}{\beta - \rho_0} + \frac{S \cdot l \cdot \lambda}{\beta - \rho_0} \cdot \frac{1}{P} \tag{2.15}$$

由于 $P_0|\rho_0| = l \cdot S$,那么上式有

$$\omega = \frac{\gamma}{\beta - \rho_0} + \frac{\lambda |\rho_0|}{\beta - \rho_0} \cdot \frac{P_0}{P} \tag{2.16}$$

2.4.4　中间区特性

在源区继续提棒时,反应堆状态向临界逼近。当停止提棒时功率表有指示,功率指数上升,周期表也有小于∞的指示时,表示反应堆已越过临界点向超临界过渡。在中间区的

前段,因功率水平低,温度也低,没有温度反馈。但中间区的后段,因温度上升表现明显时,则要考虑温度系数的反馈作用。下面我们分别给予讨论。

1. 无反馈的中间区特性

我们可用式(2.17)来讨论它的特性,即

$$T = \frac{\beta - \rho}{\lambda\rho + \mathrm{d}\rho/\mathrm{d}t} \tag{2.17}$$

它的适用条件是 $\rho < \beta$。通过式(2.17)讨论无温度反馈阶段的三种情况:

(1)若提升控制棒时, $\rho > 0$, $\mathrm{d}p/\mathrm{d}t > 0$,则 $0 < T_提 < \infty$,为正周期,功率上升;

(2)若停止提棒时, $\rho > 0$, $\mathrm{d}p/\mathrm{d}t = 0$,则 $T_停 = (\beta - \rho)/\lambda\rho$,为稳态周期,功率上升;

(3)若插回控制棒时, $\rho > 0$, $\mathrm{d}\rho/\mathrm{d}t < 0$,而且 $\lambda\rho > |\mathrm{d}\rho/\mathrm{d}t|$ 插回棒量小时,则 $T_插 > T_停$ 周期存在,而且变长,即功率增长缓慢; $\lambda\rho < |\mathrm{d}\rho/\mathrm{d}t|$ 插回棒量大时,则 $T_插 < 0$,为负周期,反应堆向次临界过渡。

这些情况表明在临界附近提升功率水平的特点:提升控制棒时功率指数上升,周期越来越短,停止提棒时,功率仍以一定的稳定周期上升;向回反插控制棒时,如果反应性量小,功率仍增长,只是缓减,相反如果快速下插控制棒,则堆状态向次临界过渡,功率不仅不增长反而按指数规律下降。这些结果完全可由中间区的功率表和周期表指示出来。

此刻继续提棒后,要严密注视周期表和功率表的指示,不要使周期过短。最适宜的是 50 ~ 80 s 左右,控制稳定周期维持功率稳定上升,向要求的功率水平接近。周期短了,可反插一点棒,周期长了可再提升一点棒。

2. 有温度反馈的中间区特性

功率上升到1% ~2% 额定功率时,堆内裂变功率已有明显的贡献,导致回路温度明显的升高,此时堆芯及回路温差接近200 ℃左右,升温速率在20 ~30 ℃/h。由于温度的上升,负温度系数起作用,并影响堆芯反应性的变化,这样矛盾就发生了转化,其变化规律仍符合式(2.17),但此时的反应性 ρ 要考虑温度反馈效应。现假设反应堆在临界基础上提升或下插控制棒的情况,那么

$$\rho = \int_0^t \gamma\mathrm{d}t - \alpha\theta \tag{2.18}$$

式中　γ——控制棒向堆芯引入反应性速率;

　　　α——温度系数的绝对值,假设为常数;

　　　θ—— 控制棒向堆芯引入 $\rho_r = \int_0^t \gamma\mathrm{d}t$ 反应性时所引起的堆芯的温升。

现对式(2.18)微分,得

$$\frac{\mathrm{d}\rho}{\mathrm{d}t} = \gamma - \alpha\frac{\mathrm{d}\theta}{\mathrm{d}t} \tag{2.19}$$

式中,$d\theta/dt$ 是对应 γ 反应性速率的升温速率。

将式(2.18)、式(2.19)代入式(2.17)中,得

$$T = \frac{\beta - \int_0^t \gamma dt + \alpha\theta}{\lambda\left(\int_0^t \gamma dt - \alpha\theta + \dfrac{\gamma}{\lambda} - \dfrac{\alpha}{\lambda}\dfrac{d\theta}{dt}\right)} \tag{2.20}$$

对上式进行简化,把 $\theta = (d\theta/dt) \cdot t$ 代入上式分母中,有

$$T = \frac{\beta - \int_0^t \gamma dt + \alpha\theta}{\lambda\left[\int_0^t \gamma dt + \dfrac{\gamma}{\lambda} - \alpha\dfrac{d\theta}{dt}\left(t + \dfrac{1}{\lambda}\right)\right]} \tag{2.21}$$

为讨论问题方便,我们假设 γ 是线性反应性速率。将 $\int_0^t \gamma dt = \gamma \cdot t$ 代入上式,则

$$T = \frac{\dfrac{\beta - \gamma t + \alpha\theta}{\lambda}}{\left(\gamma - \alpha\dfrac{d\theta}{dt}\right)\left(t + \dfrac{1}{\lambda}\right)} \tag{2.22}$$

式中,分子 $= \dfrac{\beta - \gamma t + \alpha\theta}{\lambda}$ 是正值。因为后面的两项是由 $\rho = \gamma t - \alpha\theta < \beta$ 的条件(不得超过瞬发超临界)所确定的,所以分母 $= \left(\gamma - \alpha\dfrac{d\theta}{dt}\right)\left(t + \dfrac{1}{\lambda}\right)$,可正可负。

我们进行如下讨论:

(1)若提升控制棒时,$\gamma > 0$,$\alpha(d\theta/dt) < \gamma$,这是因为堆芯没有其他热源,只有提升控制棒,才能对堆芯升温加热,温升速率在提棒后才表现出来,所以 $\gamma - \alpha(d\theta/dt) > 0$,这样式(2.21)的周期值为正,功率指数上升;

(2)若停止提棒时,$\gamma = 0$,分母 $(-\alpha d\theta/dt)(t + 1/\lambda)$ 项就决定此时周期 $T < 0$,为负值,功率下降;

(3)若反插控制棒时,$\gamma < 0$,分母为负值,因此周期 $T < 0$,为负值,功率下降。

分析表明,这个阶段的特点是提升控制棒时,周期为正,功率指数上升;停止提棒之后,周期为负,功率下降;反插时周期为负,功率下降。因此在这个阶段提升功率时,为克服温度系数的影响,必须不断提升控制棒,才能维持其功率平衡。但在这个阶段之初引入的正反应性不能过量,否则会出现短周期事故。

根据上述分析,我们对中间区的特点可归纳为以下几点:

(1)越过临界向超临界过渡,提升控制棒时,功率以指数上升,停止提升控制棒时,功率以稳定周期增长。

(2)此阶段的后期,由于温度的升高,在提升控制棒向堆芯引入反应性的同时,温度系

数的负反馈也明显起作用,所以此刻提升控制棒时,周期为正,功率指数上升,停止提棒时,周期为负,功率下降。要维持稳定功率,必须不断地提升控制棒,以补偿温度系数负反馈的影响。

(3) $k_{eff} = 1$ 的临界点在物理上是存在的,它是在中间区前段范围内,但运行上是很难得到这一点的。如果因实验需要得到这点的位置,操纵员只能凭经验分析,通过分析功率表的规律来判断它的位置。

2.5　核反应堆启动运行安全分析

核反应堆动力装置在启动过程中的运行分析,主要抓住以下几方面:①临界判别;②核反应堆从次临界到临界的过渡特性;③核反应堆从临界到超临界的过渡特性。若能牢固掌握这三个过程,经过一段时间的实际操作,一般均能保证核反应堆启动过程中的安全。另外本节还将介绍启动运行中的反应性变化及估算。

2.5.1　临界判别

反应堆控制的主要控制量是中子密度或堆功率,在热中子反应堆中,中子密度(或中子通量)和堆功率有近似的正比关系。在船用压水堆中,控制中子密度是通过升降控制棒或调节动力堆的堆芯温度来改变反应堆的有效增殖系数或反应性,以达到控制调节反应堆功率的目的。中子密度(或堆功率)与反应性的关系可用反应堆动态方程来描述。^{235}U 核吸收中子发生裂变,释放能量的同时,发射出多于吸收的二次中子。它由两部分组成,一部分是瞬发中子,另一部分是瞬时放出的碎片(先驱核),经 β 放射性衰变后,延缓一段时间放出的称为缓发中子。

根据中子密度和先驱核的动态平衡关系,可列出反应堆动态方程式,即

$$\frac{\mathrm{d}n}{\mathrm{d}t} = \frac{k_{eff}(1-\beta)}{l_{eff}}n - \frac{1}{l_{eff}}n + \sum_{i=1}^{6}\lambda_i c_i + S \qquad (2.23)$$

$$\frac{\mathrm{d}c_i}{\mathrm{d}t} = \frac{\beta_i k_{eff}}{l_{eff}}n - \lambda_i c_i \quad (i = 1, 2, \cdots, 6) \qquad (2.24)$$

其中
$$l_{eff} = \frac{\rho}{1-\rho}; k_{eff} = \frac{1}{1-\rho}$$

因此式(2.23)、式(2.24)有下列形式:

$$\frac{\mathrm{d}n}{\mathrm{d}t} = \frac{\rho - \beta}{\rho}n + \sum_{i=1}^{6}\lambda_i c_i + S$$

$$\frac{dc_i}{dt} = \frac{\beta_i}{\rho}n - \lambda_i c_i$$

式中　n——中子密度,$1/cm^3$(或表示为堆内平均功率,单位为 W);

　　　　c_i——缓发中子先驱核密度,$1/cm^3$(缓发中子 $\lambda_i c_i$,单位与 dn/dt 相同);

　　　　t——时间,s;

　　　　β——有效缓发中子份额,$\beta = \sum\limits_{i=1}^{6} \beta_i$。

　　一般将缓发中子分为6组,所以式(2.23)有6个相同形式的方程式。式(2.23)的右边第一项表示由于核裂变每秒所生成的瞬发中子数;第二项表示每秒被吸收的瞬发中子数;第三项表示缓发中子先驱核蜕变时,每秒所释放出的缓发中子数;第四项 S 表示中子源每秒所产生的中子数。左边则表示每秒中子密度的变化率,式(2.24)的右边表示第 i 组缓发中子先驱核由裂变过程每秒所生成的浓度减去每秒的蜕变数,左边则表示第 i 组先驱核浓度的时间变化率。

　　l 是瞬发中子平均寿命,单位为 s。它是指相邻两代裂变中子间的平均时间,由裂变快中子的慢化时间和其热中子的扩散时间组成。在热堆中,快中子减速时间要比热中子扩散时间小得多,故可以忽略不计,这样就把热中子扩散时间近似为中子平均寿命。对于热中子堆来说,l 值为 $10^{-4} \sim 10^{-3}$ s。

　　考虑缓发中子后的平均寿命是

$$l_d = l(1 - \beta) + \sum \beta_i / \lambda_i \tag{2.25}$$

　　对 ^{235}U,$l_d = 0.1$ s。式(2.23)和式(2.24)反映了反应堆控制过程中反应堆平均中子密度变化的宏观特性。通过堆功率控制系统的中子探测器测定,它布置在堆体外的屏蔽水套中的周围,以测得中子通量的平均值;调节棒组,一般将其设置在堆芯相互对称的部位,因此反应堆动态方程式能较好地反映控制过程中的反应堆动态特性。这些动态特性主要是中子密度依赖反应性变化的动态特性、反应堆周期特性和高功率下反馈特性等。反应性定义为

$$\rho = \frac{k_{eff} - 1}{k_{eff}} \tag{2.26}$$

　　根据定义,可把反应堆的状态分为三个状态,即次临界、临界和超临界状态,也就是说:

　　(1)当 $\rho < 0$,即 $k_{eff} < 1$,为次临界;

　　(2)当 $\rho = 0$,即 $k_{eff} = 1$,为临界;

　　(3)当 $\rho > 0$,即 $k_{eff} > 1$,为超临界。

　　根据反应性 ρ(或 k_{eff})的变化,我们就能准确地判断反应堆所处的状态。

2.5.2　从次临界到临界的过渡特性

为说明反应堆从次临界到临界的过渡,首先要明确在次临界反应堆中,堆内反应性的变化情况。在次临界状态下,即 $k_{\text{eff}} < 1$,$\rho < 0$ 的状态,若堆芯没有中子源时,则反应堆不能维持链式反应。实际上,反应堆堆芯都存在中子,因运行操作的要求而设置人工中子源。即使没有中子源,因在可裂变燃料中存在的自发裂变和宇宙射线的作用仍会产生中子,并在一定程度上起到外中子源的作用。当中子源强度为 S 时,则堆动态方程式的稳态解为 $n = Sl/(1 - k_{\text{eff}})$,其中 $1 - k_{\text{eff}}$ 为次临界度,n 为反应堆的源中子密度(或源区水平),对应的反应堆源功率水平约为毫瓦到瓦的量级。为消除测量系统的启动盲区,保证反应堆启动安全,在堆芯专门设置了人工中子源。一般装入两种源,一种是 Po – Be 源,用于反应堆初次启动,另一种是 Sb – Be 光激源,用于以后的正常启动。

在次临界状态下,以连续线性速率形式向堆芯引入反应性,其中子密度增长与所引入反应性速率和次临界度有关系。从图 2.7 可以看出,引入反应性速率越大,达到临界点的中子密度水平越低。在次临界很大时($1 - k_{\text{eff}} \approx 0.05$ 或以上),所有的不同反应性速率所对应的曲线都落在一条曲线上。这说明功率水平(中子密度)与引入反应性速率无关。随着引入反应性的时间增加,堆芯的次临界越来越小,当 $1 - k_{\text{eff}} > 0.4$,中子密度的增长就与反应性速率有关了。

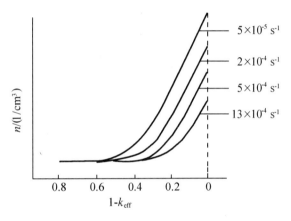

图 2.7　中子密度与次临界及提棒速率的关系

将式(2.23)和式(2.24)相加,则得

$$\frac{\mathrm{d}}{\mathrm{d}t}\left(n + \sum_{i=1}^{6} c_i\right) = \frac{\rho}{l}n + S \tag{2.27}$$

在有中子源存在的情况下,平衡意味着 $\dfrac{\mathrm{d}}{\mathrm{d}t}\left(n + \sum\limits_{i=1}^{6} c_i\right) = 0$,即

$$\frac{\rho}{l}n + S = 0$$

$$n = -\frac{Sl}{\rho} = -\frac{Sl}{k_{\text{eff}} - 1} \cdot k_{\text{eff}}$$

在由次临界向临界过渡时,一般认为中子源强度不变,而在改变 k_{eff} 时,相应的中子密度 n 随之改变,如果 k_{eff} 从小于 1 增加,向 1 的方向逼近,则 n 随之增加,反之 n 减少。在改变

k_eff的过程中,若缓发中子密度不变,则式(2.27)为

$$\frac{\mathrm{d}n}{\mathrm{d}t} = \frac{\rho}{l} \cdot n + S \tag{2.28}$$

求解式(2.28),可得

$$n = \frac{n_0}{1 - k_\text{eff}}(1 - \mathrm{e}^{\frac{k_\text{eff}}{l}}) \tag{2.29}$$

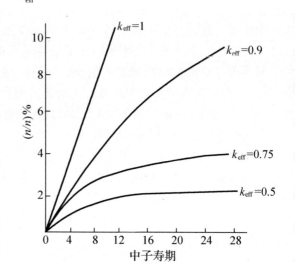

图 2.8　次临界增殖系数与 n/n_0 关系

这里 $n_0 = l_\text{R} \cdot S_0$。这个结果表明,当每次增加 k_eff 后,在一段时间内,$n(t)$ 是随时间 t 按指数上升的,在 t 很大时,$n(t)$ 与时间 t 无关。保持某一稳定的中子水平,$k_\text{eff} = 0.05, 0.75, 0.9, 1.0$,绘出它们所对应的增殖平衡曲线,如图 2.8 所示。

比较曲线可以看出,次临界反应堆中加入确定的次临界有效增殖系数后,要经过一段时间增殖,最后 n/n_0 才稳定下来,而且其稳定值 n/n_0 不再随时间变化。它们的规律是,当 k_eff 较大时,即离 1.0 越近,中子增长倍数 n/n_0 到达稳定值的时间就越长。$k_\text{eff} = 0.5$ 时,$t = 8l$。而 $k_\text{eff} = 0.9$ 时,$t = 40l$。同时中子增长倍数最后的稳定值也越大,$k_\text{eff} = 0.5$ 时,$n/n_0 = 2$,而 $k_\text{eff} = 0.9$时,$n/n_0 = 10$。在 $k_\text{eff} = 1$ 时,n/n_0 几乎随时间成直线增加,达到稳定的时间几乎要趋于无穷了,所以它是发散的。根据这一特性可知,在有外加中子源的反应堆中,真正功率稳定运行状态是次临界状态。

我们定义 $k_\text{eff} = 1(\rho = 0)$ 的状态是反应堆的临界状态。这个定义中没有提到中子源,因此,在 $k_\text{eff} = 1$ 的条件下,虽然可推论出反应堆中的功率水平是恒定不变的,但根据式(2.29)和图 2.8 所表示的结论来看,很明显由于源的中子不断加到反应堆中而形成一个直线上升的功率水平。严格说来,反应堆临界是一个非平衡的状态,但由于中子源的存在,在稳定功率水平上运行的反应堆总略微次临界。此时式(2.29)中所表示的反应性量 $(1 - k_\text{eff})$ 通常是很小的。在低功率水平下这种现象是比较明显的,若在高功率下,如果堆功率水平 n 所对应的反应性值比停闭反应性(即停堆深度)小得多,那么这时可忽略中子源的作用。在足够高的功率水平上运行的反应堆所产生的有效功率和中子源所辐射的中子数相比较,中子源辐射的中子数只占此时有效功率运行的总中子数中一个很微小的百分率。因此从有效功率水平运行的整个结果看来,可忽略中子源的作用。

反应堆由次临界向临界的过渡是通过提升控制棒来实现的。提升控制棒向堆芯引入正反应性,使堆功率水平随时间的变化而增殖,这可从式(2.30)来给予说明:

$$n(t) = \frac{lS}{\rho(t)} \tag{2.30}$$

功率随时间变化是由于向堆内引入反应性随时间的变化,即

$$\frac{\mathrm{d}n}{\mathrm{d}t} = \frac{lS\mathrm{d}\rho}{\rho(t)\mathrm{d}t} \tag{2.31}$$

简化得

$$\frac{1}{n}\frac{\mathrm{d}n}{\mathrm{d}t} = \frac{-1\mathrm{d}\rho}{\rho(t)\mathrm{d}t} \tag{2.32}$$

定义

$$T_s = \frac{1}{\dfrac{1}{n}\cdot\dfrac{\mathrm{d}n}{\mathrm{d}t}} \tag{2.33}$$

式中,T_s 叫作反应堆的次临界周期,又叫准稳态周期,所以

$$T_s = \frac{|\rho_s|}{\mathrm{d}\rho/\mathrm{d}t} \tag{2.34}$$

式中,ρ_s 为次临界度。

令 $\gamma = \mathrm{d}\rho/\mathrm{d}t$ 是控制棒移动所提供的线性反应性速率。这样 T_s 的物理意义就明确了,它是反应堆在次临界度 ρ_s 下,以每秒的反应性引入速率向临界过渡所需要的时间。

从图 2.9 可以看出,当反应性速率增加而趋近于临界时,变化的周期与反应性的关系。图中绘出了三种不同的反应性变化速率,清楚地表明如式(2.34)描述的次临界周期与次临界度的关系。即只要以给定的线性速率引入反应性时,次临界周期随反应性成线性变化。式(2.34)只对大的次临界度 ρ_s 值有效,而对于接近临界时有小的次临界度 ρ_s 值。所以式(2.34)不能得到临界点或接近于临界时的周期。

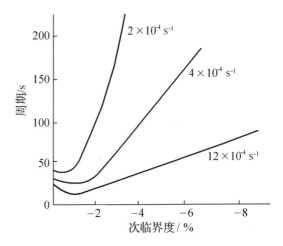

图 2.9　三种反应性速率下的周期与次临界度的关系

由次临界向临界过渡时,功率水平增加与所引入的反应性速率有关,与反应堆的次临界度大小有关。从图 2.9 看出在不同的反应性引入速率下功率水平变化与次临界度间的关

系曲线。这组曲线是以双曲线的渐进线而趋于临界的。曲线 $\lim(\Delta\rho/\Delta t)\to 0$ 代表反应性引入速率是无限缓慢的情况,也就是提升控制棒速率是无限的缓慢,使 k_{eff} 以无限缓慢的速率增大。所谓无限缓慢是指慢到每一棒位变化之前都有足够的时间供全部缓发中子发射,而且能使中子水平达到稳定。

这些说明,在有限的反应性速率下,随着变化速率的增大,反应堆达到临界点功率水平越来越低,n/n_0 的增长倍数相应地越来越小,且在次临界很大时,所有的不同反应性速率所对应的曲线都落在一条双曲线上,说明功率水平与引入反应性的速率无关。随着提棒时间的增加,堆芯的次临界度越来越小,特别是接近临界点时功率水平的变化与反应性速率有关。

从速率为 12×10^{-4} δk/s 和 4×10^{-4} δk/s 两种情况比较,假设都在 60 s 处,功率水平增长还是快速的大,慢速的小。所以前面讲的结论不是在任何时间,而是达到临界点的功率水平慢的高,快的低,这一点一定要明确。

图 2.9 中所列的反应性速率是某堆的理论值。一般正常情况下的提棒速率为 2×10^{-4} δk/s 左右,快速提棒时为 8×10^{-4} δk/s,若大于该值就可能出现非正常的事故工况。

反应堆可以在任意的周期下达到临界。只要棒速已定,即所引入的反应性速率大小已知,我们可通过一个近似公式估算反应堆达到临界点的周期,即

$$\omega_c = \gamma/\beta + \sqrt{2\lambda\beta/\pi\gamma} \tag{2.35}$$

式中　$t=t_c$——即临界点的时间;

ω_c——接近于或达到临界位置时的倒数周期,那么临界周期为 $T_c=1/\omega_c$;　(2.36)

γ——引入反应性速率。

这个公式说明,ω_c 只与反应性速率 γ 有关,而与次临界度 ρ_s 无关。

同时如果知道次临界度 ρ_s 时,可通过另一个近似公式估算得到临界点时的功率水平,这个公式是

$$n_c/n_0 = \rho_s \cdot \sqrt{\pi\lambda/2\gamma\beta} \tag{2.37}$$

式中　n_0——初始源功率水平;

n_c——达到临界或接近临界位置时的中子功率水平;

ρ_s——次临界度,即停堆深度。

式(2.35)、式(2.37)的适用条件是 $\lambda\beta/\gamma\gg 1$,也适用于慢速反应性引入速率。

根据定义,明确临界点的周期是 ∞,但为什么这里又提到临界周期呢? 这个问题我们要追溯到有中子源参与下的反应堆的特性,特别是反应堆在冷态下启动时,因有中子源参加,反应堆的临界是个非平衡状态,因此达到临界点时有周期,周期的大小由反应性引入速率来决定。表 2.2 列出的是匀速反应性速率与达到临界时周期的关系,供大家在工作中参考。

表 2.2　匀速反应性速率与临界周期的关系

反应性速率 /(δk/s)	4×10^{-5}	8×10^{-5}	2×10^{-4}	4×10^{-4}	8×10^{-4}	12×10^{-4}
临界周期 /s	35	24.5	13.1	8.0	4.0	3.5

2.5.3　由临界到超临界的过渡特性

1. 缓发超临界

当引入反应性量在 $0 < \rho < \beta$ 范围内时，式(2.23)右边前两项之和为负值。因此中子密度只是通过缓发中子的增长而增长。6 组缓发中子的等效平均衰变常数 $\lambda_{av} = 0.1 \ s^{-1}$，对应的缓发中子的等效平均时间为 10 s 左右。缓发中子份额 β 虽然微不足道，但它对反应堆控制起着重要作用，因为一般的机械、电气装置都能适应 10 s 左右的动态过程。

缓发超临界是反应堆升功率的主要过渡状态。在无反馈的情况下，一般都是经过次临界越过临界点在缓发超临界状态下向堆芯引入反应性，使中子密度(或功率)按指数增长，达到要求的中子密度(或功率)水平后要压低控制棒，使反应堆再返回到临界位置，维持功率水平不变。所以它是属于反应堆运行中正常运行的过渡过程。

向堆内引入反应性有两种形式：一种是引入反应性与时间无关，称之为常量反应性；另一种是引入反应性与时间有关，称之为变量反应性，如反应性速率就称为变量反应性。变量反应性是控制棒连续移动向反应堆内引入反应性，它是与时间有关的反应性，用 $\rho(t)$ 表示。因为控制棒的连续提升或下降是以一定的速度移动的，所以引入反应性也应以一定的速度。研究变量反应性的特性，就是讨论以反应性速率的形式而引入的特性，即 $\rho(t) = \gamma \cdot t$，而 $\gamma = d\rho/dt$，这是一种线性速率的关系。

为了研究实际问题的需要，我们介绍一个单组缓发中子近似的变量反应性的动态方程，它的基本形式为

$$(\beta - \rho) \frac{dn}{dt} = \left(\lambda\rho + \frac{d\rho}{dt} \right)n \qquad (2.38)$$

变化形式为

$$\frac{1}{n} \cdot \frac{dt}{dn} = \frac{\lambda\rho}{\beta - \rho} + \frac{d\rho/dt}{\beta - \rho} \qquad (2.39)$$

根据倒数周期的定义可知

$$\omega(t) = \frac{1}{n} \cdot \frac{dn}{dt} \qquad (2.40)$$

所以式(2.40)变为

$$\omega(t) = \frac{\lambda\rho}{\beta - \rho} + \frac{d\rho/dt}{\beta - \rho} \tag{2.41}$$

这就是仅考虑缓发中子的变量反应性的近似倒数周期表达式。它是由两项组成的:一项相当于单组缓发中子倒数的稳定周期,它仅与即时反应性有关。另一项是反应堆在引入反应性速率过程中动态的倒数周期,它除了与引入的即时反应性有关外还决定于反应性速率。我们用这个公式就可估计提棒过程中的反应堆周期。

从式(2.39)我们可以看到,如果反应堆从次临界 ρ_s 开始以 γ 反应性速率提升控制棒,则次临界反应堆要产生一个 $\beta + |\rho_s|/\gamma$ 的周期值,使之向临界过渡。这个结果与式(2.35)不同,这是因为这里我们考虑了单组缓发中子的作用。还可看到,若反应堆在准临界状态时,初始 $\rho = 0$,提升控制棒引入 γ 反应性速率,则堆功率就以 β/γ 的周期上升,这个值意味着反应堆达到瞬发临界时所需要的时间。

若 $\rho = \gamma t$ 和 $n(0) = n_0$,则可求解微分方程式(2.39),这时它的解为

$$\frac{n}{n_0} = \rho \cdot e^{-\lambda t} \left(\frac{\beta}{\beta - t}\right)^{(1 - \lambda\beta/\gamma)} \tag{2.42}$$

式子表明,功率变化值与向堆内反应性速率和移动控制棒的时间 t 有关。

2. 瞬发超临界($\rho \geq \beta$)

式(2.23)右边前两项之和为正,说明是由瞬发中子来维持增殖的。由于中子平均寿命为 $10^{-4} \sim 10^{-3}$ s,反应堆的中子密度将急剧增长,这将造成无法控制的严重后果。为防止这类事故发生,通常在反应堆控制系统中设置反应堆保护系统,其中有反应堆短周期的保护内容。

由于事故原因引入一次反应性达到 $\rho \geq \beta$ 时,在无反馈的情况下,反应堆变成瞬发超临界的过渡状态,此时堆功率以突爆形式增长,严重破坏了正常控制能力,所以它是非正常的危险过渡状态,是我们所不希望的。我们在实际运行中应严格避免和防止这类过渡状态产生。

2.5.4　启动运行中的反应性变化及估算

在船用核动力装置启动过程中,反应性的变化是极其频繁的,有时变化的幅度较大,有时变化的幅度较小。这些变化都是通过控制棒的移动来实现的,而理论上反应性变化的计算又是一个复杂的过程,因而很难应用到实际工作中去。为了对实际工作有一个快速的估算方法,我们作了一些近似,忽略一些因素,将控制棒的非线性关系等效成线性来处理。这种结果尽管有些误差,有时误差还很大,但它毕竟对实际工作有一定的指导意义,加之在实践工作中又能及时的校正,因而它成为一种较适用的反应性变化的量值估算方法。下面主

要介绍船用核动力装置运行中常用的反应性量值的估算。

1. 由温度引起的反应性量值的估计

堆芯温度变化将引起反应性的变化,其变化多少由反应性温度系数确定。定义温度系数是 $\alpha_t = \mathrm{d}\rho / \mathrm{d}t$,即由温度效应引起的反应性变化,或者说,当在某一给定温度范围内,α_t 为常数,从而 $\Delta\rho_t = \alpha_t \cdot \Delta t$,这便可以估算由温度变化引起的反应性变化量。对于压水堆 $\alpha_t = (1 \sim 4) \times 10^{-4}/℃$,当然在实际上 α_t 是随堆内温度高低的不同而变化的,所以它是温度的函数,即 $\alpha_t = f(t)$。

典型压水堆的冷却剂温度系数,与其温度 t 是一个二次曲线的关系,即

$$\alpha_t = -1.27 \times 10^{-4} - 7.5 \times 10^{-7} t - 2.48 \times 10^{-10} t^2 \qquad (2.43)$$

实际运行中,有时需要计算功率过渡所引起的反应性变化量。由于环境条件的限制,有时经简化把 α_t 当成常数来处理。

例 2 - 4　某反应堆在加热或带功率运行时,在 1 h 内温度从 230 ℃ 增加到 260 ℃,试问该堆的反应性变化了多少,是以怎样的速度改变的?（设堆的温度系数为 $2.0 \times 10^{-4}/℃$)

解　温度从 230 ℃ 变到 260 ℃,说明一个小时内增加了 30 ℃,所以

$$\Delta\rho_t = \alpha_t \cdot \Delta t = 2.0 \times 10^{-4} \times 30 = 6 \times 10^{-3}$$

说明该堆的反应性变化了 6×10^{-3},因为它是在一小时内变化的,因此它的变化速率为 $6 \times 10^{-3}/h$,不过这种估算是很粗略的,因为只考虑了 α_t 为常数的情况,同时在一小时内也忽略了燃耗等因素。这种方法虽然是非常粗糙的,但它却给运行人员带来了一个方便的参考数据。

根据控制棒的积分效率、微分效率、棒总效率等概念,它和棒处于的位置、高度、堆芯的通量分布有关系,而在控制棒估算时,一般都没有加以考虑,而将它们作为线性处理,表 2.3、表 2.4 给出了典型压水堆各棒冷、热态下的效率和控制棒的微分、积分效率曲线（图 2.10,图 2.11)。($\beta = 0.065 \sim 0.077$)

表 2.3　冷态下各组棒效率	
棒组	理论值(β)
A	2.66
F_1	5.16
F_2	2.99
E_1	4.76
E_2	3.06
C_1	5.53
C_2	6.54

表 2.4　热态下各组棒效率	
棒组	理论值(β)
A	1.09
F_1	6.26
F_2	4.08
E_1	4.30
E_2	4.17
C_1	5.3
C_2	4.81

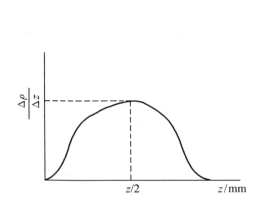

图 2.10　控制棒微分效率

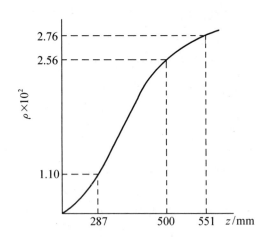

图 2.11　控制棒积分效率

下面举例说明用控制棒效率估算反应性的方法。

例 2－5　反应堆在热态下启动,随后稳定在 50% 的功率水平下运行,其棒位是 F_1, F_2 到顶,A 到顶,E_2 提到 600 mm,自动棒在 287 mm 处,当稳定运行 35 h 后,自动棒处在 500 mm 位置。求此时平衡氙毒反应性。

解　根据棒的积分曲线(如图 2.11 所示),可以估算在 50% 功率下运行时平衡氙毒的反应性。

因为自动棒在 35 h 后共上提了 $(500 - 287)$ mm $= 213$ mm,所对应的反应性值变化了 $(2.56 \times 10^{-2} - 1.1 \times 10^{-2}) = 1.46 \times 10^{-2}$,这部分反应性就是自动棒向上提升补偿平衡氙毒的反应性。因为反应堆状态在 35 h 内没有发生任何变化,控制棒上提补偿的反应性损失就是平衡中毒引起的损失(忽略 35 h 的燃料损失)。所以 1.46×10^{-2} 就是平衡毒性反应性。

例 2－6　设自动棒从 550 mm 提升到 650 mm 处(棒速为 4.5 mm/s),是棒效率的线性段,它对应棒积分效率是 $(31 - 27) \times 10^{-3}$,求控制棒恒速提升向堆内所引入的反应性速率是多大?

解　由于该棒提升 $650 - 550 = 100$ mm,所以提升部分的价值为

$$(30 - 27) \times 10^{-3} \Delta k/k = 30 \times 10^{-4} \Delta k/k$$

由于棒速为 4.5 mm/s,棒从 550 mm 提到 650 mm 需要的时间为 $(650 - 550)/4.5 = 22$ s,所以引入的反应性速率为 $(30 \times 10^{-4})/22 = 1.363 \times 10^{-4}$ δk/s。

例 2－7　反应堆经过长期运行后,实行热停堆,停堆前反应堆在 50% 额定功率上运行,棒栅位置为 $A\uparrow$, $F\uparrow$, $E\uparrow$, C_1 调节棒在 625 mm 处,C_2 棒未动,在停堆后 9 h 因有紧急任务,需要立即启动(假如此时堆芯温度 220 ℃,最大平衡氙毒和碘坑氙毒之和为 6.1β),问此时

反应堆能否启动起来。

解 此时反应堆属于碘坑下的启动,究竟能否启动决定于堆的剩余反应性,从表2.3中可知:设 C_2 棒的热态效率为 4.81β,C_1 棒为 5.3β,棒的高度为 1 000 mm,因 C_1 棒在 625 mm 处,所以 C_1 棒所能提供的反应性为 $(625)/(1\ 000) \times 5.3 = 3.31\beta$,所以当 C_1 棒,C_2 棒全部提出所能贡献的当量为 $(4.81 + 3.31)\beta = 8.12\beta$,而此时反应堆的最大平衡氙毒和碘坑之和只有 6.1β,所以在此种情况下,虽然在碘坑下启动也能将反应堆启动起来。

2. 后备反应性的粗略估计

后备反应性:冷态干净堆芯的剩余反应性。

剩余反应性:在任何时刻通过控制元件和其他用于控制反应性的毒物的调节所获得的最大反应性。

我们知道,反应堆在运行中须移动控制棒来补偿燃料温度和氙中毒等因素造成的影响。如果以反应性补偿能力来度量这些影响,则控制棒也能以反应性补偿能力来度量控制棒的效率。控制棒的总效率必须满足:

$$控制棒总效率 \geqslant 后备反应性 + 停堆深度$$

只有这样才能保证反应堆在任何时候将全部控制棒插入堆芯,使反应堆处于次临界的停闭状态。

停堆深度与燃耗程度、毒性、温度等有关,因此它在每次开堆时的值都是不一样的。对于船用压水堆初始无毒状态下,大概有 0.05 左右。

后备反应性是用于补偿温度、氙中毒、燃耗等反应性损失的。对于一般压水堆,其后备反应性在 $(25 \sim 45)\beta$ 左右。其大致分配如下:

(1)从冷临界零功率到热临界零功率,通过提升控制棒要补偿冷却剂温度效应的反应性约为 $(6 \sim 12)\beta$ 左右;

(2)从热态零功率到满功率时,控制棒要补偿功率系数反应性约为 $(1.5 \sim 2.2)\beta$ 左右;

(3)当堆在满功率下运行 40 h 后,达到平衡氙毒时,控制棒所需补偿的反应性约为 $(5 \sim 10)\beta$ 左右;

(4)补偿的燃耗反应性,大约 $(13 \sim 21)\beta$ 左右。

一般燃耗反应性值要略大一些,因为随着运行时间的增加,由于燃料中有再生的 ^{239}Pu 产生,故使剩余反应性稍有增加,但总的趋势还是随时间增加而减少。

在运行中,通过控制棒的提升来释放出剩余反应性,来补偿堆内的燃耗反应性损失。在反应堆寿期终了时,全部控制棒基本上都被提出,这就意味着此时全部剩余反应性都被释放出来,一个反应堆的工作寿期告一段落,需要重新换料了。

在每次启堆中要消耗多大的剩余反应性,可以根据各组棒的效率,通过控制棒移动的高度粗略地度量它。

复习思考题

2-1　反应堆初次启动的目的和任务是什么?

2-2　反应堆启动前的主要准备工作有哪些?

2-3　反应堆初次启动有哪些操作步骤?

2-4　试述反应堆初次系统综合调试的内容。

2-5　简述反应堆升温升压过程要求。

2-6　反应堆启动前,为什么要对系统进行充水放气?

2-7　试述系统添加联氨除氧的方法。

2-8　中子源在反应堆启动中的作用是什么?

2-9　反应堆启动时为什么要按温压限制图进行?

2-10　启动过程中中子源强度是如何计算的?

2-11　试描述船用堆启动过程中的源区特性。

2-12　试描述船用堆启动过程的中间区特性。

2-13　试述反应堆启动过程中反应性的变化及其计算方法。

2-14　启动运行安全应考虑什么问题?

2-15　碘坑下启动反应堆应注意哪些问题?

2-16　简述启动过盲区的安全措施。

2-17　最佳提棒程序的原则是什么?

2-18　外加热和核加热启动反应堆各有什么优缺点?

2-19　试述反应堆正常冷启动的步骤,并叙述升温升压过程应注意什么问题?

2-20　反应堆热启动有哪些特殊问题?

2-21　简述反应堆从次临界到临界、从临界到超临界的过渡特性。

2-22　假定反应堆内装有两种中子源,Po-Be 和 Sb-Be 源。冷停堆时,Po-Be 源强为 $12 \times 10^6 \ s^{-1}$,Sb-Be 源有 6 个,长度均为 40 cm,Be 管的外径 $r = 2$ cm,这次启动前反应堆以 50% 额定功率运行了 20 d 之后,连续停堆 30 个月,试计算 Po-Be 和 Sb-Be 源的总强度和体积源强。(堆芯有效体积为 $2.5 \times 10^6 \ cm^3$)。

2-23　各条件如题 2-22 情况时,估计这次启动(次临界深度为 0.05)时盲区有多大?

2-24　如果停堆深度为 0.042,源通量水平为 $0.5 \times 10^{-2}/(cm^2 \cdot s)$ 的反应堆,使用 BF_3 计数管作监测启堆的仪表,问此时有没有盲区,若有盲区为多大?

2-25　现有两种反应性速率:$0.9 \times 10^{-4} \ \delta k/s$,$0.6 \times 10^{-4} \ \delta k/s$ 都是从停堆深度 4% 开

始连续提棒(冷态)向临界过渡,问在哪种反应性速率下先达到临界,哪种反应性速率下对应的临界功率高,为什么?

2-26　设某堆停堆深度为 0.079,燃耗初期,冷启动时按最佳提棒程序开堆,试估算临界棒位是多少?(控制棒均按 1 350 mm 上线性处理,$\beta = 0.007\ 5$,冷态下 $A = 2.863\beta$,$F_1 = 6.16\beta$,$F_2 = 3.99\beta$,$E_1 = 4.16\beta$,$E_2 = 3.26\beta$,$C_1 = 5.23\beta$,$C_2 = 5.54\beta$。)

2-27　某反应堆在热态下启动,随后稳定在 50% 的功率水平下运行,设棒位是 F_1,F_2 到顶,A 到顶,E_2 提到 600 mm,自动棒在 387 mm 处,当稳定运行 45 h 后,自动棒处在 500 mm 位置,求此时平衡氙毒反应性。(设控制棒高度为 1 400 mm)

第3章 船用核反应堆的功率运行

核反应堆的功率运行是船用核动力装置的重要形式。功率运行一般是指在 1% ~ 100% 额定功率范围内的运行。

功率运行分为两种,即稳定工况运行(20% 额定功率以下为手动,20% 额定功率以上为自动)和变工况运行(升功率运行、降功率运行)。本章就功率运行及其过渡过程进行详细分析和讨论。

3.1 船用核反应堆功率运行的特点

3.1.1 功率运行与经济性要求

船用核反应堆功率运行的特点主要反映在三个方面,即频繁地改变功率要求装置自稳自调的性能好;要求跟踪负荷的响应特性好(尤其对于军用舰船,在追击、伏击或特殊任务时能快速反应);再则是功率过渡过程中具有良好的核安全保证。由于压水堆具有良好的自稳自调性能,因此世界上船用核反应堆绝大多数都采用压水堆就是这个道理。

船用核反应堆功率运行的另外一个特点就是其经济指标好,它是以行驶单位路程所消耗的燃料量来衡量的,记作 Q_m,即

$$Q_m = 5.1 \times 10^{-2} \cdot \frac{P}{v} \quad (\text{g/km}) \tag{3.1}$$

式中　　P——堆功率,MW;

　　　　v——动力船的速度,km/h。

由此看出,Q_m 与 v 成反比,而与 P 成正比。一般该指标是在设计时设定的,但在功率运行中应尽可能根据其规律选择合适的航速和运行功率水平。如萨瓦娜船在 74 MW 功率上运行速度为 21 kn(1 kn = 1 n mile/h = 1.85 km/h),则航行 1 km 路程所消耗的燃料量 Q_m = 5.1 × 10^{-2} × 74/(21 × 1.85) = 0.094 g/km;又如奥托·哈恩船在 38 MW 功率上运行速度为 16 kn,则航行 1 km 路程所消耗的燃料量 Q_m = 5.1 × 10^{-2} × 38/(16 × 1.85) = 0.064 g/km;若在 76 MW 功率上运行,速度同样为 16 kn,则航行 1 km 路程所消耗的燃料量 Q_m = 5.1 × 10^{-2} × 76/(16 × 1.85) = 0.13 g/km。由此看出,对船用核反应堆功率运行来说,应尽可能

选择合适的经济运行功率,使其燃耗量最小。我们再从单位行程所消耗的储能角度分析一下船用核反应堆燃料利用的经济性能。

单位行程消耗的储能为

$$Q_s = \Delta Q_K / S \tag{3.2}$$

式中,ΔQ_K 是功率为 P 的船用反应堆在时间 t 内以速度 v 航行 S 路程所消耗的储能。对于船舶反应堆,在经济航速下,运行功率 P 与速度 v 有一个最小值,即航行 1 n mile 所消耗的储能为最小(即消耗的燃料最少),此时的速度保证了经济运行功率。当功率增加到大于运行经济功率时,由于船舶航行的阻力大大增加,因而单位行程所消耗的储能 Q_s 增加;当功率降至运

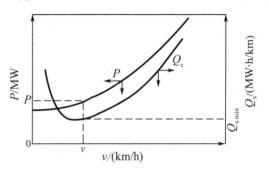

图 3.1　储能消耗与核动力船速度的关系特性

行经济功率以下时,由于船舶特殊需要的能量消耗相对地增加,也使单位行程所消耗的储能增大,其关系特性见图 3.1。

由图 3.1 可知,对给定的储能,经济速度对应于最大的航程,而在实际核动力船舶的功率运行计算中,单位行程所消耗的储能通常要比“平均运行功率/平均运行速度”大一些。这是因为反应堆实际的功率运行时间总比投入航行的时间要长,为了节省储能和减少燃料的无谓消耗,必须使船用反应堆在船坞及码头运行时间减少到最低限度,即力求使功率运行时间与船舶航行时间大致相当。

例如,某核动力商船在额定功率 80 MW 上运行时,航行速度为 22 kn,而在 $50\% N_H$ 功率上运行时为 16 kn,其航行 1 n mile 所消耗的储能分别为

$$Q_{s1} = \frac{80}{22} = 3.64 \ \text{MW} \cdot \text{h}/(\text{n mile})$$

$$Q'_{s1} = \frac{40}{16} = 2.50 \ \text{MW} \cdot \text{h}/(\text{n mile})$$

航程等于反应堆在给定功率上的航速(kn)乘以运行时间(h)。若该堆的运行周期为 800 d,则满功率所航行的路程 $S_1 = 22 \times 800 \times 24 = 4.22 \times 10^5$ n mile;$50\% N_H$ 功率所航行的路程 $S_2 = 16 \times 800 \times 2 \times 24 = 6.15 \times 10^5$ n mile。即在 $50\% N_H$ 功率上运行其航行速度为 16 kn,比在额定功率上运行(其速度为 22 kn)的情况多航行 1.93×10^5 n mile。由此得出结论,船用核反应堆在功率运行期间,选择合适的经济运行功率及其速度十分重要。

3.1.2　船用堆运行与陆上堆运行的差异

提高核动力装置的运行安全性和经济性,是核动力装置得以迅速发展的重要技术基

础。自美国三哩岛和原苏联切尔诺贝利核事故后,核安全问题更为世人所关注,世界各核大国投入了大量人力、物力和财力进行运行安全研究,使得核安全性技术水平有了很大提高。船用核动力装置在发展过程中,曾经历了多起艇沉人亡的严重事故,为以后核动力技术的发展留下了深刻的教训,也促进了核动力技术尤其是运行安全技术的发展。

船用核动力装置的运行管理,与陆地上的核电站相比有明显差别,其主要特征如下:

(1)相对于核电站而言,其体积小,功率密度大,质量轻,运行操作、维修空间小;

(2)高负荷运行工况较少,中子通量分布更加不均匀,反应性控制主要依靠控制棒实现;

(3)船用核动力需要远离陆地,独立在海洋中航行,要求核动力装置具有较高的可靠性和运行安全性;

(4)船用核动力装置要满足舰船机动性的要求,变功率运行工况较多而且功率变化速度快、范围宽,发生事故的概率比核电站大得多。

为确保船用核动力装置的安全性,除了提高设计、制造水平,加强各环节管理之外,开展运行分析也是十分重要的。由于船用核动力装置明显区别于核电站的特点,进行运行方案研究,不仅有利于提高核动力装置运行的总体性能,而且对于制定合理有效的运行规程,减小运行过程中发生事故的概率,加强船用核动力的运行安全具有重要意义。

3.1.3　功率运行与运行方案

核动力装置的稳态运行方案是指反应堆及其动力装置在稳态运行条件下,各运行参数所遵循的一种特性。由于运行方案的选择直接关系到船用核动力装置的总体性能,对反应堆物理、热工水力、运行控制方案等各方面都会产生显著影响,其中任何一方面存在不可克服的技术关键,都会使得这种运行方案成为不可行的运行方案。因此,选择某一种稳态运行方式,不仅要考虑其是否能够使装置具有良好的运行特性,而且还要确定在目前或者可预期的将来其是否具有可行性。对运行方案进行全面而深入的分析和掌握是运行操纵人员必不可少的技术。压水堆动力装置运行方案有很多种,常见的有以下三种。

1. 主冷却剂平均温度不变的运行方案

该运行方案是主冷却剂的平均温度 T_{av} 不随动力装置负荷变化的方案,如图 3.2 所示。冷却剂采用平均温度恒定运行方式。蒸汽发生器的稳态特性是当输出功率水平变化时,一回路冷却剂平均温度不变,但是随着负荷升高,蒸汽发生器二次侧压力降低;反之,负荷降低时蒸汽压力升高。这种运行方案的主

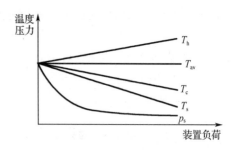

图 3.2　主冷却剂平均温度恒定运行方式

要优点体现在以下几个方面。

(1)功率变化时,要求反应堆补偿的反应性小,有利于改善瞬态工况的堆芯功率分布,减轻功率调节系统的负担,也就是说,对于具有负温度系数的反应堆这是一个本能的选择方案,能使反应堆具有较好的自稳自调特性。

(2)不同运行功率时,由于冷却剂平均温度恒定,冷却剂体积原则上波动不大,较小的稳压器容积就可以满足压力控制要求,大大减轻了一回路压力与容积控制系统的工作负担。

(3)减少对堆芯结构部件,尤其是对燃料元件的热冲击所引起的疲劳蠕变应力,增加了元件的使用安全性。

(4)运行机动性好。一方面,由零功率至满功率冷却剂平均温度处于恒定状态,需要补偿的温度效应小;另一方面,一回路结构部件不产生较大温差,可以加大功率提升幅度。这种较好的运行机动性特别适合船用核动力装置的要求。

但是由于二回路蒸汽流量和压力变化较大,二回路系统和设备承受较大的热冲击应力,增加了蒸汽发生器给水调节系统和汽轮机调速系统的负担。

2. 二回路蒸汽压力不变的运行方案

该运行方案是二回路蒸汽压力 p_s 不随负荷变化的方案,如图 3.3 所示,也就是二回路蒸汽压力恒定运行方案。这种运行方案的优点是有利于二回路设备,如汽轮机、给水泵和蒸汽调节阀的控制。它的缺点是不利于一回路控制。由于 T_{av} 变化大,反应堆的反应性扰动量大,使控制棒有较大幅度的位移变化,一回路稳压器也要求有较大的容积补偿能力。因此,对这些设备的控制比较复杂。

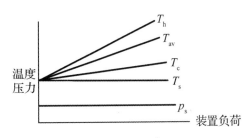

图 3.3　二回路蒸汽压力不变的
运行方案

3. 组合运行方案

该运行方案是上述两种方案的组合,也就是组合运行方案,如图 3.4 所示。这种运行方案综合了以上两种方案的优点,而克服了各自的缺点。在低负荷时采取蒸汽压力 p_s 不变的方案,以适应变化量不太大的负荷改变;在高负荷时,采取平均温度 T_{av} 不变的方案,既有利于一回路的监督控制,又满足较大的负荷变化需要。但为此也带来其他一些问题,目前大多数船用核动力采用的典型运行方案是一种热和机械制约之间的折中方式。该方案把一回路平均温度方案中二回路的全部负担由一回路、二回路共同承担。其最大的优点是不至于造成二回路系统、设备的限制太强。当然,必定给一回路增加一定的限制条件。比如,带来以下问题:需要一个比较大的稳压器,它的体积根据从 0 到 100% 额定功率时冷却剂平均温度的变化来决定;调节棒组件移动的范围较大。如果反应堆功率变化时平均温度变化速度太快,负荷剧烈下降时,由于慢化剂的负温度效应将释放出相应的反应性,调节棒组件下插以补偿堆芯反应性的增加,并且还有产生热点的危险;二回路蒸汽压力随装置负荷的变化呈现"反滑"趋势,装置负荷越低,蒸汽压力就越高。装置的稳态运行工况变化时,由于蒸汽压力变化,二回路使用新蒸汽的主汽轮机、发电汽轮机等设备需要变参数运行,其他使用减压蒸汽的辅助汽轮机或者变参数运行,或者调

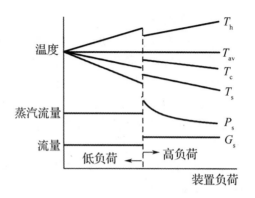

图 3.4　组合运行方案

节节流阀开度控制蒸汽压力实现定参数运行,这对运行控制系统提出了更高的要求。如果在主蒸汽管道上设置蒸汽压力自动调节阀,可以在不同运行工况下保持二回路用汽设备进口蒸汽压力的稳定。但是,由于船用核动力装置负荷经常变化并且长期在低负荷下运行,蒸汽压力自动调节阀总是处于较小开度,不仅调节特性差,而且阀前后压差变化幅度较大,承受较大的热冲击应力作用,设备故障率较高,降低了动力装置的可靠性。另一方面,装置在低负荷下运行时,蒸汽压力较高,调节阀对新蒸汽的节流加剧,增加了节流损失,进一步降低了低负荷下装置的热经济性;运行过程中蒸汽发生器给水压力变化幅度较大,增加了给水系统管路设备以及调节系统的工作负担。为了保证给水泵工作的稳定,给水泵特性曲线下降斜率必须大于给水管系特性曲线下降斜率,这对给水泵的设计提出了特殊要求,给泵的设计和制造带来一定困难;为了保证主蒸汽系统和给水系统的管道、设备的完整性,进行设计、制造和安装时,必须选用较好的材质,采用较高的标准,从而增加了设备投资。

总之,这种组合运行方案可以从一定程度上改善船用核动力装置的运行性能,减小单纯采用一回路冷却剂平均温度不变运行方案或者二回路蒸汽压力不变运行方案所带来的运行困难,但是并没有从根本上解决两种基本运行方案中所存在的问题,只是将运行困难由一、二回路系统来共同分担,对于核动力装置的总体运行性能没有根本性的改善。如果在船用核动力装置的稳态运行过程中能够同时保持一回路冷却剂平均温度和二回路蒸汽压力恒定,即实现理想的"双恒定"稳态运行方式,就能够最大限度地保留冷却剂平均温度恒定运行方案和蒸汽压力恒定运行方案的所有优点,有效地减轻一、二回路系统的运行与控制困难,改善核动力装置许多设备的设计、制造条件,显著提高核动力装置的总体运行性能。

从运行的角度来看,船用核动力装置采用一回路冷却剂平均温度恒定和二回路蒸汽压力恒定的理想运行方案,对于一、二回路系统的运行和控制都极为有利,目前困扰船用核动力装置设计和运行部门的许多问题都可迎刃而解。

3.2　功率运行时的功率校正

　　船用核反应堆处于功率运行时,根据其机动性要求(离、靠码头,热态备航,加速,减速等),不但功率改变频繁,而且变化幅度也较大。反应堆的功率水平是表征核动力装置运行状态的极为重要的参数,为确保装置的核安全,要求功率运行时对其功率经常进行校准和监督。对于船用核反应堆,能够迅速反映出堆内的功率水平及变化情况是极为重要的,因此要经常进行功率校准和刻度,做到心中有数。一般核电站的功率校准和刻度试验是通过试验的方法进行的。由于船用压水堆一回路冷却剂流量很大,要快速和准确测量较为麻烦,因此目前世界上普遍采用简便的测量方法。这种简便法就是依据一、二回路系统之间的热平衡关系来得到和校核反应堆功率,即以一、二回路参数来计算热功率,进行相互校核。

　　根据一回路参数计算热功率 P_1,即

$$P_1 = \frac{G_1(i_h - i_c)}{860v_c} = \frac{G_1(i_h - i_c)}{8.6v_c \cdot P_H}\% P_H \qquad (3.3)$$

　　根据二回路参数计算热功率 P_2,即

$$P_2 = \frac{G_2(i_s - i_w)}{860v_w} = \eta P_1 \qquad (3.4)$$

式中　　G_1,G_2——分别为一、二回路流量,m^3/h;

　　　　i_h,i_c——分别为堆冷却剂出、入口热焓,kJ/kg;

　　　　i_s,i_w——分别为二回路蒸汽、给水的热焓,kJ/kg;

　　　　v_c,v_w——分别为一回路冷却剂及二回路给水流量温度所对应的比体积,m^3/kg;

　　　　η——效率,一、二回路传递过程中的热损失;

　　　　P_H——反应堆额定功率,kW。

　　对于以上计算,一般 P_1 大于 P_2,但用此估算去校核反应堆的运行功率对船用反应堆在运行过程中的粗略简化是极为实用的。因 P_1 和 P_2 之间有个转换系数 η,在精确计算时应考虑 η 的影响。

3.3 核动力装置运行限值和条件

3.3.1 运行限值和条件的要求

船用核动力装置运行限值和条件的基本原则,和船用核动力装置运行限值和条件所包括的有关内容,与核电站的要求基本一致。船用核动力装置的运行必须遵守国家核设施核安全部门批准的运行限值和条件。船用核动力装置运行单位所制定的船用核动力装置运行规程和操作程序必须与设计运行限值和条件相一致,以确保运行限值和条件的贯彻执行。所不同的是船用核动力装置运行单位应根据最终设计要求制定运行限值和条件。

在船用核动力装置运行限值和条件中,必须对船用核动力装置的启动、功率运行、停堆等各种正常运行方式,对紧急情况下的运行方式,以及预计事件要求作出规定。制定运行限值和条件时,必须考虑与船用核动力装置运行有关的技术问题以及运行人员应采取的行动和应遵守的限值。同时,船用核动力装置运行人员应具有有关标准所要求的资格。

为保证船用核动力装置是在所规定的运行限值和条件的范围内运行,必须对运行限值和条件规定监督要求。这些监督要求应包括为保证运行限值和条件所涉及的设备、部件的可运行性、性能或过程状态,及其整定值或指示值的正确而进行的定期校检、试验、标定检查以及监督周期。

运行限值和条件按其性质分为以下几类:
(1)安全限值;
(2)安全系统整定值;
(3)正常运行限值和条件;
(4)特殊条件下的运行限值和条件;
(5)自然循环与强迫循环的相互转换;
(6)监督要求;
(7)定期试验要求。

3.3.2 安全限值

安全限值的确定应以防止船用核动力装置发生不可接受的放射性物质释放为依据。基本的安全限值应包括燃料温度、燃料包壳温度和反应堆冷却剂压力的实际限值。

必须限制燃料温度和燃料包壳温度,以保证燃料元件的破损是在可接受的程度以内。安全限值通常应当用燃料和(或)燃料包壳温度的最大可接受值表示。反应堆冷却剂系统压力的安全限值必须根据设计压力和系统温度的关系来确定。

3.3.3　安全系统整定值

对于安全限值中的参数以及影响压力或温度瞬变的其他参数或参数组合,都应选定安全系统整定值。当某些参数达到整定值时应能分别引起保护动作,或者某些自动装置动作以及专设安全系统投入运行,以限制预计瞬态过程,防止超过安全限值或减轻事故的后果。

设置的安全系统整定值典型参数、运行事件和保护参数主要如下:

(1)中子通量密度及其分布(启动区段、中间区段和功率区段);

(2)中子通量密度变化速率;

(3)反应性保护;

(4)轴向功率分布因子;

(5)燃料包壳温度或燃料通道冷却剂温度;

(6)反应堆冷却剂温度;

(7)反应堆冷却剂升温速率、降温速率;

(8)反应堆冷却剂系统压力;

(9)稳压器水位;

(10)反应堆冷却剂流量;

(11)反应堆冷却剂流量变化速率;

(12)反应堆冷却剂泵故障;

(13)安全注射;

(14)蒸汽发生器水位;

(15)主蒸汽管道隔离、主汽轮机脱扣和给水隔离;

(16)正常电源断电;

(17)小蒸汽管道的辐射水平;

(18)各舱室辐射水平及空气污染水平;

(19)堆舱压力、温度和堆舱喷淋系统;

(20)堆舱负压系统;

(21)二回路蒸汽压力排放。

3.3.4　正常运行限值和条件

规定正常运行限值与条件的目的是保证船用核动力装置的安全运行,使安全系统处于备用状态,以确保船用核动力装置安全运行。直接运行人员必须熟知运行限值和条件内容,并严格遵守。在核动力装置运行寿期内,可根据技术发展的情况和装置的技术状况进行运行限值,但若复审需要改进修订时,须按文件修订程序进行审批与认可。正常的运行限值和条件,不得损害安全系统的有效性,并应与规定的安全系统整定值之间留有可接受的裕量。应设置适当的报警,在运行参数达到安全系统整定值之前,使操纵人员能采取适当的纠正措施。在各种正常运行方式中,应根据船用核动力装置的可运行性要求,对处于运行状态或备用状态的安全重要系统和设备的数目作出规定。当可运行性要求不能达到预期程度时,必须采取相应的措施,如降功率或停堆。当需要停役某个安全系统中的一个设备时,需要证实安全系统逻辑仍符合设计规定。

在正常运行方式下,反应堆冷却剂温度(最低或最高)和温度变化率必须运行在规定的限值内;反应堆冷却剂系统压力在各种正常运行方式下必须控制在反应堆冷却剂系统容许运行压力的限值内;反应堆功率必须在考虑中子通量密度分布的基础上确定反应堆功率的限值,以保证不超过燃料温度的安全限值。

运行中,必须满足各系统规定运行安全限值符合其要求。这些要求包括阀门的可运行性、冷却剂注射与循环的充分性、管道系统的完整性,以及安全注射系统所需水源容量的特定限制。

为确保各系统能连续工作,还必须规定应急电源系统和其他辅助系统(如设备冷却系统和通风系统)运行安全要求。为确保释放到环境中的放射性物质不超过可接受的限值,还必须考虑和规定应急系统在事件后长期使用的能力。

运行中必须按照蒸汽发生器规定的运行安全要求来进行,其中还应包括遵照应急给水系统,蒸汽系统及其安全阀、隔离阀、隔舱阀的运行安全限值要求,对水质、水位、最小热交换能力等进行有效控制。同时还必须执行对二回路蒸汽压力排放系统规定运行限值要求。

在运行中必须对正反应性引入速率进行有效的控制,并通过反应性控制系统不超过运行限值。

对各种正常运行方式下反应性控制装置及其位置指示器按照可运行性要求,应包括多重性、多样性,装置动作的正确顺序、时间等运行安全要求。为保证船用核动力装置运行的机动性,还必须按照功率调节系统可运行性要求和调节特性品质指标要求,确保可靠的功率调节能力。

3.3.5　特殊条件下的运行限值和条件

特殊条件(指船用核动力装置在海上遇到紧急情况时)下的运行限值和条件只适用于紧急情况,一旦条件允许,应立即恢复到正常运行工况。

船用核动力装置必须按照在不同运行工况下反应堆所允许的冷却剂温度的最高限值,控制反应堆功率运行,在确保燃料温度不超过安全限值,并考虑中子通量分布、燃料温度和燃料包壳温度的同时,还必须遵守特殊运行工况下反应堆所允许超功率运行的最高功率限值。

在不同燃耗寿期下,如果任意一组或两组控制棒因故障不能按预定要求动作,必须按照反应堆所允许运行的最大功率限值运行。

当反应堆采用单环路运行和(或)主蒸汽管线单舷供汽时,必须按照单环路运行和(或)单舷供汽的系统、设备和部件的可运行性要求以及反应堆所允许的功率、冷却剂温度和蒸汽流量等极限值运行。

3.3.6 自然循环与强迫循环的相互转换运行限值和条件

自然循环是指船用核动力装置在正常运行工况下停止主循环泵驱动,用冷却剂流体间的密度差所产生的浮升力驱动流体循环来冷却反应堆堆芯,实现传热的循环方式。强迫循环是指船用核动力装置在正常运行工况下采用主循环泵强迫驱动冷却剂来冷却反应堆堆芯实现传热的循环方式。船用核动力装置运行必须根据核动力装置的实际状况确定自然循环和强迫循环的相互转换。

自然循环和强迫循环相互转换要按规程进行,要满足反应堆功率、回路平均温度、回路压力、二回路蒸汽负荷等参数的运行限值,并要分析人为干预对自然循环和强迫循环相互转换的影响。

对于强迫循环转自然循环工况,要使堆功率处于自控状态,将堆功率降至基本功率以下,根据需要由"强迫"转至"强迫转自然"。

自然循环转强迫循环工况,要使堆功率处于自控状态,二回路蒸汽负荷保持恒定,根据需求由"自然"转至"自然转强迫"。自然循环向强迫循环转换时,必须暂时切除短周期保护。

3.3.7 监督要求

船用核动力装置运行单位必须按规定对正常运行限值和条件、特殊条件下的运行限值和条件的系统或部件进行监督和管理。这些监督和管理必须包括试验、标定、监测或检查,以保证满足所规定的运行限值和条件。同时,船用核动力装置运行单位还必须按照国标的要求进行检查,以核实船用核动力装置的运行是否遵守所批准的运行限值和条件。

3.3.8 定期试验要求

为了在运行期间对核动力装置设备与系统的完好性进行确认,需要对反应堆及其辅助设备、汽轮机发电机组、专设安全设施等定期进行检验和试验,以便对其性能和质量作恰当的验证。为有计划地安排试验,减少因试验和检验而影响核动力装置的运行与维修,应作出总的试验计划时序表,并按此执行。

根据具体情况,试验可包括监督性检查试验和检修后的试验。对一些重要试验项目,核动力装置的管理部门和核安全监督机关均应参加见证。一般性的试验只要求查阅试验记录加以确认。检查和试验结果应形成文件,并经授权人员审评以确认满足所有要求。试验报告的内容应包括数据记录、发现的问题、采取的措施、试验或检验后的状态及验证负责人的确认签字。

3.4　稳定工况运行

稳定工况运行是核动力反应堆根据舰船停泊负荷或匀速推进负荷要求而维持功率水平恒定的工况,一般来说稳定工况运行是指核反应堆的功率不随时间变化的运行方式。理论上讲,堆功率不随时间变化则堆内反应性也应不随时间变化,但实际上反应堆处于稳定功率运行时,其堆芯必定会发生一系列的物理热工效应,这些效应将会引起堆内反应性的变化,从而导致堆功率的变化,因此稳定工况运行的稳定是相对的,而稳定中的不平衡是经常的,对于这一点绝不能掉以轻心。事实上,反应堆的反应性是由各方面的因素决定的,而且引起反应性改变的原因很多,主要有回路温度、压力、中毒、燃耗等。它们的作用可能单独出现,也可能一起出现。虽然有些效应所引起的反应性变化是缓慢的,或者在一定的时间后趋于平衡,但如果不及时补偿,那么在负反应性引入时会使功率下降,以致堆停闭。倘若引入正反应性,会使功率很快增长,破坏堆的正常工作。总之只有不断进行手动或自动操纵控制棒消除反应性的扰动,才能维持其功率恒定。

因此,为了正常维持堆的稳定工况运行,必须对全部系统、机组设备等工作状况实施监督,并对仪表和信号进行有效监督等。

稳定工况运行方式有两种,一种是手动控制(一般在20%额定功率以下),另一种为自动控制(一般在20%额定功率以上)。无论是手动还是自动,都必须按正常运行安全的要求和条件实施操作,这是确保功率区安全运行的最基本条件。

3.4.1　稳定工况运行状态的监督

为了维持反应堆的稳定工况运行,操纵人员须及时准确地掌握和了解反应堆的运行状态,如反应堆功率、热工参数的变化,及系统设备等工作情况。这些运行状态有些可用眼看、耳听、手摸等方式来判断设备装置的运转情况,而更多的特别是堆舱的系统设备运行情况则须通过指示仪表来判断,所以监督装置的运转就是实施对仪表的监督。

堆功率是反映反应堆动力装置运行状态的一个重要参数,通过功率值随时间的累积,可估算并判断反应堆的燃耗程度。堆芯设计的热工参数,对应有一个最大允许功率,它取决于冷却剂的压力和反应堆的出入口温度、燃料最大允许的中心温度等条件。如果运行超过额定功率就会导致堆芯冷却剂发生体积沸腾,甚至使燃料发生熔化,破坏堆的正常运行。所以功率监督是必要的。但是反应堆长期运转后,燃料^{235}U 逐渐减少,导致核功率读数比实际热功率表读数偏高。而 P 正比于 $\varphi N \cdot \sigma_{\mathrm{f}}^{\mathrm{U235}}$,核数 N 减小,若要维持以前的功率值,就要提高中子通量 φ,核功率表是根据 φ 的测量来刻度的。所以此时在达到某功率值时,必然要求中子通量提高。因此在反应堆运行期间,要定期校核核、热功率表的刻度,校准核功率表的读数。保证在工作期的全部时间里都能得到较为准确的功率表指示。

稳定工况运行时,监督各种仪表主要是看仪表指示是否在额定允许范围内,若出现不正常,则要查明原因,给予排除。作为一个熟练的操纵员,应牢记正常运行时各主要参数的额定值及正常工作范围,以此判断反应堆运行状态的正常与否,还要具备能监督多个参数来衡量堆运行状态的能力。如监督稳压器的温度、压力、水位,来判断稳压器以至堆的运行状态;如稳压器的压力表指示失灵,此时可由稳压器的温度和水位来判断堆的压力值,其准确度不比压力表差;如主泵流量表可与主泵的电机负荷电流表指示结合起来判断它的工作状态,等等。另外还要在平时的稳定功率运行中注意监督各设备系统的工作状况,例如调节控制棒位置时要注意灯光与钟表式位置指示是否同步;要定期检查控制棒驱动机构定子冷却水的流量温度,以防烧毁;检查压力容器密封等是否泄漏及随时监督冷却剂和堆舱的剂量水平,并及早发现由于工艺缺陷或其他原因造成的破损等。要求操纵人员对非正常工况能及时发现,正确分析判断,做到准确而迅速地处理。

稳定运行时要求操纵人员在一切关键性的操作之后,或对事故处理后,都做较详细的记载,即使在稳定功率运行无重要的操作时,也要定时地(如每小时一次)记录反应堆装置主要参数数值,作为累算燃耗的依据,并作为掌握反应堆的燃耗程度和后备反应性大小的依据,指导以后启动运行。

稳定工况运行监督的主要参数有堆功率,热功率,堆出、入口温度,堆平均温度,稳压器的温度、压力、水位,冷却剂流量,堆舱温度、剂量水平,控制棒棒栅位置等。

3.4.2　稳定工况运行时控制棒棒栅位置的调整

1. 稳定工况运行时堆内的反应性变化

稳定工况运行时,理论上运行功率是不随时间而变化的,但实际上所谓稳定是相对的,因为堆内反应性是变化的,若要维持堆功率稳定要求通过外部手段(手动或自动)移动控制棒来消除堆内的反应性变化。这种堆内反应性的变化主要有以下几个因素。

(1)温度效应

反应堆的燃料元件、冷却剂的温度因某种原因发生变化,能够引起反应堆的反应性变化,反应性变化引起功率变化,功率变化又引起温度变化。由于压水堆的温度系数通常为负的,即温度升高则堆内反应性减少;反之,反应性增加。堆内燃料温度变化引起反应性变化所对应的温度效应称多普勒效应,多普勒系数比冷却剂温度系数小一个量级,可是它比冷却剂温度系数反应得快。由于它们的存在,反应堆具有自稳自调性能。但就某一时刻而言,温度总是在变化的,有时需调整控制棒进行干预。典型的压水堆温度系数曲线如图3.5所示。

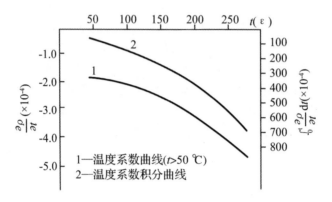

图3.5 典型压水堆的温度系数曲线

(2)压力效应

对于压水堆来说,其压力变化也会引起反应性的变化。

压力系数为正值,但很小,因此稳定工况下压力是恒定的,即使有波动也很小,故可忽略它的影响。

(3)中毒效应

在进入稳定功率运行状态的前段引起控制棒移动的主要原因是中毒效应。

图3.6示出两种功率水平的稳定运行期间的平衡氙毒曲线。由图说明氙毒平衡时间与功率水平有关,功率水平高,则氙毒平衡时间长;还说明控制棒所补偿的反应性量与功率水平有关,功率水平愈高,则要克服平衡氙毒所补偿的反应性量就愈大,反之亦然。为此在氙平衡之前的时间里要求控制棒不断地提升来补偿氙毒的负反应性。只有这样才能

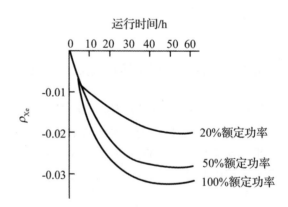

图3.6 开堆后不同功率下平衡氙毒曲线

保持堆功率不变。

（4）燃耗效应

在短期运行的堆中，燃耗一般是不重要的因素。

因为燃耗反应性是个缓慢的效应，只有在长期运行的基础上才会显示出来。堆每运行一个满功率天由燃耗引起的反应性减少量称为燃耗反应性，它是个负值。但长时期功率运行的反应堆必须考虑燃耗反应性，因为用反应性度量的燃耗值涉及换料周期时，它又是个主要问题。

此外，负荷、流量、功率变化也会引起反应性变化，这些效应也是引起堆内反应性变化的因素。

以上这些功率运行中反应性的变化，都需经过控制棒调整棒栅位置来维持其堆功率的稳定运行。

2. 稳定工况运行时棒栅位置的调整

堆稳定运行受到内部和外部的影响，控制棒需要不断地升降才能维持堆稳定运行在某一功率水平上。由于控制棒经常升降移动，必然改变堆芯内中子通量分布，影响功率的分布，并影响堆功率输出，因此要经常调整棒栅位置，改善通量分布。

我们知道中子通量分布与功率分布是成正比的，而功率分布与堆芯温度分布有关。控制棒所处的位置关系到堆的中子通量分布，也关系到堆芯温度分布。反应堆输出功率受到热管、热点温度的影响，在最佳的提棒方式下通量有较平坦的分布，不利因子小，保证其输出额定功率。但反应堆稳定运行受到内部和外部的影响，有时出现通量分布的倾斜。如图 3.7 所示，不利因子过大，从而输出功率降低。对于控制棒轴向通量分布倾斜，一般出现在堆寿期的初期，由于部分插入控制棒对径向通量分布的改善常常比轴向分布的变化大，即使这样也要避免因热点温度过高烧毁元件的可能。因此除自动调节棒外，要求在最佳提棒方式下尽可能地把控制棒插到底或提到顶，要避免使控制棒停留在 1/4～1/3 的高度上，因为这时轴向不利因子最大。

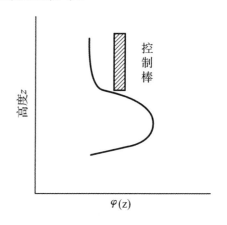

图 3.7　轴向通量分布

在高功率稳定运行时，要经常调整自动棒的位置。离棒的底端或顶端 1/3 处棒的效率都比较低，而棒的中间部位效率较高，若棒处于底端或顶端时调节功率会出现满足不了过大的反应性扰动的情况，因此要经常手操其他棒位把自动棒调整到中间段位置，以适应反应性扰动的要求。

　　当然,反应堆也可以在歪斜的通量分布下运行,但是因不利因子较大而功率峰所形成的热点温度的限制,常常需要反应堆降低功率运转。也就是说在通量发生歪斜的情况下,反应堆虽能工作,但不能开到满功率运行。

3.4.3　功率运行时稳压器压力控制

　　核动力反应堆在功率运行时,冷却剂系统压力必须保持在一定的范围内,对于压水堆型动力装置,稳压器的压力直接反映冷却剂系统的压力。因此无论动力装置在何功率水平上运行,稳压器始终控制着反应堆冷却剂的压力。这是因为当压水堆为适应负荷变化而运行在某功率水平时,因冷却剂系统、温度场分布和平均温度的变化,或因冷却剂系统补水或因泄漏等原因均会引起系统中水容积的波动,从而导致系统压力的变化。若压力过高,因应力的影响会使系统设备受到破坏;若压力过低,则会造成堆芯局部沸腾,严重时可能会出现体积沸腾而烧毁燃料元件。

　　压水型反应堆在功率运行时,一般要严格按稳压器温度压力运行控制图来进行,温压控制图的额定值包括设计压力定值、安全阀副阀开启压力定值、安全阀整定压力定值、蒸汽释放阀打开定值、压力上限定值、蒸汽释放阀关阀定值、喷雾控制阀开启定值、喷雾控制阀关闭定值、切除稳态组加热器定值、额定运行压力定值、投入稳态组电加热器定值、压力下限定值、紧急停堆定值、安全注射定值等,详见图3.8(a)。

　　在正常情况下,当系统的压力上升超过压力整定值上限时,喷雾流量可以在最小流量到最大流量范围内变动。当系统压力下降,可启动稳态组电加热器间断运行,补偿稳压器的热损失,使其压力在正常范围内。

　　在发生事故的情况下,由于种种原因引起系统压力持续上升,且稳压器喷雾流量开到最大仍不足以补偿和限制系统的超压时,稳压器顶部的泄压阀开放,释放部分冷却剂的饱和蒸汽。若系统压力仍未下跌而继续上升,则与稳压器顶部和卸压阀并联的安全阀动作,以限制系统超压,从而保护核动力反应堆的安全。

3.4.4　功率运行时稳压器的水位控制

　　在功率运行时,稳压器的水位是表征冷却剂体积变化的,即它补偿由于功率运行突变而引起的反应堆内的冷却剂体积变化,因此在运行中要严格按稳压器的水位控制图来进行控制。其控制的主要内容有动态允许的最高水位定值、高水位报警定值、停止补水定值、额定运行水位定值、开始补水定值、低水位报警定值、动态允许最低水位定值,详见图3.8(b)。

　　当动力装置正常运行时,一般采取在某种负荷上冷却剂平均温度不变,而改变二回路蒸汽温度和压力来维持稳压器水位的运行方案,或改变冷却剂平均温度,而二回路蒸汽压力不变,来维持稳压器的水位在正常的范围内,以平均温度为主调节参数时,稳压器水位被

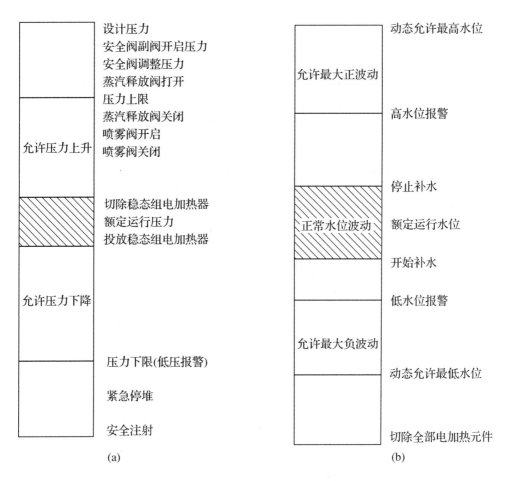

图 3.8　典型船用压水堆稳压器压力、水位控制图

(a)压力控制图;(b)水位控制图

看作冷却剂平均温度 T_{av} 的函数来控制的运行方案。根据一个给定的 T_{av} 来计算稳压器水位的整定值,当功率减少时冷却剂平均温度降低,则一回路水体积收缩,稳压器水位也降低。

从以上分析中可知稳压器中水位控制是极为重要的,必须引起操纵人员的高度重视。

3.5　变工况运行

改变工况运行是指反应堆运行功率随时间变化的过渡过程。改变工况运行是船用动力装置的重要形式,它关系到船舶的机动性和生命力,如船舶离、靠码头(如舰船追击或伏击敌人)等需要频繁改变功率或航速,要求动力装置具有良好的机动性能。无论是核动力商客船还是军用舰船,对以压水堆为主要形式的反应堆在改变工况时,一般根据二回路负荷的需要,将反应堆功率调整到适应二回路所需的功率上,无论是升功率还是降功率,在改变工况过程中,反应堆的功率随时间改变,直至稳定在所需的功率上为止(进入稳定工况运行)。船舶核动力反应堆变工况运行时的操纵形式一般有两种,即不连续改变工况和连续改变工况。所谓连续改变工况,就是反应堆功率根据二回路负荷要求,从某一功率直接提升或下降到所需功率水平上(事故刹车时的操作也属连续改变负荷)。其优点是速度快(对于舰艇的作战要求尤为重要);缺点是容易发生事故,如反应性事故、超功率事故等。所谓不连续改变工况,是指根据二回路负荷逐级提升或降低功率,待某一功率基本稳定后再提升或降低功率。其优点是安全性好,缺点是需要改变工况的时间长一些。对于一般船用核动力装置根据当时的实际情况来确定改变工况的方式。对于改变工况的种类一般分两种,即提升功率和降低功率。

3.5.1　提升功率时的操纵

提升功率之前,一般先根据负荷的要求确定提升功率的终值,并估算出临界棒栅位置。根据系统的参数,投入窄量程仪表。当蒸汽发生器的蒸汽压力达到一定值时,向二回路供汽。在启动辅机的过程中,手动操纵控制棒跟踪负荷,维持蒸汽发生器的蒸汽压力在一定的范围内,当发电机带负荷运行后,将核测量、功调转换装置的转换开关放在"功调"位置上,在20%额定功率以前只能用手动控制,20%额定功率以上时即可投入自动控制,使反应堆运行在所需的功率水平上。当外负荷增加时,汽轮机进汽调节阀开大,蒸汽量增加,蒸汽发生器中的压力将下降,使蒸汽发生器的水位增加,通过给水泵调节,恢复水位。同时,控制棒驱动机构电源接收来自功率调节器的信号,通过控制棒的调节来增大功率。压水堆的功率调节系统一般采用温度为主调节参数,即以调节冷却剂平均温度的方法来消除一回路功率和二回路功率间的不平衡。在提升功率的过程中,稳压器中压力应保持在一定范围内,以避免堆芯冷却剂有产生沸腾或超压的危险。冷却剂温度的变化将引起稳压器中水体积的变化,所以稳压器水位整定值也随负荷要求而定,使运行在一个安全的区域内。压水堆另一种运行方式是一回路冷却剂平均温度不变,负荷变化后引起一回路冷却剂平均温度变化,通过控制棒的移动来改变堆功率,使其堆内平均温度维持不变。

3.5.2 降功率时的操纵

降功率一般是升功率时的逆操作,甩负荷属于降功率的特例。为保证动力装置的安全,在降功率时也有一些限制,即要按规定的速率降功率,当功率降至20%额定功率时自动切换至手动。减负荷的速率除受到反应堆降温降压的速率限制外,还要受到汽轮机气缸金属温度允许下降速度的限制。一般来说,每下降一定负荷后,应停留一段时间,让汽轮机气缸和转子温度均匀下降,调整二回路给水流量,将给水控制从主给水阀切换到旁路阀,并降低蒸汽发生器二次侧水位到规定值,蒸汽排放系统从冷却剂平均温度控制切换到蒸汽压力控制。当降负荷到一定功率以下时,由压力控制系统给出蒸汽排放的信号来控制和维持蒸汽供应系统和汽轮机之间的功率差。当反应堆在高负荷或满负荷运行时,若完全甩负荷,此时大量蒸汽必须排放到冷凝器或通过主蒸汽管道上的蒸汽释放阀进行释放,反应堆紧急停闭,并按有关操作规程进行操作。

3.5.3 改变工况时堆内主要参数的变化规律

反应堆功率过渡工况是通过反应堆动力装置各参数的变化来表征的。管理核动力装置,就是根据各参数的仪表指示来判断和监督它的运行状态,并作出相应的操作。为确保核动力装置的安全,有必要分析一下各主要参数的变化规律,以便在实际的运行管理中能够灵活运用。

我们知道,反应堆动力装置的稳定运行状态是根据传热平衡关系而建立的,即

$$P_t = Gc_p(T_h - T_c) = kA(T_{av} - T_s) = G_s(h_s - c_w T_w) = Q \quad (3.5)$$

式中　　P_t——反应堆热功率;

G——一回路流量;

c_p——冷却剂比定压热容;

T_h——反应堆冷却剂的出口温度;

T_c——反应堆冷却剂的入口温度;

A——蒸汽发生器传热面积;

k——蒸汽发生器总的热传系数,它与冷却剂流量有关;

T_{av}——冷却剂平均温度;

T_s——二回路蒸汽温度;

G_s——二回路蒸汽质量流量,其值等于给水流量;

h_s——二回路蒸汽热焓;

c_w——给水比热容;

T_w——给水温度；

Q——汽轮机和冷凝器所吸收的功率。

这个式子成立的条件是忽略了中间热传递的热损失,同时认为动力装置的传热介质是饱和蒸汽。假定不考虑传热时的延时条件,我们来分析几个主要参数的变化规律。

1. 反应堆热功率

反应堆热功率的变化与一回路流量及堆进出口温度有关,在流量不变的情况下,功率变化决定于堆的进出口温差,即可从 $P_t = Gc_p(T_h - T_c)$ 看出。

2. 反应堆出口温度

过渡过程中,在冷却剂流量不变的条件下,反应堆出口温度决定于反应堆的功率和平均温度的变化,即

$$\Delta T_h = \frac{\Delta P_t}{2Gc_p} + \Delta T_{av} \tag{3.6}$$

也就是说,反应堆功率的改变或平均温度的改变影响到反应堆出口温度的改变。这样,当发现堆出口温度升高或降低时,就可判断此时反应堆的功率或平均温度的变化。

3. 反应堆平均温度 T_{av}

在堆冷却剂流量恒定的情况下,平均温度的变化随堆芯反应性变化和堆进出口温度变化而变化,即

$$\frac{dT_{av}(t)}{dt} = \left[T_{av}(0) - T_c(0) \right] \frac{1}{P} \frac{dp}{dt} + \frac{dT_c(t)}{dt} \tag{3.7}$$

可以看出,将 $\dfrac{1}{P}\dfrac{dp}{dt} = \dfrac{1}{\beta - \rho}(\lambda\rho + \dfrac{d\rho}{dt})$ 代入式(3.7),则有

$$\frac{dT_{av}(t)}{dt} = \left[T_{av}(0) - T_c(0) \right] \frac{\lambda\rho + \dfrac{d\rho}{dt}}{\beta - \rho} + \frac{dT_c(t)}{dt} \tag{3.8}$$

这表明,在堆进口温度 T_c 不变时,$\dfrac{dT_c(t)}{dt} = 0$,则平均温度的升高或下降由控制棒的提升或下插来决定。提升控制棒时,向堆芯引入一个正的反应性速率 $\dfrac{d\rho}{dt}$,引起堆平均温度升高,否则下降。此时堆的平均温度随进口温度变化而变化,其 $\dfrac{dT_{av}(t)}{dt}$ 的符号变化与 $\dfrac{dT_c(t)}{dt}$ 相同。堆进口温度变化与二回路负荷变化有关。

4. 反应堆进口温度 T_c 的变化规律

在过渡过程中,反应堆进口温度 T_c 的变化取决于二次侧的蒸汽温度 T_s（T_s 又与 G_s 有关）,所以 T_c 也与 G_s 有关,其关系式为

$$T_{c} = \frac{2KA}{2Gc_{p} + KA}T_{s} + \frac{2Gc_{p} - KA}{2Gc_{p} + KA}T_{h} \qquad (3.9)$$

在冷却剂流量不变的条件下有

$$\frac{dT_{c}}{dt} = \frac{2KA}{2Gc_{p} + KA} \cdot \frac{dT_{s}}{dt} + \frac{2Gc_{p} - KA}{2Gc_{p} + KA_{s}}\frac{dT_{h}}{dt} \qquad (3.10)$$

上式表明,假如蒸汽温度未改变,因堆出口温度升高而引起堆进口温度升高,这是由于出口温度升高,导致蒸汽温度经过一段时间后升高,又影响堆的进口温度升高,反之就下降。

假如反应堆出口温度未变化,因负荷变化引起 T_{c} 发生变化,$\dfrac{dT_{s}}{dt}$ 是有正或负的量值时,则 $\dfrac{dT_{c}}{dt}$ 也相应地产生或正或负的量值变化。

5. 二次侧蒸汽压力

它与一回路传给二回路热量 Q、蒸汽流量 G_{s} 及二次侧给水温度 T_{w} 有关。因为蒸汽热焓 h_{s} 为

$$h_{s} = \frac{Q}{G_{s}} + c_{w}T_{w} \qquad (3.11)$$

对时间微分可得

$$\frac{dh_{s}}{dt} = \frac{1}{G_{s}}\frac{dQ}{dt} - \frac{Q}{G_{s}^{2}} \cdot \frac{dG_{s}}{dt} + c_{w}\frac{dT_{w}}{dt} \qquad (3.12)$$

蒸汽热焓变化符号与传递热量和给水温度符号相同,而与蒸汽流量 G_{s} 变化符号相反。

饱和蒸汽压力 p_{s} 与蒸汽热焓 h_{s} 的关系见图 3.9 的曲线,曲线表示饱和蒸汽压力 p_{s} 在 1.96 MPa 区段内与它对应的热焓的变化关系,说明热焓增加蒸汽压力上升,反之压力下降。

因此可从式(3.12)中得出结论:蒸汽压力变化符号与传递热量 Q 或给水温度 T_{w} 的符号相同,而与蒸汽流量 G_{s} 变化符号相反。

当一回路传递给二回路热量不变时,同时二回路的给水温度也不变,只是在蒸汽流量增加或下降时,蒸汽压力 p_{s} 才随之下降或上升。

蒸汽流量的大小是根据汽轮机负荷功率需求,由喷嘴阀的开度来决定的。这就是说,主机升负荷,

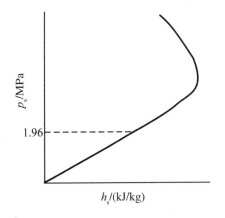

图 3.9　P_{s} 与 h_{s} 的关系曲线

喷嘴阀增大,蒸汽流量增加,此时蒸汽带走的热量增加,导致蒸汽压力下降。

当二回路蒸汽流量不变,给水温度 T_w 不变,只是一回路向二回路传递热量 Q 增加(或下降)时,蒸汽压力 p_s 随之增加(或下降)。这相当于二回路负荷不变,而一回路增加的热量传给二回路,使之蒸汽压力上升。

当二回路蒸汽流量不变,传递热量不变。只有给水温度 T_w 变化时,蒸汽压力随之变化,给水温度 T_w 增加(或下降),蒸汽压力增加(或下降)。一般给水温度 T_w 是不变的,只有在二回路给水设备故障或误操作时才会产生这种情况。

6. 一回路压力 p 的变化规律

一回路压力是由稳压器建立的,在功率运行时稳压器由蒸汽汽腔产生饱和蒸汽从而建立起整个系统的压力。当冷却剂体积变化时,稳压器的水体积也要发生变化,并影响到蒸汽体积的变化。冷却剂体积变化是受堆平均温度影响的,即

$$\Delta V(t) = V_0 \alpha \Delta T_{av}(t) \tag{3.13}$$

式中　V_0——$t=0$ 时的冷却剂体积;

　　　α——冷却剂体积膨胀系数。

$\Delta V(t)$ 是冷却剂因平均温度变化而引起的体积变化。假如冷却剂因平均温度升高引起体积膨胀,$\Delta V(t)$ 为正,此时冷却剂通过波动管向稳压器流动,使稳压器的蒸汽被压缩。被压缩的蒸汽体积是 $\Delta V_p(t)$,其与冷却剂体积膨胀部分的关系为

$$\Delta V(t) = -\Delta V_p(t) \tag{3.14}$$

因此引起系统压力升高 Δp。假设稳压器压力与蒸汽体积的变化是个等熵的绝热过程,则

$$\Delta V_p(t) = \frac{\partial p}{\partial V_p}\bigg|_S \Delta V_p(t) \tag{3.15}$$

式中,$\frac{\partial p}{\partial V_p}\big|_S$ 是 pV 绝热曲线的斜率,它是负值,所以

$$\Delta V_p(t) = \frac{\partial p}{\partial V_p}\bigg|_S [-\Delta V(t)] \tag{3.16}$$

把式(3.13)代入上式得

$$\Delta V_p(t) = -\frac{\partial p}{\partial V_p}\bigg|_S V_0 \cdot a \Delta T_{av}(t) \tag{3.17}$$

这就是压力波动 $\Delta p(t)$ 与冷却剂平均温度 $\Delta T_{av}(t)$ 之间的依赖关系。这表明只要冷却剂平均温度变化,就会引起一回路系统的压力发生变化。平均温度增加会引起压力上升,反之下降。

以上分析可提供我们在改变工况运行时监督各参数变化的相互关系,以便正确判断反应堆的状态。当然在改变工况时,不仅改变以上参数,还要综合考虑其他有关参数的变化,以使核动力装置安全可靠地运行。

3.6　功率运行时堆内反应性的变化及估算

3.6.1　功率运行时堆内反应性变化的因素与要求

1. 功率运行时堆内反应性变化的主要因素

功率运行时堆内反应性是不断变化的,即使是稳定工况运行,堆内的反应性也是变化的。在平衡氙稳定前,主要是由氙平衡引起的反应性变化起主要作用;当平衡氙稳定后,主要是燃耗反应性。因此,所谓稳定工况也是相对而言的,准确掌握功率运行时堆内反应性的变化及估算是极为重要的。反应堆的运行控制主要通过控制堆内的反应性而实现,而运行过程中堆内反应性变化复杂,且互相联系。影响反应性变化的因素较多,它依据堆型的不同、提棒方式不同、功率大小、运行工况不同、运行时间不同而不同。就压水堆而言,一般有冷却剂温度效应、中毒效应、燃耗效应、压力效应、多普勒效应等,其中冷却剂温度效应、中毒效应、燃耗效应为主要因素。

表 3.1　船用压水堆功率运行时影响反应性的主要因素

影响因素 / 特性	温度效应		中毒效应		燃耗效应
	冷却剂温度系数	多普勒效应	平衡氙	钐	
作用时间	约 12 min	约零点几秒	约 30 h	约一周	长期效应
影　响	负效应	负效应	负值	负值	负值
数值大小	10^{-4} 量级	10^{-5} 量级	约4%平衡值	约1%平衡值	$(2 \sim 3) \times 10^{-6}$ 满功率天

2. 功率运行水平对反应性变化的要求

在功率水平下有 6 种情况要求反应堆改变反应性,即运行方案、温度变化、压力变化、燃耗、中毒和中子通量分布的控制。这些情况可能单个出现也可能一起出现,但可以手动或自动地来补偿,从运行观点和设计观点来看,每一项都是重要的,因为每一项都提出了一个反应性变化速度的要求。

(1)运行方案

当反应堆要求有任何不同的功率水平变化时就产生了运行方案的问题。可以采用几种运行方案中的任一种形式,但反应堆功率从一个功率水平变到另一个功率水平时依据什么方式、有什么限制都必须依据运行方案来进行。在考虑反应堆功率变化需要的限制时,首先要考查对运行的限制。图 3.10 说明功率水平从额定功率的 1% 增到 2.7%，最快约为 13 s，而在第二个 13 s 中又从 2.7% 增到 7.4%，依此类推。换句话说，最初绝对功率水平上升很慢而当水平增加时增长的百分数较快，在最后 13 s 中，功率水平从 37% 增到 100%。这种功率增长的规律是不希望看到的，在接近额定功率时，功率增长速度最好是低于正常的功率变化速度。这些也就是运行方案中的相关限制。

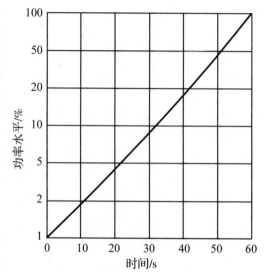

图 3.10　在 13 s 运行周期中，功率水平变化和时间的关系

　　如图 3.11 所示是一个从功率水平和周期两方面来考虑的安全运行区域，它说明在每一功率水平下所允许的安全周期工作范围。当功率水平趋近于满功率时周期最小，但是如果反应堆是在一个低功率水平下运行，只有一个较慢的变化速度是安全所允许的。

　　控制棒改变功率水平所要求的最大反应性变化速度直接和方案的形式有关。对于恒定平均温度的方案，反应堆具有负温度系数时，功率水平的变化可以完全不需要棒的任何移动。对于其他的方案，需要某些反应性的最大变化速度或者棒移动的最大速度等的限制。

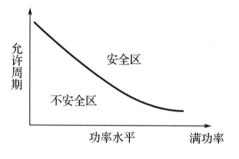

图 3.11　允许周期和功率水平

　　（2）温度变化

　　反应堆温度的改变通过温度系数引起反应性变化，而反过来也是一样。可以看到，一旦建立了温度系数，控制棒的位置就能够正确地用来调节因堆芯变化而引起的反应堆功率的变化；从而达到控制反应堆运行的目的。

　　（3）压力变化

　　压水型的反应堆用水当作慢化剂和冷却剂，那么堆内压力变化也能引起反应性改变，压水型反应堆压力系数一般很小。

　　（4）燃耗变化

　　从运行的观点来看，燃耗的影响只在一段较长时间后才显示出来，所以对于船用核动力短期运行过程中由于燃耗而引起的控制棒移动和由温度与压力引起的移动比较起来常常是可以忽略不计的。

（5）中毒变化

在稳定状态下引起棒移动的最大因素是毒性的产生，这些毒性在热反应堆中主要由^{135}Xe所产生，而浓度在稳定功率水平下和停堆后都是变化的。图 3.12 标示出在某一功率水平下平衡氙毒的变化曲线，图中经 8～10 h 后氙毒引起的反应性变化达到一个平衡，继续在固定功率水平下工作，由于燃耗而有少量的反应性损失。但在实际运行中不能从建立平衡氙毒的曲线中分出燃耗所引起的反应性减少。图 3.12 实线所示为平衡氙毒下的 Xe 加燃耗曲线，虚线为平衡下的 Xe 曲线。

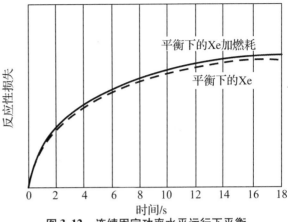

图 3.12　连续固定功率水平运行下平衡
的 Xe 与时间的关系

（6）中子通量分布控制

原则上反应堆输出功率的限制和任何其他的大功率装置是一样的，也是受到热点温度的限制。中子通量分布也就是温度分布，在很大程度上取决于控制棒的位置，有许多种控制棒的组合配置形式可以使反应堆达到临界，但是只有几种配置法中子通量分布是平坦的，这样的分布所得的通量最大值和平均值的比例最小而允许有较高的输出功率。图 3.13 表示把反应堆看成是具有三根棒的平板时所得到的几种通量分布情况，图3.13（a）表示三根棒完全插入反应堆，而通量分布通过平面中间的截面来考查，对于棒的这种配置形式，通量分布往往是相当平坦的；图 3.13（b）表示所有棒完全抽出时通量分布的形状，它接近余弦函数平方的图形；图 3.13（c）表示出两边的棒插入而中间的棒部分抽出的情况，这种通量分布在反应堆中心有两个高峰；图 3.13（d）表示由于不对称而引起通量分布不均匀的一种情况，这种形式的通量分布在反应堆功率水平工作时是常常要避免的，而且不论在什么时候出现这种情况，控制棒要移动以便中子通量分布得以展平，这也是在功率运行中棒栅位置要调整的理由。

3.6.2　功率运行中反应性量值的估算

1. 由温度引起的反应性量值的估计

堆芯温度变化将引起反应性的变化，其估算方法第 2 章已作了介绍。功率区运行，主要反映在变工况下，即不同的运行功率所对应的出入口温差及其平均温度，估计温度所反映

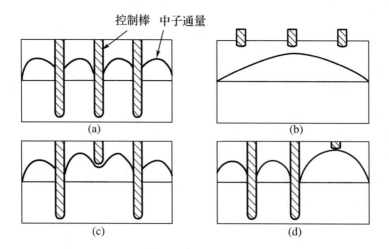

图 3.13　三根棒不同位置的反应堆的通量分布

的反应性,从而决定控制棒的位置。这种方法虽然是非常粗糙的,但却给运行人员带来了一个简便的估算方法。

2. 由氙毒引起的反应性量值的估计

反应堆运行在不同的功率,对应不同的氙中毒。氙中毒的大小主要取决于反应堆运行的功率,此外还与在某一功率水平上运行的时间有关(当反应堆在某一功率上稳定运行 60 h 以上即认为稳定)。当反应堆运行在稳定功率水平时,其平衡氙浓度可用下式来求出,即

$$N_{0\,\mathrm{Xe}} = \frac{\gamma_1 + \gamma_{\mathrm{Xe}}}{\lambda_{\mathrm{Xe}} + \sigma_a^{\mathrm{Xe}}\phi_0} \cdot \varphi_0 \cdot \Sigma_f^{235\mathrm{U}} \tag{3.18}$$

式中　$\gamma_{\mathrm{Xe}} = 0.003$——氙的比产额;

　　　$\lambda_{\mathrm{Xe}} = 2.1 \times 10^{-5}\ \mathrm{s}^{-1}$——氙的衰变常数;

　　　$\gamma_1 = 0.056$——碘的比产额;

　　　σ_a^{Xe}——氙的微观吸收截面;

　　　$\Sigma_f^{235\mathrm{U}}$——燃料^{235}U 的宏观裂变截面;

　　　φ_0——中子通量水平。

在实际计算时,建立碘和氙平衡浓度的时间可以认为是当碘和氙的浓度达到与平衡值相差 5% ~ 10% 的时间,这个时间大约等于该同位素的 4 ~ 5 个半衰期(约 50 h 左右)。因此当反应堆在一定功率水平运行两天后,由于氙的平衡中毒所引起的反应性损失为

$$\rho_{0\mathrm{Xe}} = -\theta \cdot W_{0\mathrm{Xe}} = -\theta\,\frac{\sigma_{\mathrm{Xe}}(\gamma_1 + \gamma_{\mathrm{Xe}})\varphi_0}{\lambda_{\mathrm{Xe}} + \sigma_{\mathrm{Xe}}\varphi_0} \cdot \frac{\sigma_f^{235\mathrm{U}}}{\sigma_a^{235\mathrm{U}} + \sigma_a(1-X)/X} \tag{3.19}$$

式中　W_{0Xe}——反应堆的氙中毒；

　　　θ——热中子利用系数；

　　　X——燃料中^{235}U的富集度；

　　　σ_f^{235U}，σ_a^{235U}——铀的微观裂变截面（f）和微观吸收截面（a）。

由式（3.19）可以看出，随着燃料富集度的提高，氙中毒增加，而且氙的增长与消失只与中子通量有关，增长改变多大，消失也改变多大。图 3.14 给出典型的反应堆功率与氙的平衡中毒的关系曲线。

有时还可以用下列近似公式来计算平衡氙中毒反应性的值，即

$$\rho_{Xe}(t) = (AN_{Xe}(t) - B)N_{Xe}(t) \quad (3.20)$$

式中　$N_{Xe}(t)$——氙核素的相对浓度；

　　　$\rho_{Xe}(t)$——t 时刻的平衡氙反应性，单位是反应性"元"；

　　　A，B——常系数，其取值与堆型有关。

在实际功率运行中，往往用控制棒来直接估算平衡氙中毒的大小，不同的堆功率对应不同的平衡氙，当达到所需功率水平后，平衡氙便

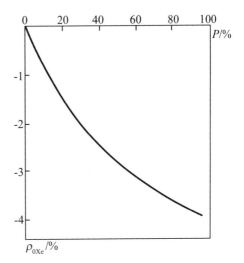

图 3.14　氙平衡中毒与堆功率的关系

慢慢趋于平衡，约 50 h 达到平衡值。因此可以将某功率水平运行 50 h 后的棒位减去刚达到运行功率时的棒位，粗略计算作为平衡氙所对应的反应性（忽略两天中的燃耗反应性）。

例 3-1　某反应堆在启动达到 50% 额定功率后，其自动棒的临界棒位在 240 mm 处，随后在此功率上运行 48 h，而自动棒已补偿到 670 mm 位置上，试求出反应堆在该功率上相对应的平衡氙毒反应性（忽略 48 h 燃耗反应性）。

解　自动棒从 400 mm 处提到 670 mm 处相当于提升了 670 mm - 400 mm = 270 mm。若自动棒的效率为 4.76β，棒总长度为 1 m（以线性来处理），则平衡氙所对应的反应性约为 $270/1\ 000 \times 4.76\beta = 1.287\ 2\beta$。

3.燃耗反应性量值的估计

功率运行中用控制棒估算反应性较为方便实用，即利用控制棒积分效率、微分效率、棒总效率的概念来粗略估算堆内的反应性变化。因为控制棒所处的高度不一样，其价值也是不一样的。用控制棒改变的高度多少来衡量反应性变化的大小是可行的。一般来说，在估算时将其某种因素排除在外，仅粗略估算某种反应性的变化量或某几种因素综合的反应性变化量。阶段性的燃耗反应性用控制棒来估算更为实际。如反应堆在 80% 额定功率上已

稳定运行了 40 h(即认为氙毒已经平衡)有某一个棒位,在此基础上又稳定运行了 48 h,此时某棒由原停在 600 mm 处提升到 610 mm,则认为该棒改变 10 mm 所对应的价值主要反映燃耗变化所引起的反应性损失(当然也未考虑堆芯通量分布的影响)。在实际运行管理中,一般将控制棒化为线性变化处理,若控制棒的总价值为 4β,其高度为 1 000 mm,则每变化 1 mm 相当于 $4\beta/1\ 000$ mm $= 0.004\beta$,这不过是更为近似罢了,但毕竟在实际中可起到快速近似等效的作用。这对控制反应堆的安全运行起一定的参考作用。

例 3 - 2　反应堆在 50% 额定功率下(设氙中毒已达到平衡)继续运行 10 昼夜,自动棒从 500 mm 位置移动到 551 mm 位置,试计算 50% 额定功率下运行 10 昼夜的燃耗反应性损失大约有多大?

解　粗略地把 50% 额定功率下运行的 10 昼夜看成 5 个满功率天,这时

$$棒移动量 = 551 - 500 = 51\ mm$$

对应自动棒的积分效率曲线,可得到 50% 额定功率运行 10 昼夜的燃耗反应性损失 $= (27.6 - 25.6) \times 10^{-3} = 2 \times 10^{-3}$,而对于 5 个满功率天内,每天平均燃耗反应性 $2 \times 10^{-3}/5 = 0.4 \times 10^{3}\ \delta K/d$。

例 3 - 3　反应堆以 50% 额定功率运行 40 h 后,棒栅位置是 1# 棒作调节棒处在 500 mm 处,2# 棒刚提起来。若燃耗反应性为 $3.5 \times 10^{-4}\ \delta K/d$,问反应堆以 50% 额定功率连续运行多少天后,能把 2# 棒提到顶,而 1# 棒仍保持在 500 mm 位置上(1# 棒维持不变,求 2# 棒提到顶需要多长时间,2# 棒提到顶意味着 2# 棒将把它所压住的反应性全部释放出来,并用于补偿燃耗反应性)?

解　设 2# 棒的热态效率为 4.81β,而以 50% 额定功率运行一天所消耗的反应性为 $3.5 \times 10^{-4}\ \delta K \times 0.5$,现要运行 D 天 2# 棒才完全提出,则

$$3.5 \times 10^{-4} \times 0.5 \times D = 4.81\beta \qquad (若\ \beta = 6.5 \times 10^{-3})$$

$$D = \frac{4.81 \times 6.5 \times 10^{-3}}{3.5 \times 10^{-4} \times 0.5} = 179\ d$$

所以反应堆以 50% 额定功率连续运行 179 d 后,才能将 2# 棒全部提到顶。

例 3 - 4　若反应堆在 70% 额定功率上已运行 49 h,其自动棒在 500 mm 高度上,试问该堆在此功率上需要运行多久方能使自动棒补偿到 650 mm 的高度(若燃耗反应性为 $3.7 \times 10^{-4}\ \delta K/d$)?

解　反应堆在 70% 额定功率上运行 49 h,此时认为氙毒已平衡,控制棒补偿主要用于燃耗。因此,从控制棒在 500 mm 高度补偿到 650 mm 高度实际提升了 $(650 - 500) = 150$ mm,若自动棒的价值为 4.2β,则 150 mm 所提供的反应性为 $150/1\ 000 \times 4.2\beta$(按线性处理),设可以运行 D 天,则

$$3.7 \times 10^{-4} \times D = \frac{150}{1\ 000} \times 4.2 \times 6.5 \times 10^{-3}$$

解得 $$D = 11\ \text{d}$$

例 3 – 5　功率为 100 MW 的反应堆热态后备反应性为 0.153 4,功率系数为 $1.06 \times 10^{-5}\ \delta K/MW$,满功率平衡氙毒反应性为 $3.3 \times 10^{-2}\ \Delta k/k$,试估算该反应堆在满功率下能连续运行多少天?

解　因为 0.153 4 后备反应性是在热态下得到的,故温度系数不再另作考虑,从而要求能运行的天数主要考虑功率系数及平衡氙,则

$$100 + 1.06 \times 10^{-5} + 3.3 \times 10^{-2} = 3.306 \times 10^{-2}$$

设可以运行 D 天,则

$$D \times 4.3 \times 10^{-4} + 3.306 \times 10^{-2} = 0.153\ 4$$

解得 $$D = 279\ \text{d}$$

3.7　船用核反应堆功率运行安全分析

核反应堆功率运行是船用核动力装置的主要运行工况,与陆地核电厂相比,具有特殊性。因此,有必要对船用核反应堆的功率运行安全进行分析。

3.7.1　船用核反应堆功率运行的安全特征

船用核反应堆运行的最大特点是功率频繁地改变(船的机动航行要求所决定,对核动力舰艇更为重要,如有时加速,有时减速,有时低功率、热备用状态等)。装置的动态响应速度直接反映功率运行的安全可靠性。目前世界上核动力舰船大部分采用压水型反应堆,这是由于压水堆的技术比较成熟,安全可靠性好,尤其是功率区的自稳自调特性良好。

1. 压水堆的自稳特性

压水堆动力装置在某一稳态运行时,如果出现来自堆内的反应性扰动,如控制棒移动位置、冷水引进堆芯等引起反应性增加,反应堆功率将随之上升。在这种情况下,如果切除反应堆功率调节装置,二回路负荷保持不变,而运行人员也不进行干预,那么反应堆功率的增加会使反应堆的一回路冷却剂系统的热平衡受到破坏,使燃料温度和冷却剂温度随之上升。由于压水型反应堆具有负的温度系数,因此当温度上升后,向堆内自动引入一个负的反应性。这个负的反应性抵消了由扰动引入的一部分正反应性,使反应堆功率不再继续上升,从而达到抑制功率增长的作用。

当冷却剂温度效应所引入堆内的负反应性与扰动引入的正反应性在数值上相等时,堆内总的反应性恢复至扰动前的稳态水平。但最终燃料温度和冷却剂平均温度略高于扰动前稳态工况的温度。

压水堆动力装置这种对堆内反应性扰动具有的自平衡能力,称为压水堆动力装置的自稳特性。这种自稳性是由反应堆的燃料负温度系数和冷却剂负温度系数形成的。这种压水堆动力装置的自稳特性,保证了反应堆的抗干扰能力,增加了反应堆的安全裕度。

2. 压水堆的自调特性

反应堆动力装置在运行时,如果二回路主汽轮机组功率突然上升,引起负荷扰动。在这种情况下,我们假定已切除反应堆功率调节装置,运行人员也不进行干预,那么反应堆功率与二回路负荷失去平衡。由于汽轮机负荷大于反应堆功率,蒸汽发生器输出的蒸汽流量增加,引起蒸汽发生器的阀前压力下降,反应堆入口温度下降,导致反应堆的冷却剂温度下降。因冷却剂的负温度效应,从而向堆芯引入正反应性,使反应堆功率上升,从而逐步达到新的平衡。

由于反应堆功率上升,随之燃料温度也上升,而且燃料温度系数是负的,所以燃料温度上升的同时,向堆芯引入一个负反应性,它减缓了反应堆功率的上升。直到冷却剂温度效应引入的正反应性与燃料温度效应引入的负反应性相互抵消,使总的反应性为零。此时,反应堆功率与二回路负荷平衡,并维持整个装置的稳态运行。

同样,在产生二回路负荷突然下降的扰动时,主冷却剂平均温度上升,向堆内引入负反应性,使反应性下降,功率下降,燃料温度下降,随之燃料温度向堆内引入正反应性,这样阻止了堆功率的继续下降,直到反应堆功率与二回路负荷平衡为止。

压水堆装置的自动跟踪负荷变化能力称为压水堆动力装置的自调节特性。它是温度效应提供的,负的燃料温度系数起到了减缓中子功率在自调过程中变化的作用,因此它是反应堆功率区运行过程中的一个重要特性。

压水堆正常运行时,由于负荷的变化,除了要求具有高度的稳定性和安全可靠性外,还要求具有良好的负荷响应特性。压水堆对负荷变化的响应特性主要包括堆内反应性时间响应特性、回路热工参数稳定性和功率变化幅度与速率限制。

(1) 堆内反应性时间响应特性

功率运行中,当反应堆处于负荷变化的过渡工况时,多普勒效应与功率变化几乎同时出现,而冷却剂温度效应往往滞后十几分钟。而在几十小时内影响反应性的主要因素是裂变产物中毒效应。在稳定工况下运行的堆内各种毒素(主要是^{135}Xe)按一定规律逐渐积累,最终达到与功率相对应的平衡值。但是反应堆功率跟踪负荷变化后,平衡氙毒遭到破坏,从而引起反应性的变化。因此在变工况运行中,平衡氙的反应性变化是反应堆运行中的一个重要物理问题。一般在降功率时采用阶梯式降功率的办法,在每段功率水平上停留24 h,以减少碘坑的深度。从而我们得出结论:在功率运行中,反应性的时间响应特性也必须引起足够的重视。

（2）冷却剂热工参数稳定性

在研究负荷响应特性时,必须考虑冷却剂热工参数的稳定性,而这种稳定性主要反映在冷却剂的压力和体积上。当负荷变化引起反应堆功率改变时,直接导致冷却剂系统压力的变化。当反应堆功率突降时,冷却剂温度降低,水容积收缩,压力下降,则依靠稳压器中电加热器组的自动投入,保持稳压器压力在最低限额以上。反之,当堆功率突增时,冷却剂膨胀,压力上升,稳压器喷淋装置将冷水自动喷入,使冷却剂压力低于整定值。此外,稳压器还设有卸压阀和安全阀,用作超压保护,通过稳压器的汽腔吸收掉由于负荷变化所引起的压水堆冷却剂体积的变化。从而在运行中对稳压器水位控制也是确保冷却剂热工参数稳定性的一个重要问题。

（3）功率变化幅度与速率限制

船用动力装置的反应堆功率跟踪负荷变化是其功能所决定的。但在运行中,一般要对堆功率变化幅度与速率进行限制。因为反应堆功率的频繁改变会影响堆内部件、一回路管道与设备的寿命,或者造成某些部件的潜在缺陷而导致部件损坏。这里对功率变化幅度和速率限制的主要考虑是减少热应力和疲劳强度,如美国西屋公司规定线性负荷变化每分钟 ±5% 额定功率,阶跃负荷变化 ±10% 额定功率、甩负荷 45% 额定功率。这对于船用核动力是可以借鉴的。

3.7.2　无外控时反应堆动力装置的过渡特性

所谓无外控即在没有外部自控系统参与下,研究反应堆的过渡特性。应该说,堆内反应性和外负荷的变化是反应堆动力装置过渡过程中的两个因素。由于压水堆动力装置的过渡过程是依靠温度系数的负反馈效应来实现调节和稳定的,因此我们从反应性变化和外负荷变化两方面讨论无外控时的过渡过程。

1.堆内反应性的变化引起动力装置的过渡特性

为研究方便,我们假定外负荷不变,手动提升（或下降）控制棒向堆芯引入一个反应性,而后综合考查各参数的变化情况。如图 3.15 所示,假定手动提升控制棒向堆芯引入反应性,使燃料中裂变率增加,反应堆功率以稳定周期上升,随后燃料温度上升,导致堆出、入口温度 T_h、T_c 升高,故 T_{av} 也升高。这时二回路负荷不变,即蒸汽流量 G_s 不变,一回路向二回路传递的热量使二回路蒸汽温度 T_s 上升,所以 T_h 上升,T_c 上升,T_{av} 上升。平均温度 T_{av} 上升,伴随向堆芯引入负反应性,使堆功率下降,最后平衡略高于初始功率水平。温度 T_s、T_c、T_{av}、$T_s(p_s)$ 升高后,最终都稳定在较高的水平上,这是由于堆功率的升高,二回路负荷不变,把升高的功率用于提高冷却剂的温度和二次侧的蒸汽温度 T_s 的缘故。

现在我们通过反应性的扰动试验来进一步讨论它的特性。图 3.16 是典型的反应性扰动试验曲线。

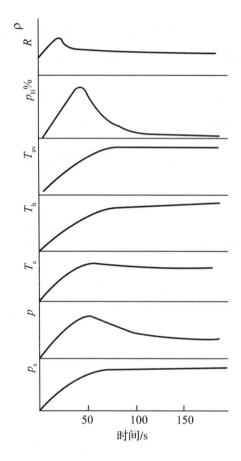

图 3.15　在负荷不变时向堆芯引入 ρ
而引起各主要参数变化曲线

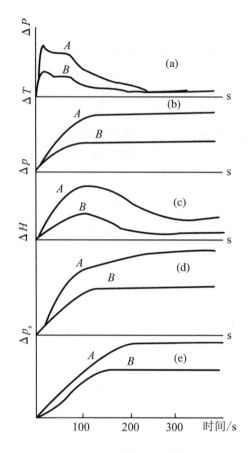

图 3.16　初始功率相同引入不同的反应性扰动，
堆内主要参数变化过程

由于反应性变化使堆功率即刻上升形成曲线的前缘,当突然提升时,反应堆功率水平的最初上升前缘主要是瞬发中子的贡献,是由下列关系式决定的:

$$\frac{\mathrm{d}p}{\mathrm{d}t} = \frac{\Delta k}{l}P \tag{3.21}$$

经几秒后,功率曲线平坦下降,约经过 4 ~ 5 min 后,最终稳定在一个略高于初始功率的水平上。功率曲线到达峰值后下降,又变为平坦,这是因为棒在 10 s 后停止上提,以及由此时的功率系数、温度系数的负反馈效应所产生的,具体见图 3.16(a)。

由于功率上升,引起平均温度升高,如图 3.16(b)所示。平均温度是逐渐上升的,最后增加到 6 ℃并稳定下来。平均温度的升高使水的体积膨胀,故稳压器水位上升,压力上升见图3.16(c),图3.16(d),此时稳压器表现为正波动。

因平均温度升高,负荷不变,即在二回路的耗汽量不变的条件下导致蒸汽发生器的压力上升,只有这样才能维持能量的平衡。升高了的功率和平均温度升高所引入的负反馈反应性量最后抵消掉提棒所引入的扰动的反应性量。这样使堆功率波动后,经过峰值降下来,并达到新的稳定。

如果是负的反应性扰动,各参数的变化是负的波动。与上述情况相反。

下面通过比较图 3.16(a),(b)曲线,说明在无外控下反应性扰动的特性。

(1)反应堆初始功率水平相同,功率波动的最大值与引入反应性总额有关。反应性总额增加,则功率波动值增大。

正反应性扰动的功率波动最大值要大于相同反应性量的负波动。为了说明它,这里引入单组缓发中子动态方程的解:

$$\frac{n(t)}{n_0} \approx \frac{1}{\beta - \rho_0} \left[\beta \cdot e^{(\lambda\rho_0/\beta - \rho_0)t} - \rho_0 \cdot e^{-(\beta - \rho_0)/\lambda t} \right] \qquad (3.22)$$

在 ρ_0 很小,而且向堆内引入反应性又是很快时,即刹那瞬间可看成 $t \to 0$ 的条件,则式(3.22)就变成

$$\frac{n(t)}{n_0} \approx \frac{\beta}{\beta - \rho_0} \qquad (3.23)$$

若 $\rho_0 > 0$ 为正时,有 $\dfrac{n^+(t)}{n_0} = \dfrac{\beta}{\beta - \rho_0}$;

若 $\rho_0 < 0$ 为负时,有 $\dfrac{n^-(t)}{n_0} = \dfrac{\beta}{\beta + \rho_0}$,故有

$$\left(\frac{n^+(t)}{n_0} = \frac{\beta}{\beta - \rho_0} \right) > \left(\frac{n^-(t)}{n_0} = \frac{\beta}{\beta + \rho_0} \right) \qquad (3.24)$$

所以正反应性扰动的功率波动最大值大于相同反应性量的负扰动的功率波动最大值,见图3.17。通过图3.18快速和慢速的提棒速率比较可以说明第(2)个特性。

(2)初始功率相同,引入反应性总额也相同时,因反应性速率不同,则功率波动也不同。反应性速率越大,功率波动幅值越大。这由于反应性速率小时,在扰动过程中功率系数负反馈抑制了功率波动幅值的上升,所以快速所引起的功

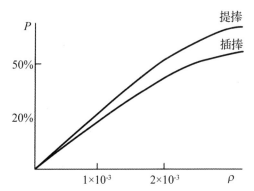

**图 3.17　反应堆扰动量相同时提棒与
插棒堆功率波动曲线**

率波动比慢速波动幅值大些。

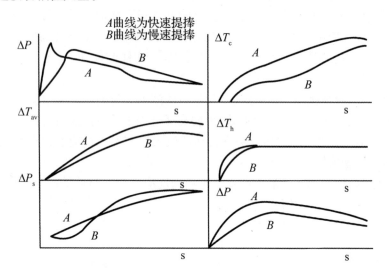

图 3.18 初始功率相同,棒速不同的反应性扰动的参数变化曲线

（3）在反应性扰动量及速率都相同的情况下,高的初始功率水平比低的初始功率的功率水平波动峰值大,而功率相对波动值要小于低工况。这是由于引入一定量反应性扰动对应一定的功率增长周期,因此在初始功率水平高时,功率波动幅值大,但也带来了燃料温度变化激烈、温度负反馈强,抑制了功率增长。所以功率相对波动值低于低功率工况。例如引入相同量反应性 $\rho = -3.4 \times 10^{-3}$,其功率波动情况见表 3.2。

表 3.2　引入相同反应性量值的功率波动情况

功率波动(引入反应性为 $-3.4 \times 10^{-3} \Delta k/k$)				
初始值	峰值	终值	波动峰值	功率相对波动值
32.9%	17.9%	29.2%	$-(32.9 - 17.9) = -15\%$	$15/32.9 = 45.6\%$
61.5%	43.5%	57.3%	$-(61.5 - 43.5) = -18\%$	$18/61.5 = 29.3\%$

（4）主冷却剂流量的不同对功率波动峰值影响较小。在低流量时由于功率系数的增大抑制了功率相对波动幅值,使之略小些,如表 3.3 所示。

表 3.3　冷却剂流量不同的对功率波动峰值的影响情况

流量	反应性 $\times 10^{-3}$	功率波动/%				
		初始值	峰值	终值	波动峰值	相对波动
100%	-2.76	31.7%	18.4%	31.4%	-13.3%	42%
50%	-3.92	30.5%	17.7%	28.2%	-12.8%	42%

以上过程分析表明温度系数的负反馈起到了稳定过渡过程的作用,这是压水堆固有的性质。功率系数主要是由燃料中的 ^{238}U 共振吸收的多普勒展宽效应所引起的。但其大小取决于三个因素:①燃料的 ^{238}U 多普勒系数;②从二氧化铀块到冷却剂的热传递性能及二氧化铀的热导性能;③二氧化铀块温度随功率变化的大小与堆芯功率分布、燃料温度分布。对功率系数起主要作用的是多普勒系数,因此从两者产生的原因来看是没有区别的,而二者的单位不同。功率系数单位是功率每变化一兆瓦时反应性的变化量。由于燃料的热容量比较小,温度变化就比较快,所以燃料温度效应(多普勒效应)是比较快的,称为瞬发效应,而因冷却剂的热容量比较大,温度系数反应比较慢,是缓发效应,所以它们对功率过渡的稳定作用是有区别的。从定性上看,多普勒系数在反馈过程的起始段起作用较大,而且这种作用随提棒速率愈大愈显著。

例如,多普勒系数 $\alpha_D = -1.6 \times 10^{-5} \, ^\circ\!C^{-1}$,温度系数 $\alpha_T = -3.65 \times 10^{-4} \, ^\circ\!C^{-1}$ 的反应功率峰,功率过渡曲线如图 3.19 所示,多普勒系数和温度系数对功率过渡的影响见图 3.20。起始阶段 α_D 反馈作用较大,几秒内 α_D 贡献的速率为 $1.0 \times 10^{-4} \, s^{-1}$;一旦出现功率过渡,产生 α_D 反馈的作用愈来愈大,作用的速率也很大,在 36 s 内 α_T 贡献 $9.4 \times 10^{-3} \, \delta K$,所以功率峰值初始段的反应性主要作用是瞬发效应的功率系数。而过了几秒后到接近峰值处,主要的反馈作用是温度系数。

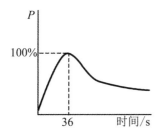

图 3.19　功率过渡曲线

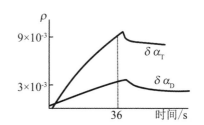

图 3.20　α_D 和 α_T 对功率过渡的影响

大量试验表明,船用核动力装置在 62% 额定功率下能自行克服 $\pm 0.38 \times 10^{-2}$ 的反应性扰动量,可满足船用动力装置的机动性要求。

2. 负荷变化引起反应堆动力装置的过渡特性

在堆功率与外负荷平衡的条件下,改变一定量的外负荷而不调节堆功率,依靠冷却剂平均温度随负荷的变化形成负温度系数的反应性来改变堆功率,以适应外负荷的要求。这一特性也是装置固有的自调节性能。图 3.21 表示无外控主机升负荷时各种参数的变化,示出二回路提升负荷从某一功率升到另一功率,增加 32% 的蒸汽流量,图中曲线说明各参数在不移动控制棒和不投入蒸汽发生器给水自动调节、主冷却剂流量在 50% 额定功率下的变化情况。

图 3.21 中曲线(a)是 G_s 在 17% 额定功率流量下,开大蒸汽调压阀提高蒸汽流量到 50%,伴随下降从 3.96 MPa 到 2.156 MPa 左右,接着堆入口温度下降。T_{av} 下降、T_h 下降后又回升,使堆功率从 20% 额定功率至 50% 额定功率水平稳定下来,堆功率上升是由堆入口温度下降引起的,这样就把堆平均温度拉低。即 T_{av} 下降,向堆芯引入一个正反应性,提高堆芯的裂变率,从而使堆功率抬高。又使堆出口温度提高,最后稳定在使功率与外负荷相平衡的水平上,待稳定后堆入口温度低于初始值,出口温度高于初始值,拉大温差。平均温度也要低于初始值。这样维持了能量平衡。一回路压力因 T_{av} 低于初始值,则它也低于初始值,所以稳压器是负波动的。

由于蒸汽发生器二次侧水及主冷却剂容量都较大,负荷变化后引起主冷却剂温度变化也较慢,一般约 2 min 后才趋于平衡。由于引入反应性速率较少,所以功率变化的峰值与终值差别不大。表 3.4 是二回路蒸汽排放 32% 蒸汽量时的试验数据。

表 3.4 二回路蒸汽排放 32% 蒸汽量时的试验数据

一回路流量	堆功率/%			平均温度(左)/℃		蒸汽发生器压力(左)/MPa			蒸汽流量/%	
	初值	峰值	终值	初值	终值	初值	峰值	终值	初值	终值
100%	49.6		78.7	264.8	257.7	3.214	2.24	2.283	50.8	74.9
50%	18.75	49.5	48.7	263.9	253.1	2.969	2.097	2.214	17.5	50.9

二回路主机速关,称为甩负荷。在控制棒不动情况下,主机降负荷或速关,因用蒸汽量减少,引起各参数变化,具体见图 3.22。

当突然甩掉一部分负荷后,首先因用蒸汽量减少,蒸汽温度升高,引起堆进口温度 T_c 升高,导致平均温度 T_{av} 升高。平均温度 T_{av} 升高,就向堆内引入一负反应性量,致使堆功率下降。T_{av} 的升高使稳压器压力上升,稳压器就出现正波动,堆出口温度也升高。由于蒸汽温度的升高提高了蒸汽发生器的储存热量,这部分储存热量相应地促使堆的出、进口温度和平均温度升高,只有这样才能维持能量平衡。所以这些温度压力参数经过一个小的峰值后,都在提高后的水平上稳定下来。

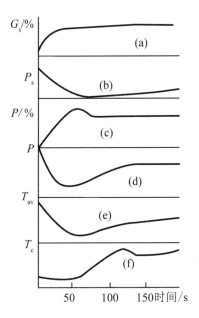

图 3.21　无外控主机升负荷时
各主要参数的变化

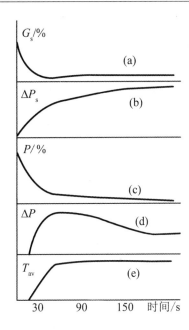

图 3.22　无外控主机速关
主要参数变化规律

稳压器压力和蒸汽发生器蒸汽压力波动随甩负荷量的加大而增加,主回路流量越低,压力波动越大,这是低流量功率系数大的原因。而对于蒸汽发生器来说,初始功率高蒸汽压力 P_s 低,因此它允许甩负荷量就大,具体见表 3.5。

表 3.5　甩负荷时几个主要参数的变化规律

一回路流量	堆功率/%			稳压器压力/MPa		蒸发生压力(左)/MPa		蒸汽流量/%	
	初值	峰值	终值	初值	终值	初值	终值	初值	终值
100%	42.3	7.7	13.85	14.288	14.09	3.26	4.60	42.4	13
50%	37.8	6.9	13.83	14.69	14.37	2.97	4.47	30.4	11.5
100%	48.7	7.8	13.85	14.62	14.42	3.22	4.93	51.1	12.1

在有稳压器喷雾和压力释放情况下甩负荷的最大值只受蒸汽发生器的蒸汽压力限制,因为蒸汽发生器的最大压力为 5~6 MPa。由表 3.5 可知,在主冷却剂全流量时,从 48.7% 额定功率甩至 7.8% 功率,及半流量时由 37.8% 功率甩至 63.9% 时,它们的蒸汽发生器压

力接近于最大值,此时稳压器允许最高波动限为 10 MPa。通过分析说明,堆动力装置的自稳自调性能是紧密的,与温度系数有关。温度系数和功率系数相对大一些,堆动力装置的自稳性能就好些,但它的自调性就差些。反之,若小则动力装置自稳性差,但自调性能好,负荷扰动时,堆功率跟踪负荷的能力就好。

3.7.3　有外控时反应堆动力装置的过渡特性

反应堆装置在有外控情况下,反应性扰动、负荷同样会引起功率变化。但与无外控时不同,它是反映核控功率调节系统的性能品质的。

1. 反应性扰动试验

在外负荷不变时,设反应堆初始稳定功率为 30% 额定功率,流量为 50%,手操某棒从 450 mm 落到堆底。这样就向堆内引入负反应性扰动,造成堆功率和平均温度的波动。这时自动调节棒自动上提,消除负反应性扰动,使堆功率恢复到初始功率水平上,并稳定之。

图 3.23 示出上述试验过程。曲线(a)表明某棒下落,功率响应很快随之下降并到达最小值后,自动棒自动快速提升消除负反应性量,则功率也回升,经过 20 s 左右稳定在新的功率水平上。功率变化过程曲线(a)的形状为"V"字形,波动峰值为 12%。曲线(b)表示堆平均温度在掉棒后大约 10 s 左右开始下降,25 s 后又回升,到 40 s 后又基本平稳地延续,并逐渐稳定在一个新的水平上。

有外控与无外控的反应性扰动,可通过表 3.6 列出的实验数据进行比较。由表可知,在初始功率差别不大,都是落某棒而引入一个负反应性扰动时,有外控与无外控所引起的各参数波动都是不一样的,而且相差很大。

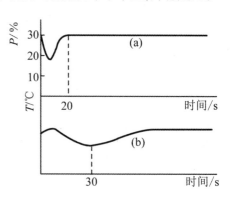

图 3.23　有外控时反应性扰动后的主要参数变化

表 3.6　有无外控时反应性扰动对参数影响的比较

	流量	初始功率	落棒/mm	最大波动值			
				堆功率/%	平均温度/℃	蒸发器压力/MPa	过渡稳定时间
无外控	50%	31%	300	−11.5	−6	−0.328	5 min 15 s
有外控	50%	30%	450	−12	−2	−0.05	40 s

功率波动幅值虽差别不大,但达到稳定所需的时间明显不同。无外控比有外控的过渡稳定时间要长得多,一般至少 4 min。平均温度波动幅值也是不一样的,无外控的平均温度波动值要比有外控的平均温度幅值大 3 倍左右。

通过无外控与有外控的情况比较可看到,有外控的反应堆动力装置在反应性扰动下能较快地消除扰动,而使堆稳定下来。这样就说明有外控的反应堆动力装置排除外来的反应性扰动能力比无外控时提高了。

2. 负荷扰动

负荷扰动是在外部控制系统参与下,负荷突然变化时堆功率自动跟踪负荷变化的扰动过程。尽管参数有一个波动过程,但系统最终能达到新的稳定状态而满足负荷的要求。可通过负荷试验来检验控制系统及装置在负荷变化时的跟踪性能,图 3.24 示出主机速关、甩负荷试验时各参数随时间变化的情况。图 3.24 中的(a)曲线表示在主机速关时,蒸汽量 G_s 从 93.5% 下降到 35% 左右(有误差),实际流量下降到 15% 左右的过程(虚线部分)。(b)曲线表示堆平均温度波动过程,在甩负荷 35 s 出现平均温度波动峰值。因为主机速关过程中,自动棒下降到堆功率下降之间有个过程(时间滞后),即堆功率跟踪有延迟,因此瞬时出现两回路间能量不平衡,而且堆功率 P 大于需求功率 P_0,故把多余能量用于抬高平均温度,而出现了第一个平均温度的峰值。随着堆功率的继续下降,堆出口温度也下降,超过了因甩负荷而引起的堆进口温度的增加,故使平均温度向负的方向波动,峰值为 −1.8℃。调节棒继续动作,使堆功率继续跟踪需求功率,经过 150 s 左右达到平衡。平均温度波动 5 ℃ 左右,而且出现在甩负荷后 35 s,整个过渡过程约 150 s。这充分说明了有外控时的装置适应负荷要求的能力大大提高

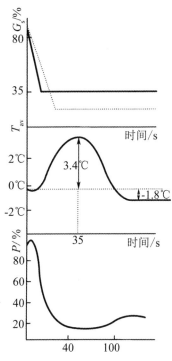

图 3.24　有外控时,负荷扰动后有关主要参数变化

了。(c)曲线表示堆功率跟踪负荷从 95% 额定功率最后稳定在一个新的 20% 额定功率水平上的过渡过程。

在上述甩负荷过程中,平均温度第一个正波动峰值除与自控系统中的温度比例系数、积分器的时间常数的稳定值有关外,还与二回路蒸汽发生器水位调节中给水流量的变化有关,特别是影响过渡过程的前缘。因为给水流量的变化引起堆进口温度的变化,使平均温度波动的第一峰值受到影响。随着堆功率继续下降,堆出口温度也随之下降,加上堆功率

调节的超调作用,导致堆出口温度的降低超过了因甩负荷而引起的堆进口温度的增加,故使平均温度向负的方向波动。因而出现方向相反的第二个平均温度的负波动。

功率调节装置的需求功率 P_0 是根据下式得到的,即

$$P_0 = K_1 C_s + K_2 \Delta T_{av} + (K_2/\tau) \cdot \int \Delta T_{av} d\tau$$

其中　　K_1——系数;

　　　　K_2——温度比例系数;

　　　　τ——积分器的时间常数。

温度比例系数 K_2 与堆功率的波动值有关,与平均温度的波动幅值有关。随着 K_2 的增大,平均温度波动值减小,而堆功率波动幅值增大。τ 是积分器的积分时间常数,随着 τ 的减小,平均温度的波动值减小。从物理意义上看,K_2 的增大、τ 的减小都从不同角度增大了对需求功率 P_0 的贡献,从而加速了系统的跟踪能力,减少了平均温度的过渡时间。同时 K_2 的增大又加大了堆功率的超调,所以 K_2 和 τ 有一最佳值。实验结果认为 $K_2 = 2.5\%\ ℃^{-1}$,$\tau = 50\ \mathrm{s}$ 为宜。

3.7.4　自然循环与强迫循环相互转换过程中的过渡特性

1. 船用压水堆自然循环能力对运行安全的作用

对于压水堆核动力装置来说,自然循环是指在闭合的回路内,不依赖外界动力源,仅依靠冷热流体间的密度差所产生的浮升力驱动流体循环流动的一种能量传输方式,它属于非能动安全范畴。自然循环是反应堆固有的安全保障,它不需要外加动力就能将堆芯的发热载出,只需结构上合理地加以组织就能成为有效而又可靠的堆芯冷却手段。自然循环不仅能保证载出堆内的剩余发热,而且能载出堆内相当大部分的运行功率,例如日立 – 通用公司最新设计的ESBWR沸水堆,没有采用循环泵,可以实现全功率自然循环运行。利用自然循环可以减少系统对能动机械设备——水泵的依赖性。它是降低船用核动力装置工作噪音的重要途径,是提高核动力装置固有安全性的有力措施,也是节省主冷却剂泵能量消耗的有效方法。

评价船用核动力装置的自然循环能力主要集中在如下几个方面:

(1) 能否安全地载出相对较高的反应堆裂变功率;

(2) 能否安全、快速、平稳地实现强迫循环和自然循环的相互转换;

(3) 反应堆高功率运行,主冷却剂泵失效时,能否依赖自然循环载出堆芯剩余发热,确保反应堆不熔化;

(4) 能否适应各种海洋条件,克服对船用核动力装置自然循环能力的影响。

自然循环压水堆装置一般分为两种类型:一种为分散布置自然循环压水堆,以美国的

潜艇反应堆为代表;另种为一体化自然循环压水堆,以法国的潜艇反应堆为代表。

美国从 1959 年开始研制自然循环压水堆,并委托通用电气公司(GE)开发了 S5G 自然循环压水堆,该堆于 1965 年 12 月临界,随后装备于"一角鲸"号试验艇,并获得成功。其后,美国又发展了 S6G,S8G 和 S9G 自然循环压水堆。

法国从 20 世纪 70 年代开始研究 CAP 一体化自然循环压水堆。在建造陆上模式堆的基础上装备于"红宝石"级攻击型核潜艇上,称为 CAS – 48 一体化压水堆。法国在 CAS – 48 反应堆的基础上,经过适当放大,研制了 K – 15 一体化自然循环压水堆,装备了"戴高乐"号核动力航空母舰和"凯旋"级弹道导弹核潜艇。

总体来说,船用核动力装置采用自然循环压水堆具有以下几个优点。

(1)提高了反应堆固有的安全可靠性

在反应堆装置一回路中实现自然循环,在不启动主循环泵的情况下,反应堆仍可发出相当功率,可以使船用核动力装置在低速、低噪音的工况下航行,增强了军用舰船的隐蔽性。船用核动力装置在中低速工况下可以采用自然循环;而在高航速、满功率情况下使用循环泵。这样,即使发生主循环泵故障、失水事故和断电事故,一回路冷却剂仍能带走堆芯剩余发热。因此,在发生事故时也能保证反应堆的安全,避免堆芯熔化。由于冷却剂是被动地靠流体的密度差进行循环,不需要操纵员进行干预,因此不存在操纵员误操作问题。

(2)降低噪音

根据国外专业机构的噪音分析表明,主循环泵是船用核动力装置较大噪音源之一。因此,不开动主循环泵就消除了舰船上一大噪音源。美海军"洛杉矶"级攻击型核潜艇采用了 S6G 自然循环压水堆以及其他降噪措施,因而成为世界上噪音较低的核潜艇,辐射噪声级为 90 ~ 110 dB。

(3)简化系统和设备

船用核动力装置采用自然循环压水堆,尤其是一体化自然循环压水堆,省去了主循环泵及其传动机械、主管道及逆止阀,以及有关的控制设备。同时由于自然循环反应堆装置减缓了反应堆的运行及安全系统对主循环泵供电可靠性要求的依赖,可以简化电网供电,节省电能消耗,从而提高机械和电气设备工作的可靠性。

2.强迫循环转自然循环的运行特性

船用核动力装置在正常运行工况下采用主循环泵驱动冷却剂来冷却反应堆堆芯,通过蒸汽发生器把堆芯热量传递给二回路。但在某些特殊的情况下,例如主循环泵出现了机械故障或者失去电源,此时主循环泵停止工作,整个装置以自然循环方式带功率运行。当主循环泵再次恢复功能时,又要启动主循环泵,装置以强迫循环方式运行。强迫循环与自然循环的转换过渡特性对于船用核动力装置的安全运行至关重要。

强迫循环转自然循环工况时,一回路主要完成下列操作:

（1）调整二回路负荷,使反应堆处于较低的功率水平,各环路的主循环泵低速运行,确保主循环泵处于自动运行方式。如果转换过程中没有操纵员干预,将反应堆功率跟踪方式设置为自动;相反,如果转换过程中有操纵员干预,则将反应堆功率跟踪方式设置为手动。

（2）在上述工况下稳定运行,将反应堆运行状态切换至自然循环工况,主循环泵按照控制程序依次停止运行。

强迫循环向自然循环过渡时,由于主循环泵停止运行,一回路冷却剂流量迅速降低到自然循环水平,冷却剂载出堆芯热量的能力大大下降,导致一回路平均温度上升。在核燃料多普勒效应及慢化剂温度效应的共同作用下,反应堆功率随之快速下降,在达到一个谷值后开始有所回升,最终稳定在一个新的功率水平上。图3.25是从不同初始功率水平向自然循环过渡时,反应堆功率的变化趋势。自然循环带功率运行时,由于冷却剂的流量和流速都比较低,冷却剂流经堆芯和蒸汽发生器时可以

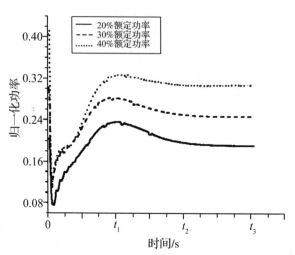

图3.25　强迫循环转自然循环时反应堆功率变化趋势

进行充分的热交换,使得反应堆的出口温度大幅度上升,入口温度大幅下降,冷却剂在反应堆进出口的温差加大,这也是自然循环小流量、大温差的特点。反应堆入口温度下降使得二回路蒸汽压力下降,一回路平均温度上升使得稳压器水位和压力都上升,稳压器喷雾阀及蒸汽释放阀动作以缓解系统压力的上升。

总体来看,强迫循环向自然循环过渡的时间较长,参数的变化幅度较大,但对反应堆的安全威胁较小。在过渡过程中,反应堆的功率会下降到一个很低的水平,然后逐渐回升。与此同时,二回路蒸汽流量和压力也随之出现谷值,此时可能无法满足舰船对于功率的需求。因此,操纵员可以进行适当的干预,以改善过渡过程,例如在反应堆功率到达谷值以前,手动提升控制棒,减缓功率下降的速度和幅度。当然也可以从控制的角度优化过渡过程。这就对设计人员提出了更高的要求。

3. 自然循环转强迫循环的运行特性

自然循环转强迫循环工况,一回路主要完成以下操作:

（1）调整二回路负荷,使反应堆处于适当的功率水平,使调节棒处于效率较高的中间位置,确保主循环泵处于自动运行方式。如果转换过程中没有操纵员干预,将反应堆功率跟

踪方式设置为自动;相反,如果转换过程中有操纵员干预,则将反应堆功率跟踪方式设置为
手动。

（2）在上述工况下稳定运行,将反应堆运行状态切换至强迫循环工况,主循环泵按照控
制程序依次低速启动运行。

自然循环向强迫循环过渡时,由于
主循环泵突然启动低速运行,一回路冷
却剂流量迅速增大到强迫循环水平,冷
却剂载出堆芯热量的能力大大增强,堆
芯出现一个"骤冷"过程,表现为一回路
平均温度下降。在核燃料多普勒效应
及慢化剂温度效应的共同作用下,反应
堆功率随之出现快速上升,在达到一个
较高的功率峰值后有所下降,最终稳定
在一个新的功率水平。图 3.26 是从不
同初始功率水平向强迫循环过渡时,反
应堆功率的变化趋势。相比于自然循
环工况,反应堆在强迫循环工况运行
时,由于冷却剂的流量和流速都比较

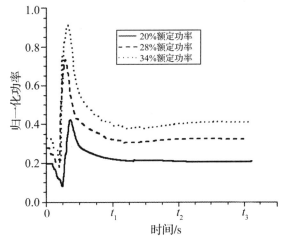

图 3.26　自然循环转强迫循环时
反应堆功率变化趋势

大,冷却剂流经堆芯和蒸汽发生器时不能进行充分的热交换,使得反应堆的出口温度大幅
度下降,入口温度则大幅上升,冷却剂在反应堆进出口的温差减小,与自然循环小流量、大
温差的特点相反,强迫循环工况的特点是大流量,小温差。反应堆出口温度上升使得二回
路蒸汽压力上升,一回路平均温度下降使得稳压器水位和压力都有不同程度的下降。

总之,自然循环向强迫循环过渡的时间较为短暂,参数的变化速度和幅度都比较大,特
别是反应堆功率,在相当短的时间内可能增长数倍,反应堆周期也会出现一个较短的值,在
这种情况下,堆芯局部可能出现过热现象,当然反应堆也可能因为周期过短而导致停堆,从
而使得自然循环无法安全顺利地过渡到强迫循环工况。从图 3.26 也可以看出,转换前的初
始反应堆功率水平对过渡过程有着重要的影响,初始功率水平越高,转换过程中出现的功
率峰值就越大。因此,应该选择较低的初始功率水平进行转换。此外,在反应堆功率达到
峰值以前,操纵员手动下插控制棒,人为地向堆芯引入一部分负反应性,抵消由于平均温度
下降带来的正反应性,必然会减小功率上冲的速度和幅度,有利于改善过渡过程的安全性。

实验研究及理论分析结果表明,强迫循环与自然循环相互转换的过渡过程受转换前初
始条件的影响较大,这些初始条件包括反应堆功率、初始调节棒棒位、一回路平均温度、稳
压器压力与水位等参数。在这些参数中,有的对过渡过程影响较大,如反应堆功率、调节棒
棒位;有的对过渡过程的影响较小,如稳压器水位和压力。选择合适的初始条件有利于强

迫循环与自然循环安全、平稳地相互转换。

4. 主循环泵失效时,自然循环载出堆芯剩余发热的问题

反应堆正常运行时,由主循环泵提供冷却剂的强迫循环,但当部分或全部主循环泵因电气或机械故障失效时,导致反应堆紧急停闭,在余热没有排出系统或者不能及时投入使用的情况下,反应堆将依靠自然循环导出堆芯的剩余发热。

当主循环泵因电气或机械故障失效时,反应堆及一回路的强迫循环结束,此后的瞬态可以分为两个阶段。第一阶段,在瞬变开始时,主循环泵的惯性压头比重力压头大得多,因此后者可以忽略。第二阶段,在瞬变结束时,泵的惯性压头已经消失,冷却剂完全依靠冷热管段流体的密度差产生的重力压头驱动,即稳态自然循环。

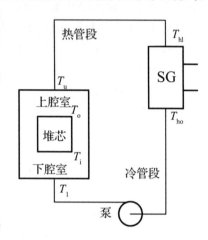

图 3.27　反应堆一回路简化流程

假设在反应堆一回路系统已经建立了稳态自然循环,此时主循环泵的压头和惯性压头均为零,则有

$$K_{\mathrm{pr}}\frac{W_{\infty}^{2}}{2\bar{\rho}} + g(\bar{\rho}\Delta z) = 0 \qquad (3.25)$$

式中　K_{pr}——反应堆一回路系统总的阻力系数;

　　　W_{∞}——稳态自然循环流量;

　　　$\bar{\rho}$——堆芯冷却剂平均密度。

为了确定重力压头的大小,可以把反应堆一回路系统简化成六部分,如图 3.27 所示,即堆芯、上腔室、环路热管段、蒸汽发生器(SG)、环路冷管段和下腔室,并分别用下标 c,up,hl,SG,cl,lp 表示。假设每一段入口、出口标高为 $z_{\mathrm{i}},z_{\mathrm{o}}$,则

$$(\bar{\rho}\Delta z)_{\mathrm{pr}} = \rho(z_{\mathrm{o}} - z_{\mathrm{i}})\big|_{\mathrm{c}} + \rho(z_{\mathrm{o}} - z_{\mathrm{i}})\big|_{\mathrm{up}} + \rho(z_{\mathrm{o}} - z_{\mathrm{i}})\big|_{\mathrm{hl}} +$$
$$\rho(z_{\mathrm{o}} - z_{\mathrm{i}})\big|_{\mathrm{SG}} + \rho(z_{\mathrm{o}} - z_{\mathrm{i}})\big|_{\mathrm{cl}} + \rho(z_{\mathrm{o}} - z_{\mathrm{i}})\big|_{\mathrm{lp}} \qquad (3.26)$$

如果忽略回路压降引起的密度变化,就可以用 ρ_{o} 表示堆芯出口到蒸汽发生器入口之间冷却剂的密度,用 ρ_{i} 表示蒸汽发生器出口到堆芯入口之间的冷却剂密度。又假设在堆芯和蒸汽发生器内冷却剂密度线性变化,则式(3.26)可以表示为

$$(\bar{\rho}\Delta z)_{\mathrm{pr}} = -(\rho_{\mathrm{i}} - \rho_{\mathrm{o}})(\bar{Z}_{\mathrm{SG}} - \bar{Z}_{\mathrm{C}}) \qquad (3.27)$$

式中　$\bar{Z}_{\mathrm{SG}}$——蒸汽发生器中心标高;

　　　$\bar{Z}_{\mathrm{C}}$——堆芯中心标高。

假设 β 为冷却剂体积膨胀系数,且

$$\beta = -\frac{1}{\rho}\frac{\partial\rho}{\partial T}\bigg|_{\mathrm{P}} \qquad (3.28)$$

并假设其为常数,则有

$$\rho_{\mathrm{o}} - \rho_{\mathrm{i}} = -\bar{\rho}\beta\Delta T_{\mathrm{C}} \tag{3.29}$$

式中,T_{C} 是冷却剂在堆芯内的温升。

在稳态自然循环工况下,根据热量平衡可以得到

$$\Delta T_{\mathrm{C}} W_{\infty} C_{\mathrm{p}} = P_{\mathrm{d}} \tag{3.30}$$

式中,P_{d} 为反应堆停闭后的剩余发热,主要以衰变热为主。

将式(3.29)与式(3.30)联立起来就可以得到稳态自然循环流量 W_{∞} 和此时堆芯的冷却剂温升 ΔT_{C},即

$$W_{\infty} = \left[\frac{2\bar{\rho}^{2}g\beta \cdot P_{\mathrm{d}}}{K_{\mathrm{pr}} \cdot C_{\mathrm{p}}} \cdot (\bar{Z}_{\mathrm{SG}} - \bar{Z}_{\mathrm{C}})\right]^{1/3} \tag{3.31}$$

$$\Delta T_{\mathrm{C}} = \left(\frac{P_{\mathrm{d}}}{\bar{\rho}C_{\mathrm{p}}}\right)^{2/3} \cdot \left[\frac{K_{\mathrm{pr}}}{2g\beta \cdot (\bar{Z}_{\mathrm{SG}} - \bar{Z}_{\mathrm{C}})}\right]^{1/3} \tag{3.32}$$

从以上两式可以看出,反应堆一回路系统建立稳态自然循环的前提是蒸汽发生器中心标高高于堆芯中心标高,二者之间的位差越大,则自然循环流量越大,减小系统阻力系数也可以增大自然循环流量。堆芯剩余发热增大时,自然循环流量也会增大,图 3.28 是反应堆功率与自然循环流量之间的关系。但是冷却剂流经堆芯的温升也随之增加,随着反应堆出口温度的升高,冷却剂可能出现饱和沸腾,从而出现两相自然循环流动不稳定性现象,威胁反应堆的安全运行。因此,反应堆在自然循环工况运行时,必须对反应堆功率进行严格限制。

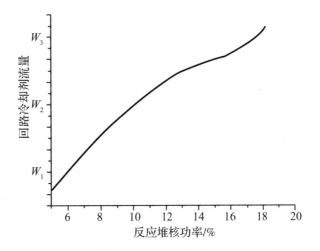

图 3.28　反应堆功率与自然循环流量之间的关系

需要指出的是,对于船用核动力装置,其自然循环能力还受到海洋条件的影响。最近几年,很多学者针对船舶摇摆、纵倾及升降对自然循环能力的影响开展了大量研究,但其理论模型相对较简单,如一回路系统作了大量的简化,仍然采用传热中心的计算概念,阻力系数、传热关系式也沿用强迫循环的关系式,加上很难进行大型实验研究,使得在这方面的研究进展缓慢。但目前可以肯定的是,海洋条件确实会对船用核动力装置稳态自然循环能力产生不利的影响。

复习思考题

3-1 试述船用核反应堆功率运行的特点。

3-2 功率运行时为什么要对功率表进行校正？

3-3 功率运行限值和条件包括哪些内容，为什么？

3-4 简述船用核动力装置强迫循环与自然循环相互转换的限值条件。

3-5 简述船用核动力装置的自稳自调特性。

3-6 简述船用核动力装置的运行方案及其特征。

3-7 稳定工况运行时应监督哪些主要参数？

3-8 功率运行时为什么要经常对棒栅位置进行调整？

3-9 改变工况运行时,对提升功率和降功率有哪些限制？

3-10 简述提升功率带负荷过程。

3-11 稳压器的压力控制包括哪些内容？

3-12 稳压器的水位控制的主要内容有哪些？

3-13 试述改变工况运行时堆内主要参数的变化规律。

3-14 功率运行时堆内反应性变化的主要因素有哪些？

3-15 船用反应堆在 30% 额定功率上稳定运行 15 昼夜,棒栅位置为自动棒在 359 mm 高度上,在此基础上继续运行 10 昼夜,控制棒从 359 mm 上提升至 401 mm。试估算堆内反应性的变化,这种变化主要是什么因素起作用？

3-16 船用反应堆经过长期运行后,实行热停堆,停堆前反应堆在 45% 额定功率上运行,$1^{\#}$ 调节棒在 600 mm 处,$2^{\#}$ 棒未动,在停堆 10 h 后因有任务,立即启动反应堆。问此时反应堆能否启动起来？（设最大平衡氙和碘坑氙毒之和为 6β,$1^{\#}$,$2^{\#}$ 棒效率分别为 4.8β,5.1β）

3-17 设反应堆在满功率下平衡氙毒的反应性为 $0.032(\Delta k_{eff})$,燃耗反应性系数为 $5.4 \times 10^{-4} \delta \Delta k_{eff}/d$,试估算反应堆启动到满功率后稳定运行 2 d,控制棒需补偿的 Δk_{eff} 约为多少？

3-18 设船用反应堆的热态后备反应性为 0.155,功率系数为 $1.06 \times 10^{-5} \Delta k_{eff}/MW$,平衡氙毒反应性为 $3.2 \times 10^{-2} \Delta k_{eff}$,燃耗反应性系数为 $5.4 \times 10^{-4} \Delta k_{eff}/d$,试问此反应堆在满功率下能运行多少天？

3-19 某反应堆在功率运行过程中,热功率表故障,冷却剂流量为 1 600 t/h,压力为 14 MPa,反应堆入口温度为 245 ℃,反应堆出口温度为 285 ℃,试估算此时反应堆的热功率为多大？

3 - 20　某反应堆在加热或带功率运行时,在 1 h 内温度从 250℃增加到 260 ℃,试问该堆的反应性变化了多少,是以怎样的速度改变的? (设堆的温度系数为 $2.0 \times 10^{-4} ℃^{-1}$)

3 - 21　某反应堆在启动达到 50% 额定功率后,其自动棒的临界棒位在 240 mm 处,随后在此功率上运行 48 h,而自动棒已补偿到 670 mm 位置上,试求出反应堆在该功率上相对应的平衡氙毒反应性为多少? (忽略 48 h 燃耗反应性)。

3 - 22　若反应堆在 70% 额定功率上已运行 49 h 后,其自动棒在 550 mm 高度上,试问,该堆在此功率上需要运行多久方能使自动棒补偿到 660 mm 的高度? (若燃耗反应性为 3.9×10^{-4} δK/d、堆功率为 140 MW)。

3 - 23　设功率为 130 MW 的反应堆热态后备反应性为 0.1564,功率系数为 1.16×10^{-5} δK/MW,满功率平衡氙毒反应性为 3.5×10^{-2} δK/K,试估算该反应堆在满功率下能连续运行多少天?

3 - 24　试述船用反应堆在无外控条件下,反应堆动力装置的过渡特性。

3 - 25　试述船用反应堆在有外控条件下,反应堆动力装置的过渡特性。

3 - 26　试述强迫循环向自然循环过渡时,反应堆一回路系统主要参数的变化规律及原因。

3 - 27　操纵员可以采取哪些措施来改善自然循环转强迫循环的平稳性与安全性?

3 - 28　主循环泵失效后,一回路冷却剂瞬态流量与哪些因素有关?

3 - 29　自然循环运行工况的特点是什么,影响稳态自然循环流量大小的因素有哪些?

第4章 船用核反应堆的停闭运行

在某一功率水平上运行着的船用核动力装置,如遇特殊情况需终止反应堆的运行,则要实施对反应堆的停闭运行。停止反应堆内的链式裂变反应称为反应堆的停闭运行,也就是将运行着的反应堆从所运行功率水平降到中子源水平。具有一定功率水平运行的反应堆停闭,主要是依靠控制棒的插入来实现的,即向堆内引入相当大的负反应性,使 $f_{eff} \ll 1 (\rho \ll 0)$ 来熄灭堆内的链式反应。停闭运行有两种方式,即正常停闭和事故停闭。正常停闭又按停闭后的工况不同及停闭时间的长短分为冷停闭和热停闭两种。由于船用的特点,热停闭是常用的停闭形式,用于短期停靠码头、局部设备短期检修及备航状态等。本章就反应堆停闭的程序及停闭后有关问题作以讨论。

4.1 反应堆的冷停闭运行

4.1.1 冷停闭及其操作过程

反应堆的冷停闭通常是由于装置设备检修、更换燃料或长期休整的需要,将反应堆动力装置从具有一定功率运行的热态直接冷却到常温状态的过程。与其对应的启动是反应堆的冷启动。

正常冷停堆的原则是先停闭二回路,然后停闭一回路。先降低主机功率,在降功率的过程中为保证汽轮机组的安全,减负荷速率受到气缸金属温度允许下降速率的限制,并在每下降一定负荷后停留一段时间,让汽轮机气缸和转子温度均匀下降。这样的操作程序将有利于限制堆内氙毒的积累,减少碘坑深度。调整二回路给水流量,给水控制从主给水阀切换到旁路阀并降低蒸汽发生器二次侧水位,直至减至零负荷规定值。关闭主机,然后将所有的控制棒插入堆芯,熄灭堆内核裂变反应。切除稳压器内的电热元件,但控制棒插入堆芯后,两台主泵必须以半速继续运行来冷却堆芯。用蒸汽发生器产生的残余蒸汽来驱动二回路的给水泵及其辅机,而多余的蒸汽经减压后被排入冷凝器(或大气),用此种方法将回路温度降到一定温度以下。在此温度附近可用补水泵向回路进行补水,提高稳压器的水位。排除蒸汽汽腔,并投入危急冷却器(有时停堆后即可投入)。在降温过程中必须打开喷雾阀,将冷却剂系统中的水喷入稳压器,以降低其压力。降温降压过程必须严格按照运行温压限制图来进行,一般降温速率不得超过定值,以防止产生过大的热应力。在稳压器汽腔消失后,由于回路水的冷却造成体积收缩,还要使回路和稳压器的温差保持在 40~90 ℃ 范围内,以防止堆芯汽化。在稳压器汽腔消失后,由于回路水的冷却后造成体积收缩,因此必须不断地启动补水泵向回路补水,使稳压器保持满水位。为降低冷却剂中的杂质浓度和放射性强度,在此过程中净化系统可继续工作(有时也不停止)。一般来说,当回路温度达到一定温度以下时,即可用主泵低速运行,但对长期高功率运行后的反应堆在冷停堆 48 h 以内,绝不能停止主泵运行。因为反应堆在停堆后的剩余发热量较大,且需长时间才能移去。当回路温度降到一定值时,即可停止堆舱空调风机和无关的热工仪表,主泵可断续运行,将反应堆温度降至冷态,即完成冷停堆的工作。

在停堆时,应注意先将控制棒手操下插到接近底部时,然后再切断控制棒驱动电机的定子电源,刹车落棒。这主要是为了避免棒在较高位置切断电源瞬时落入堆芯时,冲击力过大而损坏棒体。定子电源切断后,方可切断位置指示器的电源,并可停止定子的冷却水,以减少驱动机构内的结露,防止腐蚀。另外在停堆后,还要向一次屏蔽水系统补水。

1. 停堆

(1)反应堆功率降至20%额定功率时,反应堆切除"自动"控制;

(2)手动调节控制棒跟踪二回路功率,维持蒸汽发生器适当气压;

(3)将主泵选择开关放"手动",两台主泵半速运行,流量稳定后,选择开关转"自动";

(4)切除电加热元件,压力安全系统有关阀门解除"自动";

(5)注意稳压器的温度与反应堆出口的温差,间断开启喷雾阀降温;

(6)系统压力降至一定值时,切除"低压保护";

(7)发电机解除负荷后,反插控制棒至接近底部处,手按刹车按钮,停止反应堆,切除全船停堆警告;

(8)主泵选择开关转"手动",补水泵选择开关置"手动";

(9)断开低频电源和灯光位置指示器电源,钟表位置指示器复位;

(10)蒸汽发生器充满水后,二回路关闭蒸汽隔舱阀,停止净化系统;

(11)断开核测量柜、宽量程中子测量仪、保护柜、功率调节柜、累计功率表、记录仪表及宽量程的温度、压力表的电源。

2. 降温降压

(1)将危急冷却系统的有关阀门置正常位置,使降温速度不大于限值,随温度的下降阀门开度不断增大;

(2)间断开启喷雾阀喷雾,保持稳压器与回路的温差在允许范围内;

(3)启动补水泵,稳压器保持正常水位;

(4)负压机解除"自动",停止工作,断开电源;

（5）开堆舱门,启动应急排风机,根据堆舱温度停止空调风机;

（6）将消氢器开关置垂直位置,消氢器停止工作,停止应急排风机;

（7）稳压器压力降到 2.3 MPa 时,两台补水泵连续工作,直至稳压器充满水,压力维持在 2.8～7.8 MPa 范围内;

（8）断开全部无关的仪表、设备电源;

（9）打开压力安全系统的有关阀门,继续降温至常温;

堆停闭过程中一、二回路主要系统的工况如表 4.1 所示。

表 4.1 堆停闭过程中一、二回路主要系统的工况

系 统 名 称	热停闭	冷停闭			
		>180 ℃	180 ℃	<177 ℃	≤60 ℃
化学物添加系统	投入	投入	投入	投入	隔离
停堆冷却系统	隔离	按要求投入	投入	投入	投入
安全注射系统	备便	按要求投入	隔离	隔离	隔离
设备冷却水系统	投入	投入	投入	投入	投入
补水系统	按要求投入	投入	投入	投入	隔离
主泵润滑油系统	投入	投入	投入	投入	隔离
取样系统	投入	投入	按要求投入	隔离	隔离
二回路主蒸汽系统	投入	投入	按要求投入	隔离	隔离
二回路给水系统	投入	投入	按要求投入	隔离	隔离

4.1.2 冷停闭应注意的问题

反应堆在冷停闭时应注意如下问题:

（1）控制降温速率,使之不大于限值。

（2）保持稳压器与回路温差在所要求范围之内。

（3）注意保持稳压器高水位,及时启动补水泵补水。

（4）冷停闭后要及时对反应堆进行冷却,冷却方式有连续冷却和间断冷却两种。

①连续冷却:

a. 两台主泵低速连续运行;

b. 回路压力保持在 2.8～7.8 MPa 之间;

c. 根据反应堆释热确定停堆后主泵连续运行时间,否则主泵须连续运行 48 小时以上方可转间断冷却;

d. 停止主泵一段时间后,停止设备冷却水泵、海水泵;

e. 将系统恢复原状,断开设备、阀门、仪表的电源。

②间断冷却:

a. 回路温度超过 55 ℃或稳压器压力超过某一定值时,须进行冷却;

b. 向冷却所需的设备、阀门、仪表供电;

c. 启动一台海水泵、一台设备冷却水泵、两台低速主泵;

d. 冷却完毕后,停止设备运行,断开电源;

e. 系统恢复原状。

4.2　反应堆的热停闭运行

热停闭是指计划内的或某个设备局部故障(短时间能修复)的情况下的反应堆停闭。热停堆的特点是对一回路系统实行保温保压,保留稳压器蒸汽汽腔。这样的状态下启动反应堆可省去升温升压的过程,能快速将反应堆启动起来,这更能适应船用核动力装置快速启动的要求。

4.2.1　热停闭的运行过程

热停闭的主要过程是主机降功率并停止主机,反应堆切除功率自动调节,转移电源负荷后停发电机组;接着用控制棒熄灭堆内的核裂变反应,切除所有电加热元件,两台主泵采用低速运行,用堆内停堆后的剩余功率来对回路实行保温保压;但随着时间的推移,反应堆回路系统的温度会因外部散热而不断下降,此时可以切换主泵由低速变高速运行,并根据情况投入电加热元件来提高回路和稳压器的温度,补偿回路的散热损失,必要时也可以手动提棒以反应堆的低功率加热回路,使回路系统维持热态。

热停堆与冷停堆的区别在于热停堆保留蒸汽汽腔,使回路温度保持在 200 ℃左右,稳压器温度比回路温度高一个定值,而冷停堆消除蒸汽汽腔,使系统降至常温常压下,其操作过程与冷停堆大体相同。

热停堆的特殊问题就是碘坑问题,这一问题主要影响热停堆后反应堆的再启动。碘坑与停堆前反应堆的运行功率及此功率上稳定运行的时间有关。由于碘坑的存在,停堆时堆内反应性变化复杂化,因此热停堆后的启动具有特殊的安全问题。

4.2.2　热停闭的特点与安全

热停闭的操作程序与冷停堆基本相同,其主要区别是停堆后堆内的温度不同和汽腔是否存在。冷停堆后,堆内的温度一般降至常温状态(20～50 ℃),无汽腔存在;而热停堆堆内温度为热态160 ℃以上,稳压器有汽腔存在,且保持正常运行水位。

反应堆热停堆保温保压的操作及安全注意事项如下:

(1)两台主泵低速运行(或一台低速,一台高速),回路温度维持在160 ℃以上,稳压器保持正常水位;

(2)切除消氢器工作,负压机转手动间断运行;

(3)根据堆舱温度通知启、停制冷机;

(4)根据稳压器温度、压力,投入或切除电加热元件,并保持与回路的温度在40～90 ℃之间;

(5)回路温度低于160 ℃时,主泵转低速运行,需启堆保温时应经机电部门长批准;

(6)回路需补水时,取备用水舱水经净化系统补入,随后将系统恢复原状。

船用核动力装置的热停堆状态是常用的一种运行方式,舰船短时间停靠码头,在海上抛锚、待机、潜海底等航行状态时,一般都可采用热停闭运行状态,有时也采用低功率运行状态。

4.3　反应堆的事故停闭

事故停堆又称刹车。事故停堆属于非正常工况,它是在没有计划、没有准备的情况下发生的。一般是因回路系统设备的重大故障而发生的,根据事故的轻重又分为反插和紧急停堆两种。控制棒反插是在较小的功率起伏或刚出现事故苗头时,除了给出音响、灯光等信号外,保护装置自动工作,使控制棒以一定的速度反插堆芯,将反应堆功率降至安全限以下,但不完全停闭。紧急停堆时,反应堆控制系统根据事故情况的严重性,保护装置立即动作,切断控制棒电源,所有控制棒全部插入堆芯,熄灭核裂变反应,并且控制棒在0.7～1.2 s内强迫下降。有时根据其他设备运转的情况,若不采取措施可能严重威胁反应堆的安全时,操纵人员直接在控制台上手动操作紧急停堆按钮,实现快速停堆。

事故停堆后的操作与正常停堆的操作基本上相同,所不同的是必须在事故停堆动作后,立即投入危急冷却系统,以移去剩余功率,同时要根据情况判断事故的原因。

4.3.1　事故停闭的安全原则

一般在事故停堆后要掌握的原则是不扩大事故,保护反应堆的安全。根据事故的情况来确定适当的措施,并根据事故排除所需的时间来选择将反应堆停至热态或冷态。

船用核反应堆事故停堆的现象主要有以下几个方面:

（1）事故铃响，相应的光字牌亮，停堆信号报警；

（2）控制棒全部插到底，下限红灯亮，堆功率明显下降；

（3）反应堆"自动"运行时，自动解除转"手动"；

（4）高速运行的主泵自动切换至备用泵低速；

（5）回路温度下降，稳压器水位、温度、压力下降。

4.3.2　事故停闭后的处理

反应堆发生事故时，要做到及时发现，及时处理，不得延误，主要应进行如下几方面的处理：

（1）消除报警铃响，判断停堆原因，15 s 后切除全船停堆报警信号；

（2）将主泵工况选择开关转"手动"，至少保证一台主泵低速和一台设备冷却水泵、一台海水泵工作；

（3）根据情况启动补水泵向回路补水，切除电加热元件，保持稳压器与回路的温差；

（4）回路温度降至 220 ℃时，通知二操关闭蒸汽隔舱阀；

（5）控制棒钟表式指示器复零；

（6）根据停堆原因，尽快排除故障，做好启堆准备，如不能暂时排除故障，视情况投入危急冷却系统；

（7）如故障不能排除，需尽快启堆时，切除相应的保护系统及紧急保护开关；

（8）若需重新启动时，按正常热启动规程启堆，只是此时应注意停堆时间的长短，停堆前的运行功率的大小，是否为碘坑下的启动等。

4.4　反应堆停闭后的剩余功率与安全分析

4.4.1　停堆后剩余功率的来源

当运行着的反应堆需要终止功率运行时，就需要实施停堆的措施。反应堆运行一段时间后停堆，堆内残余的中子不会立即停止裂变，而会在一段时间内继续引起裂变，且裂变产物和辐射俘获产物会在长时间内衰变。因此，在停堆后，堆芯中仍有一定的释热，这种释热称为剩余功率。

图 4.1 表示快速停堆后堆功率和堆内热通量随时间的变化曲线，图中横坐标是停堆时间，纵坐标是堆内功率水平和平均热通量。由图可看出，反应堆在实施停堆的一刹那就处于次临界状态，反应堆功率迅速下跌，这大约需要 3 ~ 4 s 的时间。随后在缓发中子的裂变

效应和裂变产物等衰变效应共同作用下，功率下降的速度逐渐变慢。还可看出，堆内相对热通量的下降要比堆的相对功率的下降缓慢得多，这主要是堆内元件具有热惯性的缘故。

一般说来反应堆的剩余功率由三个主要成分组成：一是缓发中子引起的剩余裂变功率；二是裂变产物的衰变热；三是辐射产物的衰变热。但主要而且起决定作用的是前两部分。

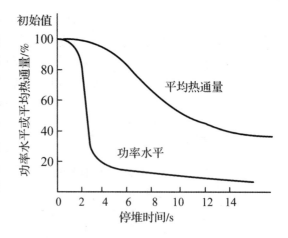

图 4.1　紧急停堆后的相对功率水平与相对热通量

4.4.2　停堆后的中毒效应

核反应堆运行过程中燃料核的裂变产生的裂变产物大部分具有放射性，它们经过一系列衰变后，又形成许多新同位素。在这些同位素中，某些同位素具有很大的热中子吸收截面，其中^{135}Xe 和^{149}Sm 特别重要，不仅具有很大的热中子吸收截面，而且其先驱核还具有较大的裂变产额。它们的产生和消失对核反应堆的反应性及运行特性有很大的影响。其余裂变产物的热中子吸收截面和裂变产额数值比^{135}Xe 和^{149}Sm 的相应值小得多。

由于^{135}Xe 对中子的吸收截面与中子能量有很大关系，它对快中子的吸收截面很小，而对热中子的吸收截面却很大，因而氙毒仅对热中子反应堆有重要意义。

1. 中毒反应性

设无核毒物时有效增殖因数为 K、有核毒物时为 K'，由核毒物引起的反应性损失简称"中毒反应性"，用 ρ_q 表示，定义为 $\rho_q = \dfrac{K'-K}{K'}$。中毒反应性近似地与毒性 q_p 成正比，也与无毒堆的热中子利用系数 f 成正比，因此 ρ_q 的计算可以归纳为 q_p 的计算，最终归到核毒物浓度 N_p 的计算。虽然 $\rho_q = \dfrac{K'-K}{K'}$ 适用于均匀系统，但也可用于描述非均匀反应堆内裂变产物中毒的一般特性。

2. ^{135}Xe 中毒

（1）平衡氙中毒

热中子反应堆在一定功率水平稳定运行一段时间（约 48 h）后，堆内^{135}I，^{135}Xe 核的产生率与损失率达到动态平衡后，^{135}Xe 的核密度不变，堆处于"平衡氙中毒"状态。

（2）核反应堆运行时的氙中毒

①启动时^{135}Xe中毒

对于一个新的堆芯，^{135}I和^{135}Xe的初始浓度都等于零。若核反应堆在 $t=0$ 时刻启动，并迅速达到特定功率，这样就可以近似地认为在 $t=0$ 时刻中子通量密度瞬时地达到特定值 φ，并且一直保持不变，核反应堆启动后，^{135}I和^{135}Xe的浓度随运行时间的增加而增加，随后核反应堆在稳定功率状态下运行约48 h之后，^{135}I和^{135}Xe的浓度接近于它们的平衡浓度。

②停堆后^{135}Xe中毒

^{135}Xe对有效增殖因数影响很大。假定核反应堆长期稳定运行，突然停堆后，中子密度急剧下降导致^{135}Xe的消失率急剧下降，而^{135}I衰变成^{135}Xe下降缓慢，这使得^{135}Xe的浓度不但不减少，反而增加到远大于平衡时的数值。这就造成有效增殖因数在停堆后大幅度下降，以致使剩余反应性不足，氙浓度最高处损失的反应性称为最大碘坑反应性当量。

同一个堆运行功率水平不同停堆后氙中毒最大值也不同，而且最大氙毒时间也不同。

停堆后核反应堆剩余反应性下降到最小值的程度称为碘坑深度。碘坑深度与核反应堆停堆前的热中子通量值有关，热中子通量密度愈大，碘坑深度愈深。

停堆后氙中毒变化与停堆方式有关，如果不是采取突然停堆方式而采用逐渐降低功率的方式实施停堆，因为有一部分^{135}Xe和^{135}I核在停堆过程中吸收中子和衰变而消耗了，所以停堆后的碘坑深度要比突然停堆方式所引起的碘坑深度浅得多。

在"碘坑"下启动核反应堆要特别小心，因为这时候堆内^{135}Xe的浓度比较大，由于中子通量密度突然增加，^{135}Xe的吸收中子将大量消耗，堆内迅速放出正反应性，使堆内的剩余反应性很快增加，这时虽然自动棒会自动跟踪下降，但跟踪范围有限（受自动控制棒价值所限），有时可能跟踪不上，就会造成事故。

当核反应堆运行到末期时，如果停堆后堆内的剩余反应性小于"碘坑深度"，则必须在 t_p 以内启动或拖到最大氙毒反应性过去后使剩余反应性大于零才能再启动。因此，当核反应堆工作到末期时，运行人员必须了解堆内尚有多少剩余反应性，停堆后氙毒有多大，并确定核反应堆的允许运行功率水平以及合理的停堆方式（如逐级降功率停堆），使核反应堆能够随时启动，以保证核动力装置的机动性。

3. ^{149}Sm效应

Sm是另一重要的裂变毒物。它的裂变产额只有1.07%，但是它的热中子吸收截面大（4.1×10^{-24} m^2）。^{149}Ce的裂变产额是1.07%，^{149}Pm有 1.4×10^{-23} m^2 靶的吸收截面，但是和^{149}Sm的吸收截面比较起来可以忽略。与氙不同，Sm是稳定的，所以^{149}Sm只因燃耗而消失。

根据，$^{149}\mathrm{Sm} + {}_0^1\mathrm{n} \longrightarrow {}^{150}\mathrm{Sm} + \gamma$，^{149}Sm的平衡方程为 $\dfrac{\mathrm{d}N_\mathrm{Sm}}{\mathrm{d}t} = \lambda_\mathrm{Pm}N_\mathrm{Pm} - \sigma_{a(\mathrm{Sm})}N_\mathrm{Sm}\varphi$。

^{149}Ce 的半衰期($T_{1/2} = 5$ s），^{149}Pr 的半衰期($T_{1/2} = 2.7$ s），^{149}Nd 的半衰期($T_{1/2} = 1.7$ h）和 ^{149}Pm 的半衰期($T_{1/2} = 5.31$ h）都是短的。因此可以假定 ^{149}Pm 是由裂变直接生成的，产额为 1.07%，则 $\dfrac{\mathrm{d}N_{\mathrm{Pm}}}{\mathrm{d}t} = D_{\mathrm{pm}} \Sigma f \varphi - \gamma_{\mathrm{pm}} N_{\mathrm{pm}}$。

（1）反应堆启动时的 Sm 中毒

因为 ^{149}Sm 的吸收截面比 ^{135}Xe 小得多，而且 ^{149}Pm 的半衰期比 ^{135}I 和 ^{135}Xe 长，所以 Pm 和 Sm 达到平衡值所需的时间要比 Xe 稍微长一些，约需几百小时。当 Sm 达到平衡时，$\mathrm{d}N_{\mathrm{Pm}}/\mathrm{d}t = \mathrm{d}N_{\mathrm{Sm}}/\mathrm{d}t = 0$，可以推导出 $N_{\mathrm{Sm}} = \gamma_{\mathrm{Pm}} \Sigma f / \sigma a_{(\mathrm{Sm})}$。因此，^{149}Sm 的平衡浓度与通量水平无关。

（2）停堆后的 Sm 中毒

当通量为零时，Sm 的燃耗停止，但是钷仍然存在。^{149}Pm 衰变到 Sm 将增加 ^{149}Sm 的浓度和引入负反应性，直至 ^{149}Pm 耗尽。由于平衡 ^{149}Pm 浓度依赖于反应堆功率，所以在较低功率下从 ^{149}Pm 衰变到 ^{149}Sm 较少。

和 ^{135}Xe 不同，停堆后 ^{149}Sm 积累到最大值并保留这个值到反应堆有功率时。那时，中子通量将烧尽过剩的 Sm，将 Sm 浓度恢复到与通量无关的平衡值。到堆芯寿期末，反应堆在停堆以后将不能克服 ^{149}Sm 积累引入的负反应性。

（3）功率变化时的 Sm 中毒

反应堆功率从 100% 降到 50% 时 Sm 的反应性特性，平衡值大约在功率变化后几百小时后方能达到。起初，^{149}Sm 燃耗率（$\sigma_{\mathrm{a(Sm)}} N_{\mathrm{Sm}} \varphi$）的改变由 ^{149}Sm 生成（$\lambda_{\mathrm{Pm}} N_{\mathrm{Pm}}$）的改变所补偿。任何功率下，Sm 的浓度总将回复到它的平衡值，如果功率保持足够长的时间不变的话。

4.4.3 剩余功率的估算

1. 缓发中子引起的剩余裂变功率

在反应堆停堆后的数秒内，由缓发中子引起的裂变热是堆内剩余功率的主要来源。对于以铀为燃料的轻水堆，如果突然引入绝对值大于 4% 的负反应性，则堆内的剩余功率可按下式来计算，即

$$P(t_0)/P_0 = 0.15 \exp(-0.1 t_0) \tag{4.1}$$

式中　$P(t_0)$——停堆前反应堆的运行功率，MW；

　　　t_0——停堆后的时间，s。

应注意式（4.1）适用于以铀为燃料的轻水堆，对于其他堆型不适用，且它是短期停闭后剩余功率的估算。

反应堆停堆 10 s 后，这时

$$P(t_0)/P_0 = 0.15 \exp(-0.1 \times 10) = 0.15 \times 0.368 = 0.0552$$

所以

$$P(t_0) = 0.0552$$

　　可见,停堆 10 s 后,由缓发中子引起的剩余功率约是运行功率的 5% 左右,但在 6 组缓发中子中,寿命最长的一组,其寿命也只有 80 s 左右。故缓发中子引起的剩余功率只在停堆后 20~30 s 内对剩余功率有明显的贡献,1 min 后可忽略不计。停堆 1 min 后,由缓发中子引起的功率约是运行功率的 0.037% 左右。

　　2. 裂变产物的衰变热

　　随着时间的推移,由缓发中子引起的剩余功率逐渐下降,而裂变产物的放射性衰变热就成为剩余功率的主要成分。一般说来,裂变产物的衰变功率与停堆前裂变产物的总产额及这些产物在停堆后的衰变程度有关。因此,衰变功率 $P(t_0, t_s)$ 是堆的初始运行功率 P_0、运行时间 t_0 和冷停堆时间 t_s 的多变函数(见图 4.2),但是当应用到具体的堆型时,所计算的结果与实际差别很大。故一般的堆内裂变产物的衰变热均由实际实验而得,理论计算只作为参考。如果反应堆以初始功率 P_0 运行了有限时间 t_0 后停堆,停堆后的时间为 t_s,则此时裂变产物的衰变功率 $P(t_0, t_s)$ 应满足如下关系:

$$\frac{P(t_0, t_s)}{P_0} = \frac{P(t_s)}{P_0} - \frac{P(t_0 + t_s)}{P_0} \tag{4.2}$$

式中　$P(t_s)$——反应堆运行无限长时间后,停堆 t_s 时的衰变功率,MW;

　　　　$P(t_0 + t_s)$——反应堆运行无限长时间后,停堆 $t_0 + t_s$ 时的衰变功率,MW。

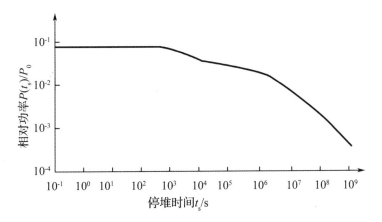

图 4.2　相对功率随停堆冷却时间的变化(停堆前堆在 P_0 功率下运行无限长时间)

　　3. 辐射俘获产物的衰变热

　　在低浓缩铀的热中子反应堆中,其燃料中含有大量的 ^{238}U,它的中子俘获产物 ^{239}U 和 ^{239}Np 的俘获衰变热在反应堆停堆后也是剩余功率的主要成分。这两部分衰变热分别由如下两式求得,即

$$P(^{239}\mathrm{U})/P_0 = 2.28 \times 10^{-3} C\left(\frac{\overline{\sigma}_{\alpha 5}}{\overline{\sigma}_{f5}}\right)[1 - \mathrm{e}^{-4.91 \times 10^{-4} \cdot t_c}] \times \mathrm{e}^{-4.91 \times 10^{-4} \cdot t_s} \qquad (4.3)$$

$$\frac{P(^{239}\mathrm{Np})}{P_0} = 2.17 \times 10^{-3} C\left(\frac{\overline{\sigma}_{\alpha 5}}{\overline{\sigma}_{f5}}\right)[1 - \mathrm{e}^{-3.41 \times 10^{-4} \cdot t_0}] \times \mathrm{e}^{-3.41 \times 10^{-6} \cdot t_s} -$$

$$7.0 \times 10^{-3}(1 - \mathrm{e}^{-4.91 \times 10^{-4} \cdot t_0}) \cdot \mathrm{e}^{-4.91 \times 10^{-4} \cdot t_s} \qquad (4.4)$$

式中　$P(^{239}\mathrm{U})$, $P(^{239}\mathrm{Np})$——$^{239}\mathrm{U}$ 和 $^{239}\mathrm{Np}$ 的衰变功率,MW;

$\qquad C$——反应堆的转换比;

$\qquad \overline{\sigma}_{\alpha 5}$, $\overline{\sigma}_{f5}$——$^{235}\mathrm{U}$ 的平均微观吸收和裂变截面;

$\qquad t_0$, t_s——反应堆的运行和停堆时间,s。

此外,控制棒材料的俘获产物也产生衰变热,其值与材料性质有关。例如,银-铟-镉的衰变热比硼不锈钢大,但比上述 $^{238}\mathrm{U}$ 俘获产物的衰变热要小得多,堆内结构材料的俘获衰变热就更小了,故这里不予考虑。

4.4.4　停堆后的剩余功率及安全分析

以上我们了解到停堆后剩余功率的来源基本估算方法,问题是它对核安全有什么影响,其后果又是什么,应采取些什么措施？我们从一个典型的压水堆在实施停堆后剩余功率的估算,来扼要进行一下安全分析。

例 4-1　某个以铀为燃料的压水型反应堆,在 825 MW 的功率下运行 1.5 a 后停堆。(1)求在下述时刻裂变产物的衰变功率:刚停堆时刻;停堆后 1 h;停堆后 1 a。(2)如果反应堆的转换比 $C = 0.6$,那么在上述时刻 $^{239}\mathrm{U}$ 和 $^{239}\mathrm{Np}$ 的衰变功率各是多少？

解　已知 $P_0 = 825$ MW,$t_0 = 1.5$ a $= 4.73 \times 10^7$ s。

(1)刚停堆时的衰变功率,可由图 4.2 中的最短时间 $t_s = 10^{-1}$ s 来估算。于是根据式(4.2)可得

$$\frac{P(t_0, 10^{-1})}{P_0} = \frac{P(10^{-1})}{P_0} - \frac{P(4.73 \times 10^7)}{P_0}$$

由图 4.2 查出上式右边两项的相对功率值,并将所得值与 P_0 值一块代入上式,得

$$P(t_0, 10^{-1}) = (0.070 - 0.000\ 7) \times 825 = 57.7 \text{ MW}$$

同理,停堆后 1 h($t_s = 3.6 \times 10^3$ s)的衰变功率为

$$P(t_0, 3.6 \times 10^3) = (0.014 - 0.000\ 7) \times 825 = 11.5 \text{ MW}$$

停堆后 1 a($t_s = 3.16 \times 10^7$ s,$t_0 + t_s = 7.9 \times 10^7$ s)的衰变功率为

$$P(t_0, 3.16 \times 10^3) = (0.000\ 79 - 0.000\ 63) \times 825 = 0.132 \text{ MW}$$

(2)因 $\overline{\sigma}_{\alpha 5}$ 和 $\overline{\sigma}_{f5}$ 都服从 1/V 律,故 $\overline{\sigma}_{\alpha 5}/\overline{\sigma}_{f5} = 681/582$;而且当 $t_0 = 4.74 \times 10^7$ s 时,式(4.3)得

$$P(^{239}\text{U}) = (825 \times 2.28 \times 10^{-3} \times 0.88 \times 681)/582 = 1.937 \text{ MW}$$

当 $t_s = 3.6 \times 10^3$ s 时

$$P(^{239}\text{U}) = 1.937 \exp(-4.9 \times 10^{-4} \times 3\,600) = 0.332 \text{ MW}$$

而当 $t_s = 1$ a 时, $P(^{239}\text{Np}) = 0$, 其原因在于 ^{239}U 的半衰期仅为 23.5 min。

同样, 由式(4.4)可求得 $P(^{239}\text{Np})$ 的值, 停堆时, $P(^{239}\text{Np}) = 1.83$ MW; 停堆 1 h 后, $P(^{239}\text{Np}) \approx 1.82$ MW; 停堆 1 a 后, $P(^{239}\text{Np}) = 0$。

从以上运算可知, 经过一段时间的连续运行后停堆, 刚停闭时堆内的剩余功率是相当可观的, 仅裂变产物的衰变功率就高达运行功率的 7% 左右。加上剩余裂变功率, 在刚停堆时堆内的剩余功率可高达 20% 左右。由此可见, 停堆后, 尤其是事故停堆后及时地投入停堆冷却是非常重要的, 绝不可掉以轻心。若停堆后不及时移除剩余功率, 将会导致堆芯温度上升, 燃料芯块中心热量不能及时导出, 加上剩余功率的存在, 严重时将导致燃料元件熔化, 损坏堆芯。因此在停堆后必须采取措施, 投入相关系统对堆芯进行冷却。一般在停堆 48 h 后仍要求间断启动主泵冷却堆芯就是这个道理。在实际船用压水堆的剩余功率计算中, 往往还采用以下公式进行估算。

对于反应堆运行很长时间后停闭, 其剩余功率的估算公式为

$$P_s/P_0 = 0.095\theta_s^{-0.26} \tag{4.5}$$

式中　P_s——停堆后的剩余功率;

　　　P_0——停堆前的运行功率;

　　　θ_s——反应堆停闭后的时间。

但一个核动力装置在某一功率上的运行时间不可能为无穷长, 总是有限的, 因此需要对上式进行修正, 即对上式右边要乘以一个因子 $f(\theta_0)$, 而 $f(\theta_0)$ 又是停堆前运行时间 θ_0 和停堆以后的时间 θ_s 的函数, 即

$$f(\theta_0) = 1 - (1 + \theta_0/\theta_s)^{-0.2} \tag{4.6}$$

因此, 反应堆在某一功率上运行一定时间 θ_0 后实行停堆, 停堆后 $\theta_s > 200$ s 时的剩余功率可用下式进行计算:

$$\frac{P_s}{P_0} = 0.095\theta_s^{-0.26} \cdot \left[1 - \left(1 + \frac{\theta_0}{\theta_s}\right)^{-0.2} \right] \tag{4.7}$$

例 4 - 2　某核动力装置在 50% 额定功率上连续运行 5 d 后实行停堆(额定功率为 1.5×10^5 kW), 试求停堆以后 2 d, 反应堆的剩余功率多大?

解　由题意知 $\theta_s = 2 \times 24 \times 3\,600$ s, 则

$$0.095\theta_s^{-0.26} = 0.095 \times (2 \times 24 \times 3\,600)^{-0.26} = 4.13 \times 10^{-3}$$

$$f(\theta_0) = 1 - \left(1 + \frac{\theta_0}{\theta_s}\right)^{-0.2} = 1 - \left(1 + \frac{5 \times 24 \times 3600}{2 \times 24 \times 3600}\right)^{-0.2} = 1 - (3.5)^{-0.2} = 0.222$$

因此

$$\frac{P_s}{P_0} = 0.095\theta_s^{-0.26} \cdot \left[1 - (1 + \frac{\theta_0}{\theta_s})^{-0.2} \right] = 4.13 \times 10^{-3} \times 0.222$$

所以

$$P_s = 4.13 \times 10^{-3} \times 0.222 \times 50\% \times 1.5 \times 10^5 = 68.76 \text{ kW}$$

以上是针对反应堆在停堆前运行在一个恒定的功率上进行估算的。而在实际运行中,反应堆是在不同的功率上运行的。在这种情况下,估算反应堆的剩余功率应按照反应堆停堆前的运行平均功率来估算,即

$$P = \left(\sum P_i T_i \right) / \left(\sum T_i \right) \tag{4.8}$$

式中　P——堆运行平均功率;

　　　P_i——停堆前运行的不同功率;

　　　T_i——停堆前不同功率上运行的时间。

例 4 – 3　某反应堆在 $P_1 = 50$ MW 的功率上运行 20 d,随后升功率达 80 MW,并在此功率上运行 10 d 后停堆,求停堆前运行的平均功率。

解　根据式(4.8)可知

$$P = \left(\sum P_i T_i \right) / \left(\sum T_i \right) = (50 \times 20 + 80 \times 10) / (20 + 10) = 60 \text{ MW}$$

有了运行平均功率这个概念后,对其在不同功率上运行而实施停堆后的剩余功率,就可按式(4.5)来估算了。不过,这种估算可能与实际剩余发热量相差很大,特别是在平均功率与停堆前反应堆运行功率水平相差较大时。因此,若计算的平均功率大于停堆前的运行功率,则按平均功率计算的剩余功率是偏高的;相反,若计算的平均功率小于停堆前的运行功率,按平均功率估算的剩余功率则偏低于实际情况,这是在估算时要注意的。

以上是一种剩余功率的计算方法,还有一种较常用的剩余功率计算公式,即

$$P/P_0 = 0.1 \left[(\tau + 10)^{-0.2} - (\tau + T_0 + 10)^{-0.2} \right] \tag{4.9}$$

式中　τ——停堆后的时间,s;

　　　T_0——反应堆运行时间,s;

　　　P_0——反应堆运行功率,kW;

　　　P——反应堆剩余功率,kW。

为了实际运行工作的方便,我们在这里将停堆后任意时刻的剩余功率公式绘制成曲线图,可以省去指数运算的步骤,利用从曲线上查得的数据进行简单的运算,便可获得停堆后任意时刻的剩余功率的大小。

图 4.3 是表征式(4.5)的 P/P_0 与停堆后的时间 θ_s 的关系曲线,横坐标为停堆后的时间 θ_s,纵坐标为剩余功率与停堆前运行功率的比值。曲线 a 的 θ_s 以分钟为单位;曲线 b 的 θ_s 以小时为单位,曲线 c 的 θ_s 是以天为单位。图 4.4 是表征 $f(\theta_0)$ 与 $(1 + \theta_0/\theta_s)$ 因子间关系的

曲线,有了这个曲线,剩余功率的估算就更为简便了。

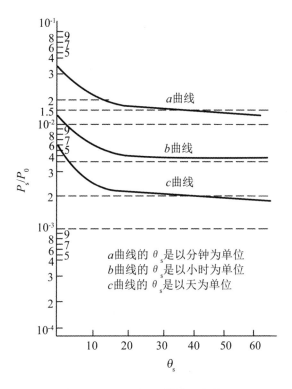

图 4.3　P/P_0 与 θ_s 的关系曲线

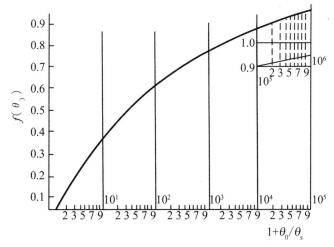

图 4.4　$f(\theta_0)$ 与 $(1+\theta_0/\theta_s)$ 间的关系曲线

　　以上对停堆后的安全进行了分析,针对停堆后的剩余功率应严格按操作规程实施对停堆后的堆芯冷却的操作。一般说来,停堆后的冷却主要有两种方式,即连续冷却和间断冷却。

　　1. 连续冷却

　　(1)保持一台主泵继续运行;

　　(2)回路压力保持在 2.8~7.8 MPa 范围内;

　　(3)主泵连续运行时间从停堆后计算最少不短于 24 h,堆功率超过 20% 额定功率运行一周以上,主泵需连续运行 48 h 才能间断冷却;

　　(4)停止主泵 15 min 后,停止冷水泵、海水泵;

　　(5)断开所有设备、阀门、仪表的电源。

　　2. 间断冷却

　　(1)反应堆转间断冷却后的间断时间应根据反应堆的剩余功率大小而定;

　　(2)向冷却所需的设备、阀门、仪表供电;

　　(3)启动一台海水泵、设冷泵、一台主泵半速;

　　(4)利用危冷系统将堆冷却至常温;

　　(5)冷却完毕后,停止运行设备,断开电源;

　　(6)系统恢复原始状态;

　　(7)停泵期间,如果回路压力超过 7.8 MPa,可点动主泵进行搅拌。

复习思考题

4-1　反应堆冷停闭的一般操作程序如何?

4-2　反应堆冷停闭与热停闭的区别有哪些?

4-3　反应堆事故停闭应注意什么问题?

4-4　停堆后的剩余功率大小是由哪些因素决定的?

4-5　热停堆保温保压的要求是什么?

4-6　中毒效应对停堆、功率、启动运行的影响有哪些?

4-7　停堆后 ^{135}Xe 中毒与哪些因素有关?

4-8　停堆后冷却操作有哪些?

4-9　降温降压过程和要求是什么?

4-10　事故停堆的处理原则是什么?

4-11　船用堆在停堆后的剩余功率是如何计算的?

4 - 12　为什么停堆后仍需循环冷却?

4 - 13　简述冷停闭后连续冷却应注意的问题。

4 - 14　某船用动力堆以铀作燃料,若在停堆前先以 50 MW 功率运行 6 d,接着又以 30 MW 功率运行 5 d,最后在 85 MW 功率上运行 8 d 后实施停堆,试计算停堆后 3 s,2 h,48 h 后的剩余功率各是多少?

4 - 15　某核动力装置在 70% 额定功率上连续运行 6 d 后实施停堆,试求停堆 3 d 后的剩余功率为多大?(额定功率为 80 MW)

4 - 16　某核动力装置在 50% 额定功率上连续运行 5 d 后实行停堆(额定功率为 1.5×10^5 kW),试求停堆以后 2 d,反应堆的剩余功率多大?

第5章 船用核反应堆的异常工况运行

异常工况是介于正常工况和事故工况之间的非正常工况,主要有环路流量不对称、环路温差不等、单环路运行、局部控制棒异常、堆内部分燃料元件包壳破损、设备局部故障等非正常情况。船用反应堆异常运行工况,是船用动力装置生命力的体现,为确保核安全,在一定措施和条件下,维持核动力装置运行在一定的功率水平,完成它的使命是极为重要的,因此它也是船用堆运行的一个重要组成部分。

5.1 异常工况运行与船舶生命力

异常工况的运行是相对于正常工况下运行而言的,即在核动力装置运行中发生异常,但并非直接影响反应堆的安全(或者说是局部的不正常),若采取适当的措施仍可继续运行,运行中通常把这种非正常情况下的运行称为异常工况下的运行。由于船用核动力装置一般在海上运行,为了达到航行目标或维持返航能力,在一定程度上讲,异常工况下的运行给船用核动力装置增加了更可靠的生命力。当然也不是说各种不正常情况都可运行,而是在一定的范围内,在一定的条件下,采取一定的措施,方能进行异常工况的运行。例如,反应堆在某一条环路故障、某一台主泵损坏、反应堆回路系统有局部泄漏、反应堆控制棒有部分发生掉棒、某些仪表不能正常工作时等异常情况,通过一定的防护措施,使舰船能够继续航行。这一点是船舶动力装置必须具有的功能,否则在航行中一旦发生异常,船舶即不能到达目的地,这是我们所不希望的。船用核动力的异常工况下的运行是船用的性能所决定的,因此,应将船用核动力装置在异常工况下的运行与船舶的生命力联系在一起,从而要求运行管理人员深刻了解和掌握某些典型异常工况运行的基本原则和方法,使船用核动力装置在一旦发生异常时,能在确保核安全的前提下,限制在一定范围内安全运行。

异常工况运行的种类较多,一般典型的异常工况有环路流量不对称时的运行、环路温差不等时的运行、单环路的运行、控制棒少量异常状态下的运行、堆内局部元件破损时的运行、给水系统局部故障情况下的运行,等等。应该说,异常工况下的运行更需要运行人员具有高超的技术。

5.2 环路流量不对称时的运行

5.2.1 双环路流量不对称时的判别与安全限制

反应堆正常工况运行时,其双环路的主泵可高速运行也可低速运行,且两条环路的流量是对称的。但在某种特殊情况下,一条环路主泵高速运行,而另一条环路主泵低速运行,两条环路主泵运行速度不一样势必带来两条环路的流量不等,从而造成两条环路流量不对称。这种运行方式在设计时原则上是可以的,但从堆的长远考虑是不利的。因为一台主泵全流量(压头为 2 MPa 左右)、另一台主泵半流量(压头为 1 MPa 左右),送到堆芯去的冷却剂的压头不一样,反应堆内堆芯各元件盒的流量分配不一样,流量分布不均匀,从而会导致堆芯功率分布的不均匀,同时影响到反应堆后期的额定功率的发挥。另一方面,由于流量分布的不均匀,两条环路间的进出口温差就不同,从而导致堆芯的温度分布不均匀。实验表明,当两泵异速运行,其低速环路的流量只比高速运行的环路流量低 20 t/h,因而对主泵本身来说,异速运行是可行的。但尽管如此,考虑到反应堆运行的安全,采用主泵异速运行时,一般要降低功率运行,即对应于 50% 额定功率流量的堆功率运行。因为按设计保护系统是按两泵异速时对应的 50% 流量时的功率而实行保护的,这对运行人员来说必须加以注意。

5.2.2 三环路流量不对称时的判别与安全限制

对于三环路的情况一般出现一条环路高速、另两条低速;一条环路低速,另两条环路高速,主要通过流量及环路的主泵电流、环路的出入口温差进行判别。安全限制原则上采用小于(一环路流量 + 二环路流量 + 三环路流量)额定功率所对应的运行功率,但对运行人员来说要根据不同装置的不同保护定值来运行,否则达不到预期的目的。

5.3 环路温差不等的异常运行工况

5.3.1 双环路温差不等时的运行监督与安全限制

两条环路温差不等的异常运行是指反应堆运行在相同流量下,左环路的进出口温差不等于右环路进出口温差。在正常工况下运行回路的进出口温差基本上是相等的,或者说仅差几度,一般不超过 4 ℃,但这里所讲的温差不等的异常运行其左右环路的温差竟达 10 ℃以上。在这种状况下运行原则上是可以的,但必须降功率运行。因为运行经验表明,产生两条环路温差不等的原因主要有某一环路侧漏水而造成左右回路进出口温差不等;两条环路中的某一环路一台给水泵故障,使其不能正常工作,等等。

1. 反应堆某一环路出口接管漏水

一般压水型反应堆的进出口接管布置在同一个水平面上,因某一环路出口接管部位的密封压紧弹簧故障,导致一部分进口水通过故障处漏入出口管道中间而使该条环路的出口温度低于另一条环路而影响堆芯的正常传热。所以此时应对反应堆运行功率进行适当的调整,调整时可根据回路的漏水量与反应堆运行功率成反比的原则进行。例如漏水量为堆总流量的 10%,则相应地将反应堆所允许运行的最大功率降低 10%,故此时反应堆允许达到的最大功率为 90%。在运行中一般可根据反应堆的温差等关系,估算出漏水量的大小,即

$$\Delta G = G_i \frac{\Delta T}{\Delta T_2} \tag{5.1}$$

其中　　ΔG——故障回路漏水流量,t/h;

　　　　G_i——漏水环路冷却剂的流量,t/h;

　　　　ΔT_2——正常环路进出口温差,℃;

　　　　ΔT——实测的两条环路的出口温差,℃。

另外可根据漏水面积来估算可能最大的漏水量,即

$$\Delta G_{max} = F \frac{\Delta p \cdot 2\rho g}{\zeta} \tag{5.2}$$

其中　　ΔG_{max}——最大漏水量,kg/s;

　　　　F——漏水面积,m²;

　　　　Δp——堆进出口间的压降,MPa;

　　　　ρ——密度,kg/m³;

　　　　g——重力加速度,9.81 m/s²;

　　　　ζ——形阻系数。

形阻系数可根据 $\zeta_{实缩}$ 和 $\zeta_{实扩}$ 两项之和来估算,即 $\zeta = \zeta_{实缩} + \zeta_{实扩}$。根据热工漏水试验可知,在回路压力为 11 MPa 下,水温为 230 ℃左右时,其最大漏水量可达 30 kg/s 左右。由此可见,漏水对反应堆的运行是极为不利的。经验表明,在左右环路温差不等的情况下,最大允许功率为 65% ~80% 额定功率。

2. 某一环路给水设备故障下的运行

如果两条环路中的某一环路的二次侧给水设备故障造成左右两环路给水不等,也会造

成两条环路的温差不等。某一环路给水设备故障,将直接影响蒸汽发生器的上水,而蒸汽发生器缺少给水或断水,将使蒸汽发生器不能按工况需要供给蒸汽。因此在这种情况下,主机和反应堆都需相应地降低功率运行。当然这与前面分析的流量不对称的情况不同,因为此时两条环路的流量一样,堆出口温度也基本一致,所不同的是反应堆两条环路的进口温度不同,而造成两条环路温差不等。因此,为保证动力装置的安全,必须降低功率运行。

3. 某一环路蒸汽发生器局部堵管或破裂故障下的运行

若某一环路蒸汽发生器局部堵管或破裂,将造成二环路热传递的不平衡,使堵管环路冷却不足,堆进口温度升高,引起两环路温差不等,这时都应根据情况降低功率运行。

5.3.2　三环路温差不等时的运行监督与安全限制

三环路温差不等时的运行监督和安全限制的原则与双环路一样,必须降低功率运行,其降功率的原则应根据温差不等的大小来确定。

总之无论双环路、三环路还是多环路在各环路温差不等情况下的运行,均以确保堆芯不受损坏,不破坏热工安全准则来确定其运行功率,同时要密切关注整个动态过程,以不扩大异常为基本出发点,采取一定的有效措施,在保证核安全的前提下,使动力装置具有生命力。

5.4　单环路的运行

反应堆主回路的运行方式是根据反应堆动力装置的设计和具体装置的实际情况而确定的。对于双环路系统通常用两条左右对称的双环路系统运行,但它考虑了异常工况下的运行,除用两条环路的两主泵全流量或半流量外,还可以单环路一泵全流量或单环路一泵半流量运行方式运行。无论一泵全流量或一泵半流量,均属于我们所讨论的异常工况的运行。

单环路运行是一条环路停止,另一条环路正常运行的运行工况。但只有在非正常的情况下方可使用单环路运行,例如在任一条环路中,因蒸汽发生器 U 形管破损严重,或两台主泵故障,均不能运行,或主闸阀到蒸汽发生器一段管路,甚至与主回路有关联的辅助管路破损或设备故障等情况,为使船用核反应堆完成其使命,可以实行单环路运行,确保了船舶的生命力。另外在码头或海上堵漏或维修蒸汽发生器、其他换热设备及有关管道时,首先要进行去污操作,若进行去污操作时,在没有外热源产生蒸汽的情况下,可隔离掉去污的那一侧环路,实施码头上单环路运行,提升小功率,用工作环路的蒸汽发生器产生蒸汽供给去污溶液加热。

5.4.1 单环路运行的基本过程

1. 单环路运行

（1）单环路启动运行

①断开停止环路的仪表和设备的电源；

②关闭堆舱蒸汽桥管阀；

③断开相应的保护系统；

④按照反应堆热启动的程度启动反应堆；

⑤蒸汽发生器汽压力达一定值时，开启运行环路的蒸汽隔舱阀向二回路供汽；

⑥手动跟踪功率，维持蒸汽发生器压力在限定范围内。

（2）一条环路故障，转另一单环路运行

①反应堆解除"自动"，降低功率运行；

②切除紧急保护开关，关闭堆舱桥管阀及故障回路蒸汽隔舱阀；

③将主泵选择开关放"手动"，停止故障环路的主泵；

④手动跟踪功率，维持蒸汽发生器压力；

⑤关闭停止环路进出口闸阀及各有关系统阀门；

⑥断开停止环路设备、阀门及相应仪表的电源。功率稳定后，紧急保护开关放"工作"位置，主泵选择开关放"自动"。

（3）注意事项

①单环路运行时，密切注意运行环路各设备、系统的工作情况及仪表参数；

②注意净化系统的工作情况，如被隔离应及时转换；

③注意监督工作，注视主泵冷却水出口温度和工作电流；

④一般情况不切换主泵，如果定子温度过高或运行时间太长，可以切换。但在切换时，主泵选择开关放"手动"，紧急保护开关切除，待备用泵启动流量稳定后，再恢复正常运行状态。

2. 停止环路的投入

（1）准备

①有关设备送电；

②切除紧急保护开关，打开蒸汽隔舱阀和桥管阀；

③投入停止环路的仪表和开启相应的阀门。

（2）投入

①降低反应堆运行功率，维持蒸汽发生器压力在某一定值左右；

②将主泵选择开关转"手动"，供设冷水，启动停止环路主泵半速（或全速）；

③控制棒及时跟踪下插,待功率稳定后,将主泵选择开关放"自动";

④恢复相应的保护,投入紧急保护开关。

(3)注意事项

①投入主泵全速,两条环路的堆出入口温差不大于规定值;

②投入主泵半速,两条环路的堆出入口温差不大于规定值;

③温差超过某定值时,停止环路的主泵不能启动;

④投入停止环路主泵时,密切监视功率表、周期表。

5.4.2　单环路运行安全限制

单环路运行是确保船用动力装置生命力的一种重要手段,但其安全必须受到严密的限制。首先从功率来讲,原则上对于双环路动力装置在单环路运行时其功率必须低于 50% 额定功率,对于三环路动力装置的运行功率必须低于 30% 额定功率,对于四环路动力装置的运行功率必须低于 25% 额定功率。同时对于运行的温度压力同样应根据不同的装置按其设计指标来运行,否则将酿成大的事故,使其失去生命力。因此要求运行人员必须熟知动力装置的运行限值和条件,并根据相应的操作条例来进行,以确保动力装置的安全。

异常工况单环路运行时,对反应堆运行功率必须有一定的限制。首先对于单环路运行,堆内发热的冷却极为不充分,要达到双环路运行的功率,势必使反应堆内温度提高,因此就有可能发生元件烧毁。根据试验和理论计算,在单环路运行时,主泵高速,堆的热功率不得超过 50% 额定功率,而对于单环路主泵低速运转,反应堆功率只能在 20% 额定功率附近运行。而对于三、四环路的压水堆动力系统在单环路运行时,其运行功率在主泵高速时应不大于 $1/3$,$1/4$ 额定功率。

实践证明,在单环路运行时,必须灵活运用其他各系统设备,尽量保证净化系统能正常工作,同时在运行中必须经常调整棒栅位置,使堆内功率展平,不至于使堆内由于负荷的偏斜而造成堆内发热的严重偏斜。

当故障的环路或设备修复后,投入两条环路运行时,要注意的严重问题是防止冷水事故的发生。因为投入运行的单环路是在高温高压状态下,而被隔离环路的温度压力比运行环路的温度压力要低得多。一般在投入前将停止环路采取适当的措施升温升压到一定的程度,而且尽量把运行工作环路的温度压力降低些,待二者基本相差不大的情况下投入运行,这样才能确保反应堆的安全。

5.5 控制棒异常状态下的运行

5.5.1 局部掉棒状态下的运行及限制

由于控制棒的机械故障、磁阻马达定子被烧、接线插头被烧或低频电源故障等,而使故障的某一组或几组控制棒掉落堆芯,在堆运行期间或停闭后的启动运行时,这些故障的控制棒就提不起来了。提升控制棒的操作时,最佳提棒程序操作将受影响。虽然提棒的顺序不变,但由于某些控制棒该提起而因故障提不起来,这样就会造成堆芯功率分布倾斜,一、二流程间的水腔流量交混因子减小,有可能破坏热工安全准则。在这种情况下,为了使反应堆继续工作,就必须对反应堆输出功率作出限制。

为了更好地说明几种掉棒故障对功率输出的限制问题,下面具体分析通量分布倾斜对两流程间水空腔流量交混因子的影响及对功率的限制。

通量分布倾斜,导致两流程间水空腔流量交混因子变小,输出功率下降。流过堆芯各元件的流量之和不等于总流量,因为有部分流量旁通或泄漏,使真正通过堆芯的一、二流程的有效流量 G_{eI},G_{eII} 分别等于总流量减去旁通流量。传输的热量为

$$Q_I = G_{eI} \cdot \Delta H^I, \quad Q_{II} = G_{eII} \cdot \Delta H^{II}$$

式中,ΔH^I 和 ΔH^{II} 是通过堆芯一流程和二流程有效流量的进出口间的焓升,称之为堆芯一、二流程的焓升,有

$$\Delta H = \Delta H^I + \Delta H^{II}$$

那么

$$\Delta H^I = \frac{\Delta H_H^I}{F_{\Delta H}^I}$$

$$\Delta H^{II} = \frac{\Delta H_H^{II}}{F_{\Delta H}^{II}}$$

式中 ΔH_H^I,ΔH_H^{II}——分别是一、二流程的热管内最大焓升;

$F_{\Delta H}^I$,$F_{\Delta H}^{II}$——一、二流程的焓升热管因子,且

$$F_{\Delta H}^I = F_R^I \cdot F_{\Delta H}^{IE} \tag{5.3}$$

$$F_{\Delta H}^{II} = F_R^{II} \cdot F_{\Delta H}^{IIE} \tag{5.4}$$

式中 F_R^I,F_R^{II}——是一、二流程的径向通量不利因子;

$F_{\Delta H}^{IE}$,$F_{\Delta H}^{IIE}$——一、二流程的焓升热管不利因子。

从以上分析可以看出,反应堆堆芯的焓升受一、二流程径向通量不利因子影响较大。

掉棒以后的反应堆运行,其功率分布发
生倾斜,径向不利因子变大,这可从图
5.1 看出。

图 5.1 表示了三种典型棒栅位置
下的径向通量分布曲线。第①条曲线
表示正常运行的提棒方式下径向热通
量分布,所对应的不利因子为 I 流程
$F_R^I = 1.729$,II 流程 $F_R^{II} = 1.349$;第②
条曲线表示正常运行过程中,发生掉落
棒时的通量分布所对应的径向不利因
子,与前者相比两个流程的径向不利因
子都有增加,说明堆芯功率分布发生歪
斜;第③条曲线是掉中心棒时的情况,
所对应的径向不利因子 $F_R^I = 1.51$,F_R^{II}

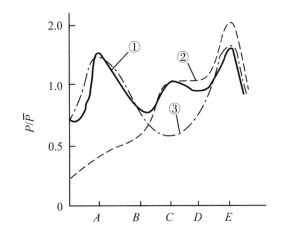

图 5.1　三种典型棒栅位置下的径向通量分布曲线
①最佳提棒方式;②掉 C 棒;③掉 A 棒

=1.39,它的 I 流程径向不利因子要比第①种情况减小些,II 流程却略高一点。故掉棒(中
心棒)对堆芯功率分布倾斜影响不大,可见掉棒事故影响堆芯功率分布,其程度取决于所掉
棒在堆芯中所处的位置。

功率分布倾斜意味着径向不利因子变大,堆芯的焓升变小。在有效流量不变的情况
下,反应堆输出功率下降。II 流程的焓升不仅受径向通量不利因子影响,而且还要受到两
流程间水空腔的流量交混因子 F_m 的影响。因为 II 流程的热管焓升为

$$\Delta H_{\Delta H}^{II} = H_{H出}^{II} - H_{H进}^{II} \qquad (5.5)$$

而 II 流程的热管进口焓为

$$\Delta H_{H进}^{II} = F_m H_{H进}^{II} + (1 - F_m) H_{H出}^{I} \qquad (5.6)$$

式中　$H_{H进}^{II}$——II 流程平均管进口焓;

　　　$H_{H出}^{I}$——I 流程的热管出口焓;

　　　F_m——两流程中间水空腔的流量交混因子,它的定义是

$$F_m = \frac{H_{H进}^{II} - H_{H出}^{I}}{H_{出}^{II} - H_{出}^{I}} \qquad (5.7)$$

实验表明,两个流程间水腔流量交混因子 F_m 不是个常数。它是随堆内棒栅位置改变
而变化的量,也就是说它是随堆芯分布的变化而变化的量。对于特定的反应堆来说 F_m 值
变动范围是不可忽略的值,大致在 0.25 ~ 0.8 之间。

在最佳提棒程序下,$F_m = 0.8$,这是最大限,说明在两流程间空腔水流量交混得好。F_m
=0.25 是在功率分布发生严重倾斜情况下,即一边控制棒提起,一边插入的情况,表明流量

交混很不好。这样从前面分析可看到,$H_{进}$进二流程平均管进口焓要小于一流程热管的出口焓,则有

$$F_{m}H_{进}^{\text{II}} < (1 - F_{m})H_{出}^{\text{I}} \tag{5.8}$$

故使二流程热管进口焓 $H_{进}^{\text{II}}$ 进升高,而 ΔH^{II} 提高,导致二流程热管有突破热工安全准则的可能。在这种情况下,只有降低功率运行才能保证安全。

功率分布倾斜,F_{R} 变大,F_{m} 变小,对允许输出功率的限制主要是为了保证热工安全准则不被突破。我们知道衡量元件能否被烧毁要看最小烧毁比的大小。因此在掉棒故障下运行反应堆输出多大功率是安全的,这主要是看烧毁比。因此掉棒异常情况下能否运行,运行多大功率,需要经过一定的计算,并确定其安全限。

5.5.2 连续提棒状态下的运行

1. 提棒事故的概念

在功率区运行中,反应堆因控制系统故障或操纵失误使控制棒连续外提,从而造成向堆芯连续加入过量的反应性的事故,称为提棒事故。事故危害的程度不仅与引入的反应性速率大小有关,还与反应堆和动力装置的状态有关。这主要是其动态特性决定的。

2. 动态特性

其动态特性具体如下。

(1)提棒速率越大,功率峰越高,而且出现的也越早。对任一棒速,当功率峰出现后,提棒产生的反应性与负温度系数反应性反馈、多普勒系数反应性反馈所提供的反应性相当时,则功率变化趋于平坦,而主回路的温度和容积膨胀基本上呈线性上升趋势,如图 5.2、图 5.3 所示。

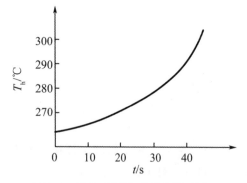

图 5.2　20%功率下,连续提棒时堆出口温度与时间关系曲线

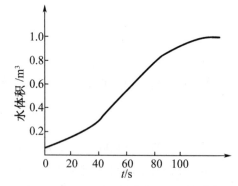

图 5.3　20%功率下,负荷不变时发生连续提棒事故时水体积随时间的变化曲线

（2）提棒速率越大发生烧毁时的功率值也越高；提棒速率越小，发生烧毁时的功率值也越小，如图 5.4 所示。

（3）在不同的初始功率下发生连续提棒事故，使堆功率上升的速率不一样。高功率上升得快，但功率峰小；低功率上升得慢，而功率峰高。

3. 低、高功率下的连续提棒事故

根据上述特性我们来讨论低、高功率下的连续提棒事故。

（1）低功率连续提棒事故

根据通常的反应堆动力装置运行方式，在 15% ～ 20% 额定功率以下时，一般为手动操作，在 20% 以上额定功率时，要投入功率自动调节，在手动跟踪负荷转向自动调节时，往往因操作不慎而发生连续提棒事故。

一般说来，低功率下提棒事故最危险的后果是提棒速率低于某一值时，功率上未达到反插定值而已经达到热工安全限值了。见图 5.4、图 5.5，提棒速率越小，堆出口温度越高，则出现沸腾现象就越早，反之亦然，所以反应堆保护装置必须设置出口高温保护的内容。保护参数的定值是根据某一定反应性速率所对应的出口温度值来确定的。如果引入反应性速率大于某一定值时，虽然没有达到高温保护定值，但有超功率保护来保证安全。

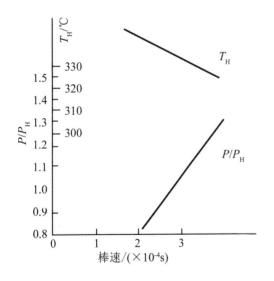

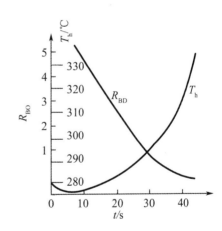

图 5.4　提棒速率与发生烧毁时的功率值关系　　图 5.5　低功率下发生连续提棒事故时的关系曲线

在手动跟踪负荷时，为保证安全，提升功率满足负荷的需要，必须使用较大的反应性速率，否则会因出口温度达到保护定值而造成事故停堆，影响实际的需要。

对于双流程、大温差的反应堆，当功率变化时，冷却剂的温差变化较大。在低流量时，功率变化引起的温差变化比满功率时更为激烈。所以低流量工况发生连续提棒事故时,首先突破安全准则的将是堆芯出口冷却剂温度接近饱和温度,甚至有含汽量。在50%额定流量时,运行功率也相应地降为50%额定功率。这样操作是不会突破热工准则的。如果此时发生提棒事故,将由功率流量比保护装置给予保护而避免危险,保证安全。

(2)高功率连续提棒事故

在满功率下运行时,发生连续提棒事故会出现严重的超功率。首先使热管烧毁,而后蔓延到其他元件。计算表明,在高功率时,提棒速率越大,发生烧毁时的功率值越高;提棒速率越小,发生烧毁时的功率值也越低。

出现高功率提棒事故时,由超功率保护装置执行反插和刹车,以保证反应堆的安全。超功率反插根据棒速来确定,典型压水堆超功率保护定值的确定过程如图5.6所示。

另外在外负荷变化与否情况下,发生连续提棒事故的后果是不同的。当外负荷不变,发生连续提棒事故,堆效率增加,平均温度升高,使冷却剂焓增加,容易发生超压现象。图5.7为外负荷不变时发生连续提棒事故情况下二次侧蒸汽温度随时间变化的情况。外负荷变化时,例如在外负荷增加的同时,发生连续提棒事故,向堆内引入的反应性为连续提棒的正反应性和入口水温度降低所引入的正反应性这二者之和,因此会造成功率急剧上升。在外负荷下降的同时,发生连续事故会使冷却剂焓增加,出口温度升高,造成冷却剂系统超压和二次侧蒸汽超压。

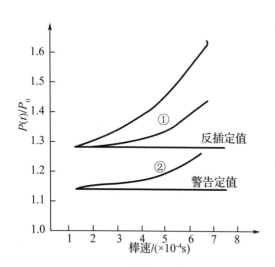

图5.6　超功率保护定值的确定
①反插动作对应的功率峰值;
②警告时对应的功率峰值

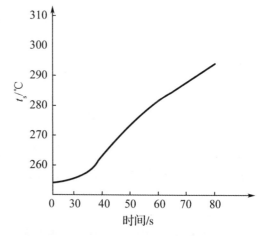

图5.7　外负荷不变时,连续提棒下
二次侧蒸汽温度随时间变化曲线

　　根据运行经验出口高温和超功率保护已采用警告和反插两级保护方式,撤销了刹车保护,但这并不影响反应堆的安全。同时因去掉不必要的保护内容,也相应地提高了保护装置的可靠性。

5.5.3　掉棒状态下的现象与处理

1. 现象

(1)所掉棒灯光位置指示全部熄灭,下限红灯亮;
(2)反应堆功率下降,平均温度下降;
(3)控制棒投入"自动"调节时,自动棒连续上升。

2. 处理

(1)立即解除反应堆"自动"控制;
(2)根据要求,手动维持或降低堆运行功率;
(3)找出掉棒原因,排除故障,恢复工作;
(4)如果故障在反应堆运行时无法排除,则根据当时实际情况而定。

5.5.4　局部卡棒情况下的运行

　　卡棒中最严重的情况是,在满功率情况下提起的所有控制棒都被卡住。这时因堆无法操纵,属于大的事故,应立即准备停堆,至少应充硼至热态停堆,检查事故原因。此时,应密切注意功率与周期的变化。因随着回路的散热而温度下降,由冷却剂反应性负温度系数的作用将引入正反应性,需要增添硼的浓度。当部分控制棒发生卡棒时,可根据该阶段的温度系数随温度变化的曲线、卡住的控制棒组数和具体棒位以及这些控制棒的效率,计算冷停堆的深度。再结合大多数工作的控制棒驱动机构状态,判断反应堆是否适合继续运行,如果有足够的冷停堆深度,原则上可继续运行。

　　当卡住的控制棒组数已使其余控制棒降落到底还不足以安全停堆时,应考虑返航并做好充硼化学停堆的准备工作。由于去除硼酸需要消耗较多量的水或树脂,因此在海外是不考虑去硼的,但当条件不许可时,应在海外充硼停堆。

　　加入的硼数量应根据被卡控制棒的价值确定,不必注入过多的硼,以免由充排水形成过多的废水量并消耗较多的树脂,加硼前应将净化系统隔离。

5.6　其他异常工况下的运行

5.6.1　堆内部分燃料元件包壳破损

反应堆堆芯装有数千根燃料元件棒,它们均工作在高温高辐照的条件下。元件包壳被腐蚀冲刷、机械振动、热应力冲击等作用,不可避免地使某些元件发生破损,导致元件中的裂变产物进入冷却剂的水中,从而提高了一回路的放射性剂量水平,造成回路设备的污染。因此作为船用动力反应堆,在航行中连续监测元件包壳的完整性是保证反应堆运行安全和剂量安全的重要措施。通过连续监测可及时发现元件破损,并在元件破损1%时发生报警,以便操作人员采取措施,包括停堆等,限制事故的进一步发展。我们这里所指在燃料元件破损情况下的运行是指元件破损率<1%。

燃料元件包壳破损监测方法是通过测定冷却剂中裂变产物的放射性水平来确定元件破损的程度,主要是测定水中的缓发中子和总γ射线的水平。当破损达1%时,缓发中子监测仪的二次仪表及12道γ报警仪的第10道即总γ监测器都将自动发出信号。在这种情况下,操纵人员一方面可适当降低功率运行,另一方面分析报警原因,并以不扩大异常为原则。

如果在剂量明显增大,信号自动报警之前,回路中的主泵曾经频繁切换,则应考虑是回路中的大量腐蚀产物因水流冲动而进入元件监测系统所导致的结果。如果由腐蚀产物而引起的报警,则随着水中腐蚀产物的逐渐沉淀,由于监测回路中水的换洗,剂量会逐渐衰减。

若信号自动报警前无主泵切换动作,则应考虑是元件破损。如果元件破损是由事故引起的,则应根据事故的严重性进行处理。处理事故是否及时,措施是否正确应从判断元件破损的状态,并结合剂量的大小,来确定堆是否适宜继续运行或返航。

如果信号自动报警前反应堆处于正常状态,且从记录看剂量是逐步增大,则这属于元件由各种类型的腐蚀或制造缺陷导致的后果。在经过功率循环证实后,原则上应考虑返航,特殊情况下可继续航行。

在证实元件破损事故后,需继续航行时,应注意以下问题:

①应加强剂量监督;

②应注意其他水系(如蒸汽发生器、设备冷却水)有无泄漏,以免引起更严重的舱室沾污和剂量增大现象。

5.6.2　给水流量不足

当核动力装置正常运行时,一般由两台给水泵向蒸汽发生器提供给水。由两台冷凝水泵和两台加热器疏水泵供水。这些泵中丧失任一台都会降低向蒸汽发生器给水的能力,必须降低汽轮机的负荷以防止蒸汽发生器低水位或因发电机停车而导致紧急停堆。

1. 现象

(1)丧失一台主给水泵

丧失一台主给水泵可能发生以下情况:

①蒸汽发生器低水位可能报警;

②主控制室盘报警;丧失给水泵;

③热阱高水位;

④给水泵吸入口高压力;

⑤泵密封水低压差;

⑥给水泵电气故障;

⑦润滑油低压力。

(2)丧失冷凝泵

丧失冷凝泵可能发生以下情况:

①冷凝泵电气故障;

②给水泵吸入口低压力;

③冷凝泵低排放压力;

④热阱高水位;

⑤由于冷凝泵停运而丧失给水泵。

(3)丧失加热器疏水泵

丧失加热器疏水泵可能发生以下情况:

①加热器疏水泵电气故障;

②平均温度 T_{avg} 和冷段温度 T_c' 下降;

③净负荷下降。

2. 操作处理

(1)立即操作

①降低二回路负荷;

②反应堆功率自动跟踪;

③保证一台给水泵正常运行,维持蒸汽发生器的给水。

（2）后续操作

①确认停泵的原因，并排除故障；

②监测热阱水位；

③如果需要，调整汽轮机负荷以维持平衡工况；

④在确定了停泵原因并修复之后，适时恢复泵的运行。

5.6.3　蒸汽发生器发生局部泄漏时的运行

蒸汽发生器倒 U 形管长期工作在高温条件下，由于水质的影响会产生应力腐蚀，导致 U 形管破裂，这样将会发生一回路水泄漏到二回路系统中的事故。实际运行中，局部 U 形管破裂是可以继续工作的，但必须密切注意其发展。只有破裂到一定程度才作为事故处理，当达到限值时必须停堆进行堵管，严重时要更换蒸汽发生器。

当蒸汽发生器发生主冷却剂泄漏时，主冷却剂泄漏到蒸汽发生器的二次侧，并和二回路水混合在一起。混合的水被蒸发成蒸汽，蒸汽带有强放射性，具有较高的剂量水平，这样将会使二回路舱室的剂量水平升高，直接危害船员的安全。而二回路水也会通过泄漏处扩散到冷却剂里并进入反应堆中，致使冷却剂的水质恶化而危及反应堆的安全。因为二回路的水是加有药剂水的，当它进入堆芯时，将对堆芯部件结构产生破坏作用。

一般当出现一回路压力下降，二回路压力升高，同时主机舱出现超剂量报警信号时，即可判断为发生蒸汽发生器倒 U 形管破裂，此时应进一步加强监督并降功率运行。

5.6.4　设备冷却水系统局部泄漏

1.现象

（1）设冷水总流量低报警，备用泵自动启动；

（2）波动水箱低水位报警；

（3）泵入、出总管温度升高。

2.处理

（1）反应堆降功率；

（2）分别隔离各支路，找出泄漏点；

（3）密切注意各冷却设备出口水温，根据情况适当调整冷却剂流量；

（4）组织抢修，如果泄漏点在堆舱，则将反应堆降至副机功率按照允许工作进行抢修；

（5）修理结束后，将系统及反应堆恢复正常工作。

5.6.5　主泵定子泄漏情况下的运行处理

1. 现象

(1) 警告铃响,相应主泵定子泄漏信号出现;

(2) 定子温度及设冷水温度升高。

2. 处理

(1) 消除铃声,立即将泄漏泵转至备用泵工作;

(2) 断开电源,测量绝缘,确定是否破损;

(3) 待停堆降温后修理。

5.6.6　主机速关情况下的运行

1. 现象

(1) 控制棒自动控制时,连续下插;

(2) 平均温度、稳压器水位、压力升高;

(3) 蒸汽发生器蒸汽流量下降,压力上升,给水流量下降。

2. 处理

(1) 解除反应堆自动控制;

(2) 手动下插控制棒,降低平均温度,保持蒸汽发生器压力在一定范围内;

(3) 稳压器保持低水位,根据情况启动补水泵补水;

(4) 主机启动时,手动跟踪功率,至额定参数后,再投入自动控制。

还有其他一些异常工况下的运行,这里不一一列举。总之,反应堆的异常工况在运行过程中是经常出现的。可以这样说,反应堆的正常运行工况是相对的,对于任何一个核动力装置总不能保证在运行中一切正常,问题在于如何保证在异常工况下运行时保证反应堆的安全,因为任何一种异常情况发生后,总有一定的征兆和现象反映,作为运行人员必须根据其现象找出其原因,决不可盲目从事。在异常情况下运行时的一个基本原则是以不扩大异常状态为原则,否则就会导致反应堆的紧急停堆,直接威胁反应堆的安全,乃至于酿成事故。

5.6.7　其他

核动力装置由于系统、设备、部件繁多,运行中出现各种异常现象是屡见不鲜的,这种异常现象(或事件)在最坏的情况下,往往会导致停堆、停机。因此,操纵员若遇到异常现象时,应遵照异常规则处理,使核动力装置尽快返回到正常运行工况。船用核动力装置的异常还有控制棒组从次临界状态失控抽出;控制棒束在功率运行情况下失控抽出;反应堆冷却剂强迫流量部分丧失;失去电力负荷和汽轮机保护停机;失去正常给水;由于给水系统异常而过量地热排除;过大的负荷异常增加;反应堆冷却剂系统异常降压;主蒸汽系统降压等。

复习思考题

5-1 一般典型的异常工况有哪些? 异常运行与事故工况的区别是什么?

5-2 给水流量不足异常工况运行时的操作处理有哪些?

5-3 环路流量不对称的运行对堆性能有哪些影响?

5-4 环路流量不对称的运行有哪些安全限制,为什么?

5-5 环路温差不等的异常运行中是由哪些因素造成的,在此情况下有哪些要求?

5-6 试述单环路运行的基本程序。

5-7 试说明单环路运行时的安全限制。

5-8 控制棒异常状态下的运行为什么要对功率进行限制?

5-9 船用堆主泵定子泄漏时应如何处理?

5-10 试描述掉棒状态下的现象与处理。

5-11 主机速关情况下运行要注意哪些问题?

第6章　船用核反应堆的事故工况运行

前面的章节主要讨论了船用核反应堆装置正常启动、功率运行、停闭和异常工况的运行。但在船用核反应堆的实际运行中，不可能总是在正常工况下运行，或多或少是要发生些异常和事故的。发生事故后，若不采取必要的措施，必然会影响反应堆正常功率的发挥，以致破坏反应堆连续功率的发出；若处理不当还会引起一定程度装置系统的破坏，从而严重影响到核安全。所以我们必须对事故下的运行有足够的了解。

在反应堆运行过程中发生事故时，处理的原则是及时准确地判断事故，果断正确地进行处理，尽可能减少事故危害，以确保反应堆的安全。具体必须做到以下几点：

(1)必须能迅速准确地判断事故所在部位；

(2)及时报告指挥舱，宣布事故的性质；

(3)沉着果断正确地处理，防止事故进一步扩大，尽可能地减少事故的危害；

(4)确保反应堆、主要设备及人身的安全，一切操作必须以保证反应堆的核安全为前提；

(5)尽可能快地恢复反应堆工作。

特殊情况的应急处理是相对于正常处理而言的，所谓特殊情况的应急处理是指在确保核安全的前提下可以采取有别于正常处理操作规程的程序或措施，尤其在船用动力装置远离陆地，缺乏后援的情况下，显得尤为重要。但这种应急处理措施必须符合船用核动力事故应急计划中所列范围和职权，这就对应急处理提出了更高的要求，即应急处理人员必须对所处理对象分析透彻、判断准确，同时对应急处理的程序和措施应确实对提高核安全有利，或将事故后果减小到最低限度。

6.1　概　　述

船用核动力装置以核能作为动力的推进装置，它们是在海洋中移动的核设施，一旦发生事故，尤其是发生严重的事故，其危害程度将远比陆地用核电站的事故严重，且影响范围广。

船用核动力装置都配备了所需的船员，经常出入和停泊在港口、码头与基地，一旦发生严重的事故就会危及到船员和公众的健康和安全。因此，研究船用核动力装置的事故也是为了总结与借鉴保护船员和公众的健康与安全的有益经验与教训，用以指导实践。

　　船用核反应堆发生事故对船员、公众和环境有重大影响。世界上自有核反应堆以来，已发生了多起核事故，最严重的是美国三哩岛事故和前苏联切尔诺贝利事故。它们虽然都是陆用反应堆，但它们和世界上大多数船用核动力装置一样，一旦发生事故，将造成极大的影响。1979年3月，美国三哩岛核电站发生严重核事故，反应堆堆芯局部熔化，放射性物质扩散到周围数十千米远的区域，事故持续一个多月才得以处理完毕。1986年4月，前苏联切尔诺贝利核电站发生了严重的核事故，反应堆装置被烧毁，使核电站周围几十平方千米的地区受到严重的污染，事故还涉及邻近的加盟共和国，波罗的海地区，东、北欧许多国家和地区及我国西北地区，事故影响之大是前所未有的。

　　这两起均是陆上核电站发生的事故，造成了极大的影响。船用核动力装置在海洋上航行，反应堆各种条件均比核电站更加苛刻，如果发生事故，船员、公众及环境都将受到严重的威胁。况且船用核动力装置常常远离陆地、码头，在海洋中航行时，如果发生事故，孤立无援，来不及也得不到救援，因此对船用核动力装置应特别注意，防止发生核事故。

　　船用核动力装置的事故也将造成重大的经济损失，这是因为船用核动力装置系统和设备复杂，建造周期长，造价昂贵，一旦发生事故经济损失是相当严重的。据报道美国三哩岛发生事故后，损失近40亿美元，前苏联切尔诺贝利核电站事故造成的经济损失高达150亿美元之多，可见经济损失之严重。

6.2　失水事故

　　反应堆一回路系统因管道破裂或设备故障而发生主冷却剂大量丧失的事故，称为失水事故。失水事故是压水堆的重大事故之一，它直接威胁反应堆的安全，因此正确认识失水事故的原因、后果及掌握失水事故时的处理方法对于动力装置的安全运行是极为重要的。

6.2.1　失水事故产生的原因

　　失水事故主要是指主冷却剂的流失，如一回路管道破裂，与主管道连接的辅助管道破裂，隔离阀门因控制线路失灵而关不死等几种情况。我们知道，压水堆的一回路系统工作在高温高压下，同时还受到辐射。因此在设计时就已考虑到各种影响因素，对其材料和加工具有极高的要求，尽管如此总不可避免地存在局部的薄弱环节。一般来说，一回路系统最易发生破裂的部位是三通管道交界处、弯管头、管嘴、管路接头和管路支撑处等。因为这些部位应力高度集中，特别是反应堆管嘴过渡段焊缝处是容易发生大面积破裂的。这些部位的材料是奥氏体不锈钢，它对应力腐蚀很敏感，尤其是在含氯化物的水的长期作用下更会加速它的应力腐蚀破坏。这些部位的应力来自焊接残余应力、热循环产生的疲劳损伤，再加上由于运行的过渡应力冲击而造成外部应力集中而导致管道破坏。实践证明,管壁轴向方向上的破裂比圆周方向的破裂更容易发生。另外,电磁排放阀控制线路的失灵也会导致冷却剂的大量丧失。

6.2.2　失水事故分析

前面讲了失水事故的原因和可能性,但失水事故发生以后的后果如何呢? 下面对一个假想压水堆的失水事故,分析其在各个时刻冷却水向堆舱喷射时的压力、流量、蒸汽体积的变化规律,如图 6.1、图 6.2 所示。

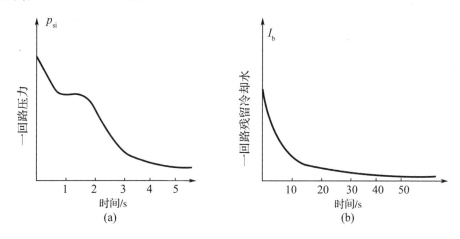

图 6.1　冷却剂一次系统喷出图

在图 6.1 所示的曲线中可看到,压力在 1 s 以内急剧下降。在这个较短的时间内,冷却水通过破口喷出,并形成蒸汽。这时流动的状态和通过节流孔的状态是一样的,当压力达到了堆舱和系统平衡后,存留在系统中的一回路冷却水只有 5% 左右。但是,如果破裂口不是发生在反应堆入口喷嘴处,则系统中残留冷却水与发生破裂的位置没有关系。因为在喷射时冷却水的喷出和蒸汽的产生形成惯性力,妨碍了蒸汽和水的趋势。然而如果破裂发生在反应堆入口处,则喷出的冷却水一部分由于其重力而落到堆舱底部,使系统中的残留冷却水更少。图 6.2 是在喷射过程中蒸汽体积随时间的变化曲线。必须注意的是,在破裂发生 10 s 后,喷出的水形成蒸汽的质量不会超过总系统水质量的 3%,但它却占一次系统体积的 50% 左右。

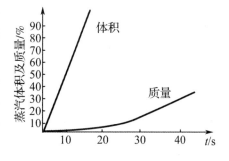

图 6.2　一次系统中的蒸汽产生

　　另一方面,反应堆主回路发生破裂后,在冷却剂向堆舱喷射的 10 s 时间内,堆芯元件的衰变热通过元件棒依据一定的热传递系数传给冷却剂,而后由于一次侧系统中充满了蒸汽,则按蒸汽的传热系数进行传热,到 30 s 后,堆芯继续破坏,燃料元件的温度继续上升。图 6.3 是燃料元件的温度在破裂发生后随时间变化的曲线。

　　从图 6.3 中曲线可以看出,反应堆燃料元件的温度从其稳定状态到破裂发生后的 2 min 以内是下降的,由于堆内传递系数的变化元件包壳的温度在破裂发生后是一直上升的。当燃料元件和包壳温度达平衡以后,由于衰变热的增加则元件温度和包壳温度同时上升。又由于包壳的熔点温度为 1 600 ℃,比燃料的熔点温度2 850 ℃低得多,所以在包壳发生

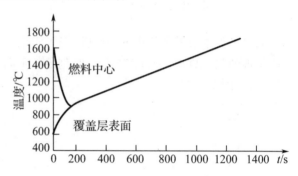

图 6.3　燃料元件的平均温度

熔化时,元件的温度继续上升。同时在包壳发生熔化过程中,部分燃料元件碎片掉入反应堆压力容器的底部。图 6.3 中表示的是平均温度,而实际上在堆芯中高通量区域内的燃料元件在破裂发生 8 min 以后便开始熔化。随着燃料元件包壳和局部燃料元件的熔化,燃料元件本身失去了刚性。UO_2 被暴露在元件棒表面,被熔化的元件微粒落在反应堆压力壳底部,而这些微粒(球形)又在压力容器底部形成集合体。计算结果表明,这些球形微粒在压力壳底部形成的集合体,依靠其堆内的快中子而使它达到临界的可能性是没有的。因为这些球形集合体的增殖系数只有 0.657 左右,而依靠堆内热中子使其临界的可能性也不大。通过计算(假定落下堆芯底部的燃料为统一尺寸的球形微粒)可知,堆内的无限增殖系数为0.95,因此即使堆芯发生熔化,堆芯是否会继续临界这一点是不必过多考虑的。

　　前面讲了在破裂后不久,堆内产生大量的衰变热,在元件包壳和燃料元件熔化后落到堆芯底部时衰变热仍然继续发生。同时由于燃料元件的不断损坏,燃料元件中的核裂变生成物及一些非裂变生成物也一同落入堆芯底部,而且这些生成物与燃料 UO_2 的密度有很大的关系,并且大部分是 Xe,Kr－Rb,I－Br,Cs,Sr,Ba 等元素,而这些元素的比例是多少难以作出准确的结论。但以 69 MW 压水堆运行 600 d 发生破裂作为假定的话,推算得出核裂变生成物在半径方向的分布近似地和中子通量在半径方向的分布成比例。而且在事故发生后 30 s 的时间内,当元件包壳和燃料元件没有发生熔化以前其裂变生成物是极少的,而只有在发生熔化之后才在堆芯底部不断积累。

　　基于上述各种假定,对失水事故发生后反应堆二次屏蔽层外的放射性水平进行推算,其结果如图 6.4 所示。

　　失水事故发生后,二次屏蔽外的剂量是随着燃料元件的破损速率增加的。破损后 800 s

达到最大照射剂量 20 R/h,在 800 s 以后虽然裂变产物继续产生,但由于半衰期短的同位素不断衰减,照射量率显著下降,事故后 2 h 减少到 6 R/h,这些剂量会对人和环境造成污染。

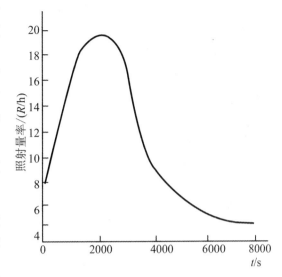

图 6.4　事故后二次屏蔽外的剂量率

当反应堆失水事故发生后,冷却剂热量大量散失,使堆芯冷却条件急剧恶化,其后果是不堪设想的。虽然反应堆失水事故不常发生,但国内外都将这一事故列为重大事故,并加以分析和讨论。

由于失水事故时堆内冷却的变化过程、燃料状态及燃料温度变化过程的实验在实际的反应堆中几乎是不可能进行的,所以一般在分析失水事故时,各个因素都是选最苛刻的情况来进行估算的,和实际情况有较大的出入,但它给我们讨论事故的后果带来了可靠的数据。

以上分析是在一定假设的条件下进行推算和实验得来的。如果选取的模型和采用的实验方法不同,得出的结论将会有一定的差异。但鉴于失水事故是压水堆的重大事故,因此掌握其事故变化过程中的内在联系,对于万一发生失水事故时的判断和处理是大有好处的。

6.2.3　失水事故的判断和处理

虽然反应堆失水事故是很少发生的,但其后果十分严重,故任何一个反应堆都设置了预防和处理失水事故的系统(安全注射系统),这对确保反应堆安全是极为重要的。但究竟怎样才能判断反应堆的失水事故呢? 正确的判断来源于正确的分析,正确的分析来源于客观实际状况的综合。在反应堆运行中,中央控制操纵台出现反常指示,切不可手忙脚乱,没有经过分析判断就动手操作,势必作出错误的操作,错误的操作不但不能排除故障,相反会造成更加严重的后果。

1. 失水事故的判断

(1)主回路压力下降

主回路管道破裂后,一次冷却水以音速向外喷射,故压力下降速度变快。当压力降到某一额定值时有报警指示,并且有报警后仍急剧下降。

（2）堆舱的温度和压力升高

压力高到一定值时操纵台发出报警，这是由于主回路管道破裂后，冷却剂喷向堆舱，使堆舱内的温度和压力很快上升。

（3）堆舱的放射性剂量水平迅速升高，并出现报警

因一回路带有放射性的水进入堆舱，使堆舱剂量水平升高，仪表可监测并给予报警。

（4）堆舱舱底水位升高

从破口出来的高温高压水，一部分变为蒸汽，一部分凝结成水落到舱底，使舱底水位升高。中央控制台上有舱底水位的信号报警。

（5）主泵工作电流减小

主冷却剂通过破口泄漏到堆体外，堆芯冷却剂减少，随着主泵的工作流量下降，引起主泵的负荷减少，泵的工作电流也相应减小，或主泵的转速增加。这样就可以根据主泵的流量表、电流表的工作状态指示来进行判断。

（6）二回路蒸汽流量明显下降

由于一部分冷却剂流出系统之外，使主冷却剂在蒸汽发生器内热交换的能量减少，因此二回路的蒸汽流量也随之减少。从二回路蒸汽流量表指示可予以监测。

失水事故之后，前四种现象将很快地反映出来，后两种现象只有到了后期才有较明显的反映。如果同时出现前四种现象，便可明确地判断是发生了失水事故。

2. 失水事故的处理

当正确判断失水事故以后，操纵人员要沉着冷静，保持清醒的头脑。首先进行紧急停堆，熄灭堆内的核反应。当事故继续发展，堆舱压力上升到 5 MPa 左右时，必须迅速投入安全注射系统。因为在出现失水事故时，安全注射的作用主要有两方面：一是维持在发生破裂之后反应堆堆芯的良好冷却；二是保证堆芯重新被水淹没，传递出堆内的剩余衰变热，以达到堆芯不被烧毁的目的。不过，可以想象，当事故发生后向堆内注射的水很快就形成蒸汽，而只有当注射一定量的冷却水使堆芯重新淹没，才能起到真正的冷却堆芯的作用。另外，在失水事故处理的过程中，要同时监视反应堆的各种状态，尽量避免事故的扩大。

6.2.4 失水事故的预防

尽管重大失水事故发生的概率不大，但是预防失水事故的发生是压水堆安全运行中的重要一环，必须予以高度重视。

对于主回路管道的破裂，除了在机械加工、焊接时应严格控制其质量外，在反应堆初次启动的系统充水打压试验时，应严格按其步骤对压力容器和主回路管道进行打压试验。因为在打压试验时一般将其压力试验到正常运行压力的 1.5 倍左右。另外，对于停堆后相隔较长时间再启动反应堆前，也应该进行打压试验。在反应堆正常运行时，如果发现其一回

路局部泄漏(依靠补水泵能够维持主回路的压力),应当分析其原因,找出泄漏的部位,根据实际情况确定能否运行,或采取相应的措施,以防止泄漏的扩大或导致一回路冷却剂的大量丧失。

对于电磁阀,应定期检查接地情况,因为当电磁阀的两个线圈同时接地时,往往容易造成电磁阀的误动作,从而使主载热剂丧失。

另外,电磁阀阀头容易被卡住,产生电磁阀关不严或控制线路串电,也会造成冷却剂的丧失。故必须对相关的重要电磁阀加上特殊的记号,在反应堆启动前对其进行试转,确保其良好率;而在运行过程中,不允许随意改变这些电磁阀的开启状态。

除此以外,还要确保安全注射系统的维修保养,提高其可靠性,当发生失水事故时,能迅速将安全注射系统投入工作,只有这样才能确保反应堆的真正安全。

6.3　主泵断电事故

在反应堆运行过程中,由于发电机组故障或其他原因发生全船性断电,使得主泵突然失去电源而被迫停转,随后保护装置动作,控制棒全部插入堆芯,实现停堆。按停堆要求应投入危急冷却系统,移除堆芯的剩余功率。但是危冷系统需要主泵半速运转才能实现,因此主泵断电无法实现对堆芯的危冷冷却,这样反应堆的剩余功率和热量积累于堆芯将导致燃料元件的烧毁。主泵断电分为单泵和双泵断电两种形式,对于单泵断电可以降功率(即单回路)运行而不必使堆紧急停闭。这里主要讨论双泵断电的情况。

6.3.1　主泵断电过程分析

反应堆保护系统接到主泵双泵断电的信号后,立即实施对反应堆的紧急刹车。向堆内引入极大的负反应性,此时反应堆内的裂变功率可用下列方程来描述,即

$$P(t) = P_0 \frac{\beta}{\beta - \rho} \cdot e^{\lambda \rho / (\beta - \rho)} \tag{6.1}$$

式中　$P(t)$——停堆后某一时刻的裂变功率;

　　　P_0——停堆前的功率初始值;

　　　β——缓发中子份额;

　　　λ——中子衰变常数;

　　　ρ——反应性。

通过式(6.1)可看出,停堆后的裂变功率是按指数迅速衰减,并且这部分裂变功率在停堆 10 s 后几乎很小了,见图 6.5。

另外还有一部分衰变功率,这两部分构成了剩余功率。初始运行功率越大,则剩余功率越大;停堆前在某一功率上运行的时间越长,则剩余功率也越大;距离前次停堆的时间越短,则剩余功率越大。由于是主泵断电,因此堆内释热元件的热惯性很大。热惯性大反映释热元件的蓄热量大,所以在停堆后的一定时间内,堆内功率衰减很慢,实验证明在最初 2 ~ 3 s 之内几乎不变,这是堆内的功率情况。而主泵断电后,随即产生断流。当然在主泵断电后的短时间内的惰转流量(依靠主泵的惯性转动而维持的流量)和自然循环流量(依靠蒸汽发生器与堆芯间的高位差而形成的自

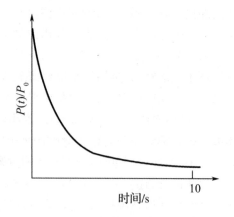

图 6.5 停堆后裂变功率衰减曲线

然循环流量)是存在的。不过惰转流量和自然循环流量远不足以冷却堆芯,其惰转流量的衰减比停堆后的功率衰减快得多,停堆后 5 s 惰转流量只有原流量的 11%,而堆内功率却还有 60% 左右。因此,可以说主泵断电后的主要问题是断流。

6.3.2 主泵断电的后果

由于断流,主冷却剂在堆芯内几乎停止流动,而反应堆内的温度却在升高,导致燃料元件表面放热条件恶化。堆芯温度升高取决于热源的性质及其向冷却剂传递的热通量的大小,而热源功率随时间的变化与反应性的温度系数有关。在稳定工况下,堆芯热源由两部分组成,即燃料元件和冷却剂,冷却剂释放能量仅占燃料元件释放能量的很少部分,因此,堆芯热源主要是燃料元件。引起堆内温度升高的另一个原因是温度反应性系数负反馈,首先在主泵断电瞬间,控制棒还没有插入堆芯前,流量已开始减小,堆芯水温升高,这是由于引入负反应性而使中子通量减小。随着水温升高,则负温度系数所引入的负反应性增加,中子通量也随之下降得更显著了。中子通量的下降又会引起燃料的多普勒系数向堆芯引入正反应性,这样又减缓了中子密度的衰减从而使冷却剂温度继续升高。

因此在断流后的几秒内,水温升高,造成堆内体积沸腾,随后蔓延到其他通道,体积沸腾会使水中含有蒸汽,导致放热条件急剧变化,临界热流密度显著下降。包壳温度必然急剧升高,达到 700 ~ 1 000 ℃,升高后的温度可维持 5 ~ 10 min 左右。在这种热冲击下,释热元件特别是锆合金包壳很难维持正常的工作。通过计算,反应堆高功率下运行时,这种主泵断电事故的后果是严重的。因此,我们在运行中要尽量避免在高功率下发生主泵断电的事故。

6.3.3　主泵断电后的处理

为了在主泵断电后能够移出剩余功率而不烧毁元件,动力装置设立了应急可靠电源,保证安全。当万一发生主泵断电时,电力系统接到停堆信号后,两台主变流机组立即由直流转发交流电,同汽轮发电机组并联。同时切除不重要的负荷,将负荷全部转向主变流机组。这时,可靠配电板由汽轮发电机组供电转让给主变流机组供电。由可靠配电板供电,主泵低速运转,这样一旦发生全船性断电,由可靠电源供电启动备用主泵半速运行,维持一定的冷却剂流量,移除堆内的剩余功率,使堆芯得以冷却,确保反应堆的安全。这样,一般说来不至于使堆芯烧毁。

为了更好保证反应堆的安全运行,在平常必须对可靠电源加强维护保养,提高它在事故情况下的可靠性。

6.4　反应性事故

由于反应性发生了不正常的变化所产生的事故称为反应性事故。反应性事故包括启动事故(又称短周期事故)和冷水事故,下面分别予以介绍。

6.4.1　反应堆启动事故

在启堆过程中,因控制棒失灵或操作失误使控制棒失控、连续外提或提棒过速而发生不允许的严重短周期事故,将破坏热工安全准则。虽然反应堆专门设置了安全系统以确保其安全运行,但是反应堆在运行过程中,不能完全保证保护系统没有故障。

启动事故大多发生在源区和中间区内直到 1% 额定功率前后。大家知道,反应堆从源水平启动到 1% 额定功率前,通量要变化 10 个量级左右。但从源水平到临界点,时间不会太长,一般为 20 min 或更短一些,能量水平仅变化一两个量级,并要通过操作盲区。

当堆达到临界并进入临界后,中子水平增长迅猛。如果对提棒速率不加节制或失控,连续引入反应性,周期会越来越短,使堆很快地进入瞬发临界状态,如图 6.6 所示。图中对应各种棒速下的曲线说明棒引入反应性越大,功率增长越快;反之越慢。发生事故的后果决定于向堆内引入的反应性速率,而反应性速率依赖于控制棒的磁阻马达的转速和它在堆内所处的位置及通量分布状况。

计算表明,若引入反应性速率为 $4 \times 10^{-4} \delta K/s$ 时,经过 120 s 左右反应堆虽然能达到 1% 额定功率,但反应堆已经处于超临界状态了,所以反应性速率 $4 \times 10^{-4} \delta K/s$ 是不安全的反应性速率。为防止发生启动事故,特设置了周期保护装置,并在启动初期就将其投入工作。

在1%额定功率之前,堆芯温度低,温度效应小,反馈作用不明显,所以功率会不受抑制地迅速增长。在进入1%额定功率以后的功率区内,如果不进行制止,功率将因继续引入反应性速率而直线上升,在极短时间内就将千百倍地增长。超过额定功率值后,又会下落到一定功率水平后稳定下来,这是由于向堆内引入反应性,而同时堆内因温度升高产生反应性负反馈,其两者共同作用,具体过程见图6.7和图6.8。

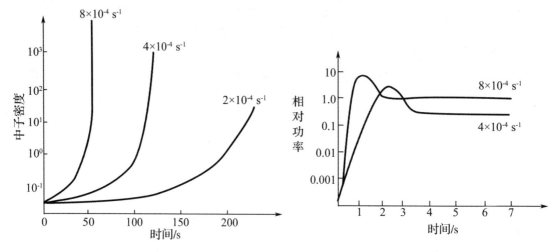

图6.6　在 $\Delta K = -0.04$ 下,三种棒速　　　　图6.7　相对功率随时间变化曲线
　　　　的中子密度随时间变化曲线

接近或超过瞬发临界点时,因功率急剧上升产生大量的热量,导致燃料元件温度上升,见图6.9,并向冷却剂释放大量热量,使温度也跟着上升。由于燃料和冷却剂的温度效应,使 k_{eff} 急剧下降,功率也下降到某个水平,以后变化就相应地缓慢了,此时可看成因温度而引入负反应性和控制棒提升所引进的正反应性基本上相平衡的阶段,使功率稳定下来。

通过分析可见,在 4×10^{-4} δK/s 速率内若发生启动事故,即使没有周期保护也不至于导致元件熔化和包壳传热表面烧毁的现象,其原因是 UO_2 多普勒系数的快速反馈作用,能够在堆功率上升的初期阶段就及时地抑制堆功率增长。经过一定时间,UO_2 燃料所产生的能量通过包壳传给冷却剂后,才使温度上升,对功率增长产生负的温度系数反馈作用。由于冷却剂能在功率上升的中后期向堆芯引入相当大的负温度系数反应性,才能使堆功率不无限制地增长,起到抑制功率增长的作用。这充分说明 UO_2 作燃料的水堆是比较安全的,但这不是全部结论,全部结论必须看到冷却剂温度猛烈上升所带来的后果。由于燃料元件在短时间内将大量热量释放到堆芯,这可能导致堆结构部件及回路产生过大的热应力。也可能因水温骤然升高,伴随引起水体积膨胀而使压力容器超压,导致堆体的破坏。为避免这种突爆式的功率上升,反应堆必须设置周期保护装置,以制止因提棒过快而造成功率猛烈上升所带来的破坏结构的后果。

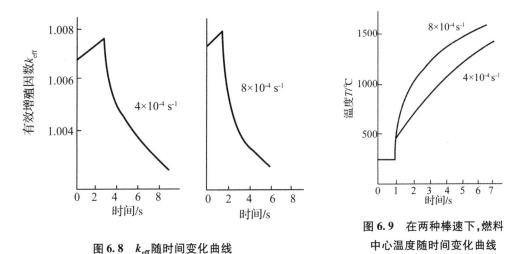

图 6.8　k_{eff} 随时间变化曲线

图 6.9　在两种棒速下,燃料中心温度随时间变化曲线

脉冲周期保护装置抵抗外来信号的干扰能力差,在启动过程中容易因外来干扰而造成误停堆,影响启堆的时间。所以有的堆把周期 5 s 的刹车保护撤销,改为周期 5 s 反插保护。运行经验认为,只要采用断续的慢速棒,一般情况下是不会出现 5 s 周期的,即使出现,可由反插保护措施来防止事故扩大,同时又可避免误停堆。但此时启动操作要注意准备工作一定要做得踏实、细致,不能马虎大意,一定要断续提棒,注意监督堆功率表、温度表和压力表的变化,防止因堆功率增长过快而使堆温升过快和过压等事故发生。

6.4.2　冷水事故

在正常运行时,一般不采用单环路运行,只有当蒸汽发生器或主泵故障,需隔离环路时才能实施单环路运行,待故障环路修复完毕,需要启动另一条停止的环路投入工作,而且在不停堆的情况下,如操作不慎可能发生冷水事故。

具有负温度效应的反应堆,停止环路的散热可能造成该环路水温下降,使工作环路进口水温高于停止环路的进口水温。当投入停止的冷环路工作时,将会使堆芯进入冷水,而冷水的引进和冷却剂热量的下降,会使堆芯的平均温度下降。由于负温度系数效应,堆芯出现正反应性的瞬时引进,伴随着堆功率逐渐上升,会出现高于正常的功率波动值。如果冷热环路进口温差超过某一允许值,就会引起堆芯的损坏而造成事故,这就是冷水事故。

一般说来,由冷水引起的反应性扰动并不大。原因是冷环路启动,开始进入堆芯的冷水与工作环路的热水在进口冷却剂上空腔和热屏蔽通道内进行约有 1/4 体积的交混,接着又在堆下空腔内完全交混后进入堆芯的元件盒中。但堆芯冷却剂区域的水有 38% 的容积是靠泄漏量来维持流动的。因此在启动环路的瞬间,它的温度来不及变化,甚至变化较小。

实验结果认为,即使两个入口温差为 0 ℃,也会出现较高的功率峰值,并且很快自稳在一个新的高功率水平上。这说明:①停止环路投入运行时,即使它与运行环路具有同样的水温,由于流量的增加会导致堆芯平均水温下降,这样就会使功率发生强烈的扰动,若温度足够大,甚至会使堆芯损坏;②停止冷环路蒸汽发生器内一、二次水温平衡较快,虽然堆进口处水温等于工作环路的进口水温,但因冷环路蒸汽发生器内一环路水温完全等于蒸汽发生器二次侧的饱和水温度,所以蒸汽发生器的一环路水低于堆进口处温度,因此启动主泵后,经过一段时间蒸汽发生器一环路水进入堆芯而引起反应性扰动,带来功率扰动;③堆芯元件的损坏是环路温差和流量上升冲击的组合作用的结果。

在平时双环路运行方式下,启堆过程的功率在 1% 额定功率左右,应注意此时不能启动二环路给水泵给蒸汽发生器补水,否则将迅速使蒸汽发生器水温下降,一环路堆进口水温也下降,造成温度差,向堆芯引入冷水,同样也会发生冷水事故。

冷水事故是完全可以避免的一种错误操作事故。在单环路运行时,如想启动另一条环路,事先应严格检查两条环路的进口温差值。根据具体数据采取不同的启动方法。启动冷环路的原则是应使热环路冷却剂的入口温度尽可能接近于冷环路的冷却剂温度,这样做的另一个目的是减少堆内构件所受的热应力。

启动冷环路时,应将热环路降低参数运行,使反应堆处于低功率,主泵以高速运转。然后冷环路主泵低速启动,等参数波动过程稳定后,再转高速。启动完毕再恢复到额定参数运行。

6.5　蒸汽发生器 U 形管破裂事故

蒸汽发生器 U 形管破裂事故,是指蒸汽发生器 U 形管破裂超过了限值,使二回路携带大量放射性,若不及时处理将危及人和设备的安全。

6.5.1　现象

(1)泄放水及辅机舱剂量高报警;

(2)蒸汽发生器二次侧压力升高;

(3)稳压器压力、水位下降;

(4)泄漏回路的主泵流量升高。

6.5.2　处理

（1）关闭事故蒸汽发生器的蒸汽隔舱阀、桥管阀及给水调节阀；

（2）反应堆降功率,主机降负荷,停止事故蒸汽发生器回路的主泵,关闭进、出口主闸阀及相应的系统阀门；

（3）反应堆按照单环路运行要求运行；

（4）如果隔离无效,蒸汽发生器二次侧压力继续上升,则要手动停堆,系统降温。

6.6　主蒸汽管道破裂事故

主蒸汽管道破裂事故是指蒸汽回路的一根管（主管道或管嘴）出现破裂或蒸汽回路上的一个阀门（安全阀、排放阀或旁通阀）意外的打开而导致的事故。发生此事故时,由于一、二回路之间热传递发生了不平衡的关系,且对具有负温度系数的压水堆来说,亦属于反应性引入事故的另一种形式,它主要从以下几方面影响船用核动力装置的安全：

（1）由于主蒸汽管道破裂改变了蒸汽发生器从反应堆冷却系统中带走的热量,从而引起一回路冷却剂的温度和压力下降,则堆芯有重返临界的危险；

（2）若管道破口发生在堆舱或动力舱,会使大量蒸汽排放在堆舱或动力舱,使其升温超压,影响设备或人员的安全；

（3）如果此时蒸汽发生器管子有破损,则带有放射性的冷却剂会泄漏到二回路,进一步污染工作环境,造成更大的事故。

综上所述,主蒸汽管道破裂事故是物理、热工等的综合事故,必须予以高度的重视。

6.6.1　事故过程

当蒸汽管道破裂或蒸汽发生器释放阀、安全阀误动作引起的蒸汽流量损失大于当量直径 15 cm 以上的泄漏量时,事故的过程大致可以分为以下两个阶段。

第一阶段即蒸汽管道破裂或者释放阀、安全阀误动作之初,二次回路蒸汽从破口大量流失,蒸汽流量突然增加,二次回路系统导出的热量超过反应堆的发热量,一次与二次回路之间功率失配,使蒸汽发生器出口（即堆芯入口）冷却剂温度下降,通过物理上的反馈效应,反应堆功率自动上升,以维持一次与二次回路系统之间的热量平衡。同时,由于一次回路冷却剂平均温度降低,稳压器内压力和水位也相应下降,当系统参数达到保护整定值时,保护系统立即动作,实现反应堆超功率紧急停堆或稳压器低压停堆,汽轮发电机组也将紧急停机。

第二阶段即停堆、停机之后,在蒸汽管道隔离之前,蒸汽继续从破口流失,蒸汽管道出现低压,一次回路冷却剂平均温度不断下降。由于压水堆具有负温度效应的内在特性,冷却剂温度下降意味着堆内正反应性的持续引入,停堆深度逐渐减小。如果此时又遇上反应性价值最大的一根控制棒组件卡死在堆顶,那么就有可能使停闭后的反应堆重返临界,并且达到一定的功率水平,堆内通量分布还会出现严重的畸变,局部功率峰值处的燃料元件包壳可能因过热而烧毁。

6.6.2 事故危害

蒸汽管道破裂事故的危害是很大的,它对核动力装置的三道屏障都将造成一定的危害。

1. 对燃料元件包壳的危害

发生蒸汽管道破裂事故时,蒸汽发生器二次侧带走大量的热量,使反应堆一回路的温度下降,由于压水堆冷却剂具有负温度效应,就会使堆芯的反应性有上升的趋势。如果此时为功率运行状态,则中子通量密度上升,功率亦上升。如果此时为次临界状态,则后备反应性储备下降,若管道破口的尺寸较大,而且事故出现在机组功率运行期间,反应堆的紧急停堆可以将堆芯引入次临界状态,于是核功率也逐渐下降。随后,继续冷却反应堆,负反应性储备下降,但考虑到堆芯继续放出热量,为避免反应堆重新达到临界,堆芯的负反应还是足够的。相反,若此时机组在停机状态下出现此事故,温度下降的情况就更严重。

另外,此时若控制棒全部插入堆芯,则不会造成堆芯返回临界状态的危险;相反,假设负反应性最大的一组棒卡在最高位置,此时可能导致后备反应性减少,有回到临界状态的危险,卡棒部位周围的中子通量分布出现严重畸变。

2. 对一回路的危害

蒸汽管道破裂后,一回路平均温度下降,即出现低温高压,存在"脆性"破裂的危险,如果是较大破口的破裂,同样将引起压力继续下降,对于低功率水平下的大破口的破裂,同样将引起压力继续下降。同时由于一回路水降温和收缩很快,故此种情况下压力下降速度将加快,一回路压力的变化取决于破口和运行功率的大小。对于高功率水平时的大破口,由于堆芯产生的功率和燃料中所储存的热量大,一回路温度下降的速度较慢,此时一回路的压力变化也缓慢。因此对于大功率小破口,压力变化的速度更趋缓慢,最严重的情况是低功率下的大破口,其压力下降快,引起"脆性"的可能性也大。

3. 对反应堆堆舱的危害

在反应堆堆舱内发生蒸汽管道破裂事故会使堆舱内的温度和压力上升,影响堆舱内设备的安全运转,尤其是一些电子元器件和控制设备,温度压力变化使其工作环境进一步恶化,发生故障频率增加,并导致连锁事故。

6.6.3　事故分析与处理

1.事故分析

(1)热流密度、反应性的变化曲线

图 6.10 是在热态零功率、有外电源、冷却剂满流量、安全壳外蒸汽发生器管道破裂时,冷却剂系统过渡过程和堆内热流密度、反应性的变化曲线。由图 6.10 可以得出以下结论:

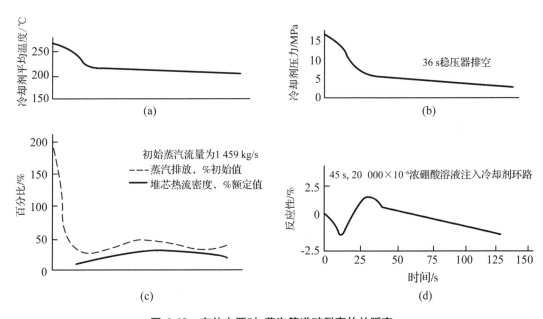

图 6.10　有外电源时,蒸汽管道破裂事故的瞬变

①反应堆停闭后,由于二回路蒸汽大量流失,冷却剂平均温度不断下降,冷却剂负温度效应的作用使次临界度逐渐减小,大约在 29 s 反应堆重返临界。

②在事故大约 45 s 后,$20\ 000 \times 10^{-6}$ 浓硼酸液才到达冷却剂环路,45 s 的延迟时间包括接收和发出安全注射信号 4 s、打开安全注射管道上的阀门 10 s、清除安全注射管道中留有的 200×10^{-6} 硼水 31 s。

③$20\ 000 \times 10^{-6}$ 浓硼酸溶液在环路内与一次回路系统冷却剂混合后再进入堆芯,混合后的硼水浓度与安全注射系统流量及冷却剂系统流量有关。

④事故发生后,由于截止阀能在几秒内快速关闭,使蒸汽从破口的排放量相应地急剧下降。

⑤瞬变过程中,堆芯功率峰值的热流密度约为额定值的 7.2%。

（2）采取的主要措施

蒸汽管道发生破裂事故后,为了能及时制止二次回路蒸汽的大量流失,防止一次回路冷却剂温度的急剧下降,维持反应堆的次临界度,采取的主要措施如下:

①根据蒸汽低压信号或稳压器低压与水位复合信号启动安全注射系统,向堆芯紧急注入 $20\,000 \times 10^{-6}$ 的浓硼酸溶液,在高浓硼没有到达前,堆芯可能已重返临界,但硼水到达后即可降为次临界。

②根据蒸汽管道隔离信号迅速关闭隔离阀,防止正常蒸汽管道内有蒸汽流失。此外,由于安装在蒸汽发生器出口的限流喷嘴直径远小于蒸汽管道,可限制该蒸汽发生器所在管道发生破裂时的最大蒸汽排放量。

③蒸汽发生器二次侧停止供应给水,以防止继续带走一回路热量。

④当蒸汽管道破口在堆舱内时,还要根据堆舱高压保护信号启动安全注射系统和喷淋系统,以保护反应堆和堆舱的安全。

（3）对管理人员的要求

作为船用核动力装置的运行管理人员,首先应该判断事故并指出受事故直接影响的蒸汽发生器,并根据破口的大小、类型和部位来采取相应的操作。如果破口尺寸很小,则既不用进行紧急停堆操作,也不用投入安全注射系统。只要情况允许,运行管理人员就应该隔离破口,并且操作反应堆直至停堆状态。反之,若破口较大,事故将导致安全注射系统启动。此时作为运行管理人员应做的主要操作如下:

①如果保护系统没有将隔离阀关闭,则关闭蒸汽管线上的隔离阀;

②隔离辅助给水系统通向受事故影响的蒸汽发生器的管道,以便在破口不能隔离的情况下,限制从破口释放的能量和一回路的降温速度;

③视情况对安全注射系统、稳压器中的加热器和喷淋装置进行一定的操作,以限制一回路压力和稳压器的充水;

④为使反应堆过渡到冷停堆状态,若有卡棒情况发生,则应向堆内注射一定量的硼酸溶液,以使反应堆安全停堆。

总之,事故发生后,运行管理人员操作的目的是使整个核动力装置处在冷停堆状态且随时可投入运行。

6.7　没有事故紧急停堆时的预期瞬态 A.T.W.S

A.T.W.S 是指没有紧急停堆或没有反应堆跳闸的预期瞬态,在这些瞬态中,虽然某些一回路或二回路参数超过了保护阈值,但没有引起控制棒束的下落。

A.T.W.S 的事故发生率等于紧急停堆发生故障的概率和不引起紧急停堆时有明显后果的事故瞬态频率的乘积。

事故种类:完全失去蒸汽发生器的正常给水,导致最大的压力峰值;完全失去外电源,使燃料包壳冷却恶化。

6.7.1　事故描述

假设在一开始就完全失去了蒸汽发生器的正常给水,没有考虑在瞬态过程中发生的一系列紧急停堆信号,在 30 s 后出现汽轮机脱扣和按温度调节方式旁路阀打开到 50% 的开度(此为 Westinghowse 的保留假设)在瞬态期间,蒸汽发生器内的质量下降,见图 6.11。最初,一回路与二回路之间传热效率没有明显下降,因而一回路的温度基本保持不变,随后,汽轮机脱扣导致主蒸汽流量暂时下降,从而导致蒸汽发生器所吸收的功率下降,这就引起了蒸汽发生器出口的一回路水温上升,因此堆芯出口水温上升。考虑到冷却剂的温度系数,堆芯水温上升就引起核功率下降。

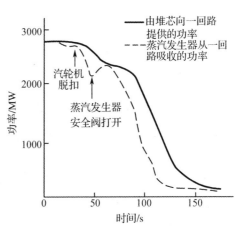

图 6.11　失去正常给水时,堆芯提供功率和蒸汽发生器吸收功率变化曲线

将近 40 s 时,蒸汽发生器的安全阀打开,如图 6.12 所示。于是,通过蒸汽发生器导出的功率回升,从而出现一回路温度和核功率的虚假稳定现象。事故开始后,蒸汽发生器内的水位急剧下降,当蒸汽发生器内只有 5 t 左右的水时,一回路、二回路热效率突然下降,导出的功率迅速下降、一回路温度剧烈上升。一回路温度的这种剧烈上升使得堆芯提供给一回路的功率严重下降。

完全失去外电源事故表现为一回路流量迅速下降。一回路流量降低引起一回路平均温度升高,因而造成烧毁比下降和一回路压力上升。

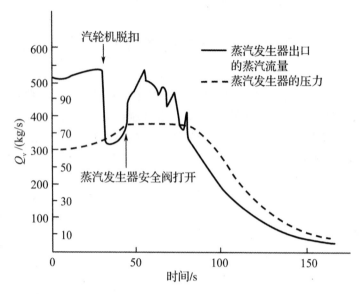

图6.12 失去正常给水时,蒸汽发生器蒸汽流量和蒸汽发生器的压力变化曲线

6.7.2 事故的处理

这类事故发生以后,首先要进行的是检查控制棒的落棒情况。如果控制棒没有下落,则应下插控制棒使堆芯恢复到次临界状态;若控制棒已经下落,则运行管理人员必须通过正常的充硼方法或通过安全系统向堆芯注硼,通过对硼的控制使一回路过渡到冷停堆时的温度和压力。另外在事故期间严密监视反应堆面临的状态,采取适当措施,确保动力装置的安全。

复习思考题

6-1 反应性事故包括哪些,发生反应性事故的因素是什么?

6-2 启动事故与功率运行的连续提棒事故的主要区别在哪里?

6-3 典型压水堆的失水事故的现象、原因及后果如何,怎样处理?

6-4 发生冷水事故的原因有哪些,如何防止这种事故?

6-5 试分析主泵断电的后果,发生主泵断电应采取哪些措施?

6-6 试述主泵断电与全船断电的区别在哪里,为什么?

6-7　压水堆常见的典型事故有哪些? 试说明其基本现象及处理原则。

6-8　试述主蒸汽管道破裂事故的过程和处理。

6-9　事故处理的基本原则是什么?

第7章 船用核反应堆装置设备的运行管理

管理的特点是综合运用多学科研究总结出来的各种经验知识去指导实践,同样对于船用核动力装置设备而言,也应运用多学科研究总结出来的各种经验知识去指导整个船用核动力装置的安全管理。船用核动力运行安全管理不同于一般的安全管理,由于其具有强放射性、高温、高压、衰变热的特殊问题,核动力装置设备的运行管理更为重要。在核动力领域,核安全管理的总目标是在核动力装置的建造、运行、维修、退役过程中,确保核动力装置系统、设备的安全,保障人员和群众的健康,保护环境不受放射性危害。应该说,核安全融于整个核动力反应堆的运行管理之中,如何遵守核安全的基本原则是一项复杂的系统工程。核动力从建造到寿命终了,均有个管理问题,管理出质量、管理出可靠性,管理好能保证和加强核安全。

核动力装置的安全管理除了必须有严密的设计、制造外,船用核反应堆装置设备的运行管理也是确保核动力装置运行安全目标及延长寿命的一个重要方面,对此不能忽视。装置设备的运行管理是多方面的,涉及的范围也较大,本章将就主要装置设备的运行管理进行具体叙述。

7.1 核反应堆装置的日常保养、定期检查和在役检查管理

7.1.1 日常检查保养

核动力装置与常规动力装置一样,为确保其安全和延长运行寿命必须坚持日常检查保养制度,对于重要的设备应每天进行检查保养。这种保养分为运行中的检查保养和停闭状态下的检查保养。停闭状态下的检查保养包括对一些机械设备进行转动,检查其能否正常运转,并确定其是否需加油润滑,有无卡死的现象等;对电气设备进行绝缘测量和基本性能检查,检查其是否满足运行要求,并采取适当的措施,对一些设备的尘积和杂物进行清除和擦拭,使其处于完好状态。作为运行中的检查一般依据规章制度和运行经验,同时用眼(观察是否发生异常现象)、用耳(听是否有异常的声音判断其正常与否)、用鼻(闻有无异味,判断其工作正常与否),一旦发现局部异常及时进行判断和处理,不要等到发生报警或事故情

况下才去处理,这样可以减少或避免一些事故的发生。

严格来说,日常检查保养分运行前、运行中、运行后的保养三个阶段。

7.1.2　定期检查与试验

为保证核动力装置的安全,除了要进行日常检查保养外,还必须坚持定期检查制度。定期检查的频度应根据设备的重要程度来分类。定期检查分周检查、月检查、季度检查和年检查几种。各类检查的项目应根据《核动力装置安全管理规定》等有关条例、规章制度进行。定期检查着重于各系统的主要设备及各种安全系统的性能检验,定期检查对于防止核事故的发生,提高核动力装置使用寿期具有重要作用。

核安全相关设备的定期试验属于纵深防御第二道防线的范畴。为了确认潜艇核动力装置的技术性能没有降低或者没有降低的趋势,安全分析报告中假定的运行方式得到了遵守,核安全相关系统、设备、部件的可用性得到了监控,必须定期组织此类试验,这也是定期评估制度的一部分。所有进行定期试验的核安全相关系统,必须有相应的试验规程。若定期试验的周期得到遵守、试验结果满意,即试验中所记录的参数符合有关规定,试验条件满足试验规程的要求,可以认定系统可用;反之,则为不可用。

7.1.3　在役检查管理

在役检查是指在核动力装置投入使用后,定期对反应堆冷却剂承受压力边界的耐压设备(如压力容器、主回路管道、主泵、蒸汽发生器、稳压器等)进行有无损伤检查并与役前检查(又称基准检查)进行比较,判断有无缺陷或原有缺陷是否有扩展或有新的缺陷,以确保核动力装置的安全。在役检查也包括检查一些辅助系统和安全保护系统的设备。在役检查的时间应根据装置的工作性质而定,一般核电站在投入使用后 10 年检查一次,每次作100% 检查。若反应堆寿期为 30 年则要检查三次。对于船用核动力装置可以 3~5 年在役检查一次,尽早发现其缺陷,提高装置运行的可靠性。

核动力装置在役检查必须根据《船用核动力装置在役检查导则》,制定具体的计划、规程和细则,并经主管部门批准后实施。

核动力装置的系统和设备的设计及布置,应留有在役检查的通道、操作空间,应考虑到受检设备、屏蔽、绝缘及其相关构件的拆除、移动、存放、复装以及起重支撑等,还应考虑受检设备和部件的焊接方式、表面粗糙度、积垢或腐蚀产物的累积与去除、材料的选择及污染去污等。

在役检查采用的技术、方法、设备和试件必须符合国家有关部门认可的标准及规定,及时进行标定和核准标定的有效性。在役检查人员必须经过相应的培训和具备一定的资格。必须妥善保存在役检查、试验、分析、研究、修复和更换等各方面的记录、数据、照片、图表和技术文件。在役检查实施过程中,必须严格执行辐射防护有关规定。在役检查过程中,应由主管部门派出的监督员核实检验和试验是否符合要求,审查在役检查最终结果的正确性。

1. 在役检查的方法和技术

(1)外观检验。用以检测受检设备或部件表面的划伤、磨损、裂纹、腐蚀、侵蚀、漏迹;设备或部件的不对中、移动及支撑的完整性;系统压力和功能试验的密封性;可用肉眼或借助光学仪器进行检验。

(2)表面检验。用以检查受检设备、部件表面以及近表面的裂纹或不连续性缺陷,可视情况采用磁粉探伤法、液体渗透法或涡流探伤法等进行检验。

(3)体积检验。用以检查受检设备、部件的全体积内的裂纹或不连续性缺陷,可采用射线照相、超声波探伤或涡流检验等方法。

(4)替代检验。凡经证实等于或优于上述检验的效果,经主管部门认可的其他在役检查方法和技术。

2. 在役检查范围

根据系统和设备对安全的重要程度,在役检查的范围应包括反应堆和主冷却剂系统,安全保护系统,一回路压力边界的设备与管道,测量装置,泵、阀门性能试验,保证正常运行和事故工况下反应堆停闭的堆芯冷却辅助系统的设备,其他由于功能失效可导致系统处于危险状态的系统或设备。

具体在役检查的系统和设备可按《船用核动力装置在役检查导则》的规定执行。

3. 在役检查的间隔

列入在役检查范围的核动力装置和设备应在规定的时间内完成检查,即在每个检查间隔内必须完成100%的检查计划,其具体检查间隔如下(以核电站为例,船用核反应堆装置应根据其设计寿命而定):

(1)反应堆压力容器检查间隔,原则上在更换核燃料或开盖检修时进行;

(2)蒸汽发生器传热管检查间隔为10年;但检查年限原则上应按计划修理间隔进行(每次检查30%),最长不应超过5年;

(3)其他设备及部件检查间隔,在全寿期内分别为3年、7年、10年、15年四次;其检查年限为3至4年。

若核动力装置连续停止运行半年以上时,其检查间隔和年限可相应延长。

4. 在役检查的组织与实施

在役检查由船用动力装置的上级部门组织实施,也可由其委托其他单位承担;役前检查由核动力装置建造或设备制造部门组织实施。

在役检查必须按计划、有准备地进行,包括检查细则的制定,用于检查的设备调试、标定和验证,检查现场的调整、去污,检查人员资格的审核等,在役检查的方式一般有以下几种:

(1)全面检查。按照规定的在役检查的范围、间隔,同时还应采用在役试验的方法检查承压系统、设备的完整性和密封性。公称直径等于或小于 25 mm 的设备接头、管道和相连的阀门及其支撑部件,可只在系统水压试验时进行外观检验。

(2)抽样检查。在不需要或无法进行 100% 检验的系统或设备承压焊缝,可选择有代表性的部位或区域进行检查。抽样率应根据系统、设备对安全的重要程度和质量下降情况确定。

(3)补充抽样检查。当抽样检查中出现的缺陷超过允许标准时,应进行补充抽样检查。补充抽样率不少于抽样率;当补充抽样检查发现更多的允许标准的缺陷时,则必须补充到 100% 的检查。

(4)重复检查。当检查中发现可以允许继续运行的缺陷,则应在以后至少三个检查期限中对该缺陷部件进行重复检查,直到证明该缺陷不再扩展后,方可恢复原检查计划。

(5)役前检查。凡列入在役检查的系统和设备,均应进行役前检查,并作为与在役检查结果进行比较所必需的依据。役前检查应采用与以后在役检查相同的技术、方法和设备类型,并由同类检查人员实施。关键设备经过修理或更换后,也应进行役前检查。

5. 检查结果的评定

核动力装置在役检查后,必须对检查结果进行评定,以确定其是否允许继续运行或采取措施。评定的技术标准原则上按修理技术标准执行;在役检查过程中如有特殊需要,可另行制定补充标准,经主管部门审批后执行。

对评定出不允许继续使用运行的结论后,则应按修理技术标准和规定进行修理或更换。

6. 船用核反应堆装置在役检查的项目

船用核反应堆装置在役检查的主要项目,如表 7.1 所示。

表 7.1　船用核反应堆装置在役检查的主要项目

受检验的设备和部件	检验方法
压力容器	
筒位主焊缝	体积
顶盖法兰与封头间焊缝	体积和表面
接管与容器间焊缝、接管与容器内侧圆弧部分	体积
控制棒驱动机构管座、测量用管座,以及容器其他贯穿管件	外观
接管安全端	体积和表面
筒体高中子通量	体积

表 7.1(续表 1)

受检验的设备和部件	检验方法
承压螺栓	体积和表面
承压螺母	表面
承压垫圈	外观
法兰螺纹孔带区	体积
与容器焊成一体的支撑件	体积或表面
容器内表面	外观
内部固定件和堆芯支撑部件	外观
控制棒驱动机构耐压壳	体积或表面
免除表面和体积检验的部件	外观
稳压器	
筒体主焊缝	体积
接管与容器间焊缝、接管与容器内侧圆弧部分	体积
加热器贯穿管	外观
接管安全端	体积和表面
承压螺栓	体积和表面
承压螺母	表面
法兰螺纹孔带区	体积或表面
与容器焊成一体的支撑件	体积或表面
免除表面和体积检验的部件	外观
蒸汽发生器	
纵焊缝和环焊缝,包括一次侧管板与封头或管板与筒体间焊缝	体积
一回路接管与封头间焊缝、接管与封头侧圆弧部分	体积
接管安全端	体积和表面
承压螺栓	体积和表面
承压螺母	外观
法兰螺纹孔带区	外观
与容器焊成一体的支撑件	体积和表面
传热管	体积

表 7.1(续表 2)

受检验的设备和部件	检验方法
免除表面和体积检验的部件	外观
管道	
管道与接管安全端间焊缝和支管中的异种金属焊缝	体积和表面
承压螺栓	体积和表面
承压螺母	外观
公称直径大于和等于 100 mm 的管道焊缝	体积和表面
公称直径小于 100 mm 的管道或支管焊缝	表面或外观
套管焊缝	表面
与管道焊成一体的支撑件	体积或表面
支撑部件	外观
免除表面和体积检验的部件	外观
泵的压力边界	
承压螺栓	体积和表面
承压螺母	表面或外观
法兰螺纹孔带区	体积或表面
与泵壳焊成一体的支撑件	体积和表面
支撑部件	外观
泵外壳焊缝	体积
泵外壳	体积或外观
免除表面和体积检验的部件	外观
阀门的压力边界	
承压螺栓	体积和表面
承压螺母	外观
法兰螺纹孔带区	外观
与阀体焊成一体的支撑件	体积或表面
支撑部件	外观
阀体焊缝	体积
阀体	体积或外观
免除表面和体积检验的部件	外观

7.2 核反应堆装置主要设备的管理

7.2.1 压力容器与堆芯的运行管理

压力容器与堆芯的运行管理二者是紧密相连的,应该说压力容器管理的好坏直接影响核动力装置的核安全,而堆芯管理主要指堆芯内各部件的管理,一般压水堆是把整个堆芯装在反应堆压力容器内。反应堆压力容器的主要目的是把核裂变产生的放射性物质限制在一定的范围内,以及保持一回路系统具有保证正常运行的工作压力,使放射性物质及一回路水不泄漏到堆外。堆芯内的最里层是燃料棒,而燃料棒安装在反应堆压力容器内的燃料栅格中,同时还有控制棒及控制棒支撑机构等,由于堆芯通过压力容器的密封,从而日常的管理主要是监测压力容器的泄漏及堆芯各部件的正常运行状况,因此堆芯管理必须按操作规程进行,其目的是使堆芯内不发生机械故障。堆芯内部件的损坏,通常是由于堆芯内支撑结构的机械磨损、损伤或装配异常而导致控制棒卡死、结构变形等,对燃料元件棒而言主要是燃料元件包壳的破损。一般说来堆芯管理除用一些监测仪表监督外,还要靠经验来判断。典型的压水堆压力容器与堆芯结构,如图 7.1 所示。

1. 压力容器运行管理

压力容器及一回路系统是舰用压水堆确保核安全的第二道屏障。对于压水堆而言,一般压力容器及一回路系统要承受 13 MPa 以上的压力,它是确保核安全的重要标志之一,因此压力容器及一回路的管理十分重要。压力容器的管理应该从压力容器及一回路管路的脆裂及脆性转变温度特性来认识。

(1)压力容器的脆裂及脆性转变温度特性

在常温下钢材具有很好的塑性,但随着温度的降低,钢材逐渐由塑性向脆性转变。在低到某一特性温度时,钢就要转变为完全的脆性(此时塑性为零),这一特定温度称为脆性转变温度(T_{ND})。普通钢的脆性转变温度为 0℃。压力容器材料是低碳合金钢,它和其他材料一样,也具有脆性特征,其脆性转变温度为 $-80 \sim -50$ ℃。

压力容器材料转变为完全脆性时,就会发生破裂。破坏扩展所需的能量很低,甚至靠自身释放出的弹性应变能即可满足破坏扩展的要求。因此破坏是一种自发过程,无须外界提供额外的能量。引起脆性破坏有三个条件:工作温度接近或低于脆性转变温度;材料结构中有裂纹或缺口等缺陷;结构微小裂纹处又承受较大的工作应力。分析脆性的方法是把上述三个条件结合统一考虑的图解方法。脆性破坏的三个条件是互相联系的,缺陷越小,在给定温度下产生脆裂的应力就越小,如图 7.2 所示。

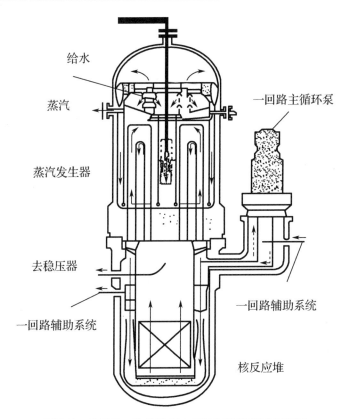

图 7.1　典型的一体化堆压力容器与堆芯结构原理图

图中纵坐标是以结构材料的屈服强度的比例值来表示的名义破坏应力,横坐标表示温度。该曲线是按裂纹尺寸划分的,实线为破坏终止曲线。在图上有三个重要的"转变温度",它们是 T_{ND},T_{FE},T_{FP}。

T_{ND}——脆性转变温度。接近或低于该温度时,结构就会发生脆裂,破坏前没有任何塑性流动迹象。

T_{FE}——弹性负荷转变温度。低于该温度在一般弹性应力水平下,脆性破坏能够扩展,高于该温度脆裂的

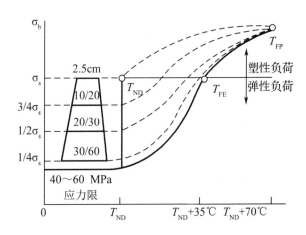

图 7.2　材料的弹性、塑性、脆性转变特性

扩展则需要屈服水平的应力。

T_{FP}——塑性负荷转变温度。高于该温度脆性破坏不可能发生。

对于压力容器材料来说它们之间有下列关系：

$$T_{ND} + 35 \ ^{\circ}\!C = T_{FE}$$

$$T_{ND} + 70 \ ^{\circ}\!C = T_{FP}$$

这表明材料的塑性转变脆性是在最大不超过 70 ℃ 的范围内进行的。从图 7.2 可看到，材料的脆性破坏是由破坏的"起始"和"扩展"两个过程构成的。一组虚线即表示破坏的"起始"条件。对于接近或低于脆性转变温度，小裂纹（< 2.5 cm）的破坏起始需要相当于材料屈服强度水平的名义破坏应力。随着裂纹尺寸的增大，破坏起始需要的名义破坏应力急剧下降。破坏应力下降的程度与裂纹尺寸的平方根成反比。当下降到"破坏终止曲线"的平台时，脆性破坏就可避免。此时名义破坏应力约为 40 ~ 60 MPa，等于或低于此值时，由于材料的弹性应变能已不足以提供裂纹扩展所需的能量，因此裂纹扩展的自发过程受到阻止，所以脆性破坏不能发生。在 T_{ND} 和 T_{FE} 的温度区间内，破坏在起始后能在一般名义弹性应力水平下扩展。在 T_{FE} 和 T_{FP} 温度区间内，破坏的扩展需要塑性水平的名义破坏应力。高于 T_{FP} 时，结构不能发生脆性破坏。图 7.2 中的实线相应于各种名义破坏应力的"破坏终止曲线"。在这条曲线右方脆性破坏的扩展无法进行，因此脆性破坏也就不能发生。

由此可见，为了防止脆性破坏只要严格控制脆性破坏的三个条件（温度、应力、裂纹尺寸）中的一个或两个，脆裂就可以避免。

压力容器材料辐照试验表明，它的脆性转变温度 T_{ND} 随快中子累积通量的增加而升高，随着辐照的温度升高而减小。同时还与壳体壁厚有关，当壳体壁厚由 50 mm 增加到 100 mm 时，T_{ND} 约升高 10 ℃。一般材料辐照试验是快中子集中时间照射的，而压力容器工作 20 年所受快中子照射是缓慢的、持续的，所以有人根据试验认为持续缓慢的辐照材料后的脆性转变温度 T_{ND} 要比快照射的 T_{ND} 要提高 10 ℃ 左右。另外，材料的辐照后退火是可以降低脆性转变温度的。如某材料在 230 ℃ 经 $5.4 \times 10^{19} \ cm^{-2}$ 中子辐照后，T_{ND} 增加 160 ℃（即 -70 ℃ 升到 90 ℃）。

（2）限制温度压力防止脆裂

由前面的叙述可知，只要严格控制脆性破坏三个条件（温度、应力、裂纹尺寸）中的一个或两个，脆性破坏就能够避免。压力容器材料的裂纹尺寸是不容易控制的，而对于温度和应力（或换算成压力）则是压力容器运行中能够控制的两个条件。所以反应堆在运行中考虑到压力容器的脆裂影响就必须给温度、压力提出必要的限制。

对于没有中子场辐照的压力容器来说，避免脆性通常是由限制温度来实现的。但对于压力容器来说并不实际，因为脆性转变温度随着中子累积通量的增加而不断地增加，所以防止反应堆压力容器的脆裂破坏常用的方法是限制应力。也就是说，当运行的工作温度低

于 T_{ND} +33 ℃时,必须将反应堆的工作压力(壳体的应力可变换为压力的)限制在某一数值内。而在工作温度升高,超过 T_{ND} +33 ℃之后,再提高工作压力达到额定值,这样就可以避免压力壳体的脆裂发生。

通常把反应堆所要限制的温度与压力绘制成一个温压关系图,用来指导反应堆实际运行管理,如图 7.3 所示。

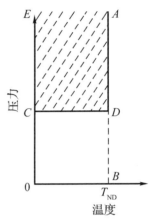

冷却剂温度作横坐标,冷却剂的工作压力作纵坐标。以压力容器部件中较大应力区的材料受中子辐照后的脆性转变温度大小画一垂线 AB。此线左面表示有可能发生脆性破坏,右面则为塑性破坏区。再求出对应 T_{ND} 和 T_{FE} 的壳体所允许的安全压力,画一水平线 CD。此线以上的压力表示超过了部件材料的允许值,是破坏区。此线以下则为安全区。由这两条线组成的阴影斜线区域 AECD 表示危险区,为保证反应堆的安全,运行过程的温度和压力应在这个危险区之外。由于压力壳体脆性转变温度随着时间的增长而不断提高,所以 AD 线逐渐向右移,这样在运行中就应经常根据 T_{ND} 的变化情况来作温度 – 压力关系图。

图 7.3　温度 – 压力关系图

(3)运行限制及温压运行限制图

在反应堆实际运行中,要从回路系统的整体提出温压运行限制。既要考虑压力容器的运行限制,又要考虑管路和其他相连的设备运行限制。管道与其他设备没有脆性问题,但热应力是共同的。热应力是由于物体的温度分布不均匀引起的变形受限制在其内部产生的应力。在主回路运行时冷却剂温度变化幅度较大、速率较快的情况下,会引起设备本体或管道发生破坏。为避免主回路因热应力过大而产生破坏,对运行提出两种类型的限制。一种是限制主冷却剂温度变化的速率,另一种是限制冷却剂温度变化的幅值。例如,启动过程中的主回路升温升压或停闭过程中的降温降压,把主回路温度由常温升至额定工作温度或由额定工作温度降至常温,温度变化的幅值是有运行限值要求的,此时只能将升温速率限制在 20 ~ 30 ℃/h 范围内,最大不超过 40 ℃/h,冷停堆冷却速率不得大于 30 ℃/h。即使温度变化的幅值较大,但这样做温度变化速率能使壁的外层温度跟得上变化,使内外层的温差不致过大。又如当冷却剂温度降低时,稳压器中较热的主回路冷却剂温度的变化状态是不能控制的,为了使波动管不产生过大的热应力,这时只能对流经波动管主冷却剂温度变化的幅值(即温差)加以限制。在升温升压过程中一定要把温差限制在 40 ~ 90 ℃之间,这样即使流经波动管的水温度变化速率较快,但温度幅值变化得小,即热应力小,所以能保证安全。

任何压水堆的主回路温度压力限制图都是根据反应堆装置的脆性和热应力的特性综合考虑而编制的。

2. 堆芯及燃料元件的管理

（1）堆芯管理的特点

核反应堆堆芯是大量热能产生的发源地，是核动力装置的核心，应将堆芯的运行管理放在极其重要的位置。堆芯管理的特点是整个堆芯封闭在压力容器内，高温高压，具有强放射性，维修管理相当困难。堆芯的中央排列着大量的核燃料元件，这些核燃料元件靠堆内结构部件支撑着。堆内结构部件是将核燃料组件精确地支撑和定位在反应堆堆芯中，不但支撑燃料元件的全部质量和压紧燃料组件，同时对控制棒棒束提供精确的对中和可靠的导向。除此之外，堆内构件还要构成压力容器内冷却剂的流道，合理分配流量并限制旁通流量及减少漏气，屏蔽中子和 γ 射线，降低对压力容器的辐照损伤。堆内构件由堆芯下部支撑结构（吊篮部件）和上部支撑结构（压紧部件）两部分组成。为了使堆内构件在反应堆工作寿期内能在高温高压水冲刷下具有良好的抗腐蚀及抗辐照性能，除燃料元件包壳用锆合金外，其他主要材料均采用奥氏体不锈钢，重要的螺钉、螺栓、定位销采用镍基合金。由于堆芯的管理不同于其他装置设备的管理（具有强放射性、高温高压），因此堆芯结构部件的管理依赖于反应堆的运行管理。从而决定了在核动力装置运行管理中，应该把燃料元件的管理放在首要位置上。

（2）堆芯运行管理总的要求

堆芯运行管理必须按核设计和热工安全准则来进行，一般要求如下：

①使最大线性比功率（即单位长度燃料元件的功率）不超过规定值。

②在各种工况（包括事故工况）下，应防止包壳表面热通量超过临界值而达到膜态沸腾，在失水事故时锆合金和水反应量不超过锆合金总质量的 1%。

③在正常运行条件下，保证堆芯中功率分布尽可能地均匀；在过渡过程中，温度压力等的变化率应在规定的范围内（即按温压限制图进行）。

④主冷却剂的水质必须控制在规定的范围内，以防止堆内结构部件的腐蚀和损坏。

⑤堆芯管理必须保证堆芯内的燃料安全使用，满足核动力装置所要求的限制条件，使其有效地运行在相应的范围内。为此要求建立一支运行素质好、运行水平高的反应堆运行管理队伍。堆芯管理的基本任务如下：

a. 按照设计说明书采购堆芯装载的燃料（符合设计制造中质量保证的有关规定）；

b. 根据设计要求，保证有关的堆芯参数，以确保燃料的完整性；

c. 及时卸出已达到规定燃耗寿期的燃料，并更换燃料；

d. 检测和鉴定破损燃料元件，超过允许值时应卸出破损燃料；

e. 检查与评价装入堆芯或压力容器内的任何部件或材料的安全性；

f. 分析燃料元件破损原因和防止破损方法；

h. 制定堆芯监测大纲、装卸料大纲、破损元件监测大纲，给出运行限值和系统保护定值。

（3）堆芯监测

在反应堆装料、启动、功率运行期间和试验过程中必须监测堆芯参数,以确定堆芯状态是否符合运行限值和条件。若与限值不一致时应采取措施,以保证反应堆处于安全状态。

①监测参数

在启堆、功率运行等有关阶段,若条件许可,应连续监测或间断监测的参数包括：

a. 中子通量密度、轴向或径向中子通量密度的峰值因子；

b. 中子通量密度的变化率；

c. 控制棒位置；

d. 控制棒驱动机构的可运行性；

e. 反应性随控制棒位置的变化；

f. 紧急停堆时间；

g. 冷却剂压力、温度、温升速率、冷却剂进出口温度；

h. 堆芯输出热功率；

i. 最小烧毁比、最大线性热功率；

j. 主冷却剂系统中和废气系统中裂变产物的放射性活度；

k. 主冷却剂的水化学参数,例如 pH 值、氯离子、含氧量、电导率、固体不溶物含量、杂质的浓度和辐射分解的产物。

②测量仪表

监测有关参数用的测量仪表应具有下列条件：

a. 从源区到满功率整个功率范围内,要有足够的量程重叠；

b. 具有满足所有运行工况及某些事故工况的灵敏度和量程；

c. 要便于反应堆运行人员评价堆芯运行特性和确定异常工况；

d. 必须为反应堆运行人员测量和显示冷却剂温度、压力、流量和堆芯功率。

在一般情况下,影响燃料性能的安全重要参数是不难直接测量的。在这种情况下,它们是通过已测得的参数、燃料装载方式、影响中子通量密度分布或影响热传递的堆芯其他项的布置分析而导出的。但是,规定供反应堆运行人员使用的参数值必须用仪表指示值给出。

③堆芯条件的预计

必须预计在稳态工况或瞬态工况下,由于燃料燃耗加深而改变了的控制棒位置,从而引起的功率分布、燃料功率峰值、临界棒位的变化,并对预计结果和测量值进行比较。假使两者有明显的偏差,必须采取适当的措施,使反应堆处于安全状态,同时必须进行分析研究,找出发生偏差的原因。堆芯条件的预计包括以下方面：

a. 燃料燃耗加深引起后备反应性的变化;

b. 随着燃耗变化而引起堆芯的变化;

c. 辐照引起控制棒效率的降低;

d. 辐照对中子通量探测器的影响;

e. 长期停堆后再启堆时要注意盲区的启动安全;要考虑中子源强度、中子探测器的灵敏度和位置的合适性。

(4)堆芯燃料元件破损检测

燃料元件的包壳是核动力装置的第一道屏障,因此燃料元件破损检测是极为重要的,它直接关系到核动力装置的核安全。实际上对燃料元件的运行管理集中反映在燃料元件的包壳上,无论在运行中还是在运输、安装中都须对燃料元件的包壳进行严密的监测检查,并确定表面的剂量率,使其在规定范围内。根据设计规定,一般对燃料元件包壳的允许破损率为1%,在运行中只能通过测定放射性剂量率来确定,如果要准确知道哪一根破损,一般需要在停堆后取出,逐个检测方可确定。对于燃料元件破损监测的方法一般有如下几种。

①一回路水的 β,γ 放射性测量

当燃料元件破损时,裂变碎片泄漏到冷却剂中,因此测定冷却剂的 β 和 γ 放射性是否明显增加,则可发现燃料元件是否有破损。对冷却剂水的放射性测量可通过反应堆取样系统取样,对其进行水质分析得到,这是一种不连续的方法,但测定时必须注意到冷却剂自身的放射性及本底的影响。有时为进一步确定元件破损,还需测量水中是否有裂变产物^{131}I,^{137}Cs,或某些裂变产物同位素的份额。一般反应堆稳态运行时每天测定一次,若在瞬变过渡工况时则每小时测定一次。因裂变磁化的 β,γ 放射性强、半衰期长,因此此方法简单也较实用,即使在停堆时也可测定。为更好地检测和跟踪冷却剂放射性的变化,除在冷却剂中放射性水平有变化并发出报警时,必须对冷却剂水中的 γ 放射性进行连续地检测。

②缓发中子法

当燃料元件包壳破损时,冷却剂因裂变产物的释放而引起放射性水平增加,裂变碎片^{87}Br,^{137}I 将分别以 55 s、24 s 的半衰期衰变而放出缓发中子,因此测量^{87}Br,^{137}I 放出的缓发中子即可监测元件的破损。缓发中子的平均能量在 200 ~ 400 keV 之间,可采用热中子探测器 BF$_3$ 计数器或裂变电离室等来测定缓发中子。由于检测到的中子通量很弱,接近于 1 (cm^2 · s)$^{-1}$,必须加强对中子探测器和仪表周围的屏蔽和抗干扰措施。而缓发中子法可以对压水堆实现连续监督,若在每个环路安装一套(或几套)监测探测器和仪表,就可以监测元件的破损,甚至可确定破损元件处在堆芯的大体区域。

③中子通量倾斜法

当发现运行着的反应堆有核燃料元件破损现象时,利用中子通量倾斜法可判断出破损元件在堆芯内的大致部位。其原理是在一定功率水平运行着的反应堆,若抽出一根控制棒组件,不仅会使抽出部分中子通量倾斜,而且形成通量峰;如果抽出控制棒组件附近有破损燃料元件的话,由于通量的高中子致使核反应加剧,从而使裂变产物的产量及包壳破损处放出的更多,这样可通过抽出不同部位的控制棒,确定破损燃料元件的大致位置。然而这种方法的缺点是测量时需降低运行功率,分区抽出控制棒,等待一回路水放射性变化约需 30 min 以上,有时甚至要使反应堆先停堆,然后再启动测量。

④啜漏法

啜漏法一般有两种,即干法啜漏法和湿法啜漏法。

干法啜漏法是将燃料组件放在封闭的容器中,加热或减压后通氮气带出裂变气体,测量其放射性来判断其元件的破损。

湿法啜漏法是将燃料元件组件放入特别的密闭容器中,由于裂变产物 ^{131}I, ^{134}Cs, ^{137}Cs 的衰变热使冷却剂加热,然后取水样进行分析,可根据所测定的放射性水平来确定组件内的元件棒有无破损。

干法啜漏试验由于是连续吹气测量,所以检测的速度较快,而湿法啜漏试验的准确度更高一些。

啜漏法一般在反应堆停闭后,燃料组件移至燃料水池中进行。但利用啜漏法可以具体确定哪个燃料组件发生了破损。

7.2.2　蒸汽发生器的运行管理

1. 蒸汽发生器的工作特点

蒸汽发生器是核动力装置中连接一、二回路的枢纽,蒸汽发生器担负着将反应堆产生的热量传递给二次侧,产生蒸汽,驱动主汽轮机及发电机做功。蒸汽发生器的安全直接影响着核动力装置的安全,因此蒸汽发生器的管理在核动力管理中占有重要的地位。

核动力装置用的蒸汽发生器按传递热量的介质的流动方式可分为自然循环式和直流式(强迫循环)两种;按传热管形式分为 U 形管、直管、螺旋管及其他形状(微波浪形等);按结构特点分为预热器和不带预热器的两种;按安装方式分为立式和卧式两种。尽管形式种类很多,但作为核动力装置(压水堆型)一般采用如下三种:

(1)立式 U 形管自然循环蒸汽发生器;

(2)卧式自然循环蒸汽发生器;

(3)立式直流蒸汽发生器。

典型的立式 U 形管蒸汽发生器的结构如图 7.4 所示。

从反应堆流出的冷却剂由蒸汽发生器下封头的进口管进入水管,经过 U 形管束,将热量传给二回路的给水,再由下封头出口水室和接管流向反应堆冷却剂泵吸入口。二回路给水由上筒体处的给水接管进入环形管,经下筒体通道流向底部。然后在 U 形管束的管外空

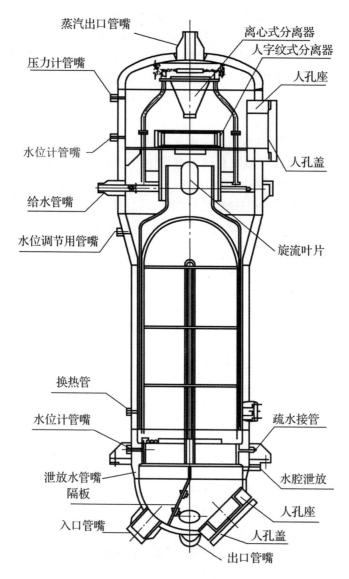

蒸汽出口管嘴
压力计管嘴
水位计管嘴
给水管嘴
水位调节用管嘴
换热管
水位计管嘴
泄放水管嘴
隔板
入口管嘴
出口管嘴

离心式分离器
人字纹式分离器
人孔座
人孔盖
旋流叶片
疏水接管
水腔泄放
人孔座
人孔盖

图 7.4　典型蒸汽发生器结构图

间上升时被加热,部分蒸发成汽水混合物进入第一级旋分式分离器进行分离,然后去二级波纹板湿气分离器,经汽水分离后有了一定的干度饱和蒸汽汇集于顶部蒸汽出口管,经二回路蒸汽管道送汽轮机。

　　蒸汽发生器是核动力装置的重要设备,也是核动力装置运行中发生故障最多的设备之一,蒸汽发生器的故障大多是由于各种腐蚀使 U 形管或管与管板接头处发生泄漏,从而影响动力装置的安全运行。因而蒸汽发生器的运行管理必须引起高度重视。

2. 蒸汽发生器的运行管理

蒸汽发生器管理的好坏,直接影响核动力装置的安全运行。鉴于蒸汽发生器运行管理的特殊性,其对运行管理具有更高的要求。因为蒸汽发生器内 U 形管直接流入一回路水,放射性水均与 U 形管内表面接触,然而易造成腐蚀产物的某些放射性物质沉积,从而使部件有相当严重的辐照,因而运行管理人员即使在外部进行检查和维护,也要受到相当剂量的辐照,因此对蒸汽发生器的运行管理要引起足够的重视。一是要加强对运行规程的监督与管理;二是加强运行管理人员的业务素质;三是对蒸汽发生器从开始建造到运行要加强质量管理。

作为压水堆核电站运行管理经验表明,蒸汽发生器发生故障频率最高的是蒸汽发生器 U 形管的破损,而引起这种破损的原因一般有以下几种。

(1)点腐蚀与缝隙腐蚀

点腐蚀是由局部电池作用引起的局部腐蚀的一种形式,在阳极和阴极区间电解溶液的浓度差形成的电解电池作用是引起点腐蚀的重要原因。点腐蚀是表面钝化膜局部破坏的结果。Cl^- 的局部浓缩是促使点腐蚀的重要因素,而水流的停滞、汽垫的形成、金属的接触、缝隙的存在以及不锈钢表面的不均匀性等都是促使点腐蚀的因素。由于点腐蚀坑是应力集中的地方,又类似于缝隙,点腐蚀通常是应力腐蚀破坏的先导。抑制点腐蚀的措施可归纳为内因(材料成分和组织结构)与外因(介质成分和温度)两类。提高抗腐蚀能力最有效的元素是 Cr 和 Mo,其次是 Ni,它们能提高击穿电位而有效提高耐腐蚀能力,若 Cr,Mo 和 Ni 同时存在则效果更好。同时降低介质中的 Cl^- 量,在溶液中添加氧化剂以增加溶液的氧化能力并提高氢离子浓度,消除流动介质的停滞区,降低温度,提高不锈钢的均匀性,都是防止点腐蚀的有效措施。而缝隙腐蚀的起因可看作是点腐蚀的特例。

(2)晶间腐蚀

腐蚀沿着晶粒间界进行称为晶间腐蚀。发生晶间腐蚀时,金属表面往往没有明显变化,而金属机械性能却急剧变化,因此危害性很大。不锈钢晶间腐蚀在时效过程中,碳向晶界的扩散比铬快,使晶界附近的奥氏体含铬量降至钝化的极限含量以下,结果贫铬晶界区成为阳极,腐蚀沿晶界发生,最后使得晶粒之间的结合力被破坏而造成不锈钢材料破裂。实践证明,经敏化处理的奥氏不锈钢及其焊件,在中性或中性偏酸的高温高纯水中会发生晶间腐蚀。因此预防蒸汽发生器制造过程中的敏化(由于作消除应力的热处理及焊接热对不锈钢的敏化)成为解决奥氏体对不锈钢晶间腐蚀问题的关键。晶间腐蚀的预防方式主要有以下几种:

①降低不锈钢的含碳量;

②添加稳定碳化物的元素(如 Ti 或 Nb);

③固溶化处理,使碳化物不析出或析出较少;

④奥氏体不锈钢部件的焊接过程,要严格控制焊接热;

⑤尽可能提高介质中的 pH 值,严格控制含氢量。

(3)应力腐蚀

应力腐蚀是在腐蚀和应力的联合作用下导致金属自然破裂的现象,应力腐蚀对不锈钢构件危害最大。不锈钢应力腐蚀属脆性断裂,即使是高塑性的奥氏体不锈钢,在应力腐蚀破坏时也不产生明显塑性变形,几乎不发生均匀腐蚀,很少有腐蚀产物,破裂时仍保持金属光泽。应力腐蚀的一个突出特点是以特定的腐蚀介质为条件,只有某些介质与金属的组合才能产生应力腐蚀破裂。奥氏体不锈钢的应力腐蚀,只在拉伸应力和含有氯化物、氧或氢氧化物的介质的联合作用下才发生。一般说来,奥氏体不锈钢应力腐蚀可分为三种形式:在含氯化物及氧的水中的氯离子应力腐蚀、晶间应力腐蚀、在含氢氧化物和氧的水中的苛性应力腐蚀。氧是引起晶间应力腐蚀的主要因素,在压水堆中除非氧含量失控或引进氟离子以及酸洗不当,一般不会发生晶间应力腐蚀,主要的破裂形式是其余两种。核动力装置蒸汽发生器热交换管子材料为奥氏体不锈钢,冷凝器管材是铜,这些金属或合金在高温水高压蒸汽下使用会发生腐蚀。图 7.5 所示的为压水堆蒸汽发生器传热管的典型故障。

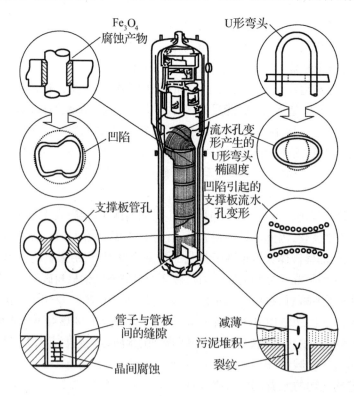

图 7.5　压水堆蒸汽发生器传热管的典型故障

为了防止或尽量减少金属材料的腐蚀、浸蚀或结垢,必须对运行中的冷却剂水质、二回路水质进行严格的指标控制。同时要经常对蒸汽发生器进行湿态保养,加强对蒸汽发生器的照射监督(以确定 U 形管破损情况),当发现局部 U 形管破损时可以进行堵管,以减少对二回路的辐射影响,从而增加蒸汽发生器及二回路管路的设备工作寿期。

7.2.3　稳压器的运行管理

1. 稳压器的基本功能及其分类

稳压器是压水型核动力装置的重要设备之一。它在核动力反应堆的启动、功率运行、停闭运行及事故情况下,对冷却剂系统的压力起控制和保护作用。反应堆在升温升压、功率运行及事故情况下,可以将冷却剂系统的压力变化控制在规定的范围内,同时反应堆冷却剂系统压力变化超出允许范围时,稳压器及其相应的系统能够提供超压或低压保护,以保证反应堆的安全运行。

目前核反应堆中使用的稳压器,按其结构一般分为两类,即气罐式稳压器和电加热式稳压器。气罐式稳压器(又称压力补偿器)具有结构简单、辅助系统少等优点。气罐式稳压器的工作原理较为简单,它实际上是一只容积波动箱。冷却剂体积膨胀时,通过波动管进入稳压器,造成稳压器水位上升,压力超过允许的压力限值时,安装于空气联箱上的安全阀开启,使稳压器的压力恢复至稳定值。反之,若冷却剂体积收缩,则水位下降,空气膨胀,压力下降,此时打开压缩空气瓶的出口阀,向稳压器内补充压缩空气,以恢复正常工作压力。气罐式稳压器依靠气体空间的改变来控制压力,因而容积大。瞬态体积品质低,而空气易溶于水,造成系统和设备的腐蚀,这种稳压器一般用于生产堆、研究堆和各种高温高压试验台架上。

电加热式稳压器是一种立式圆柱形高压容器,一般由上、下半球封头,容器外壳一般用 A－533 钢制成,内部与冷却剂接触的表面均堆焊奥氏体不锈钢,在额定功率运行时,其中大约 60% 体积为水,40% 体积为蒸汽,并均处于饱和状态。稳压器底部通过波动管与反应堆冷却剂系统的热段管道连接。在稳压器下封头处,垂直安装若干电加热元件,它们分布在封头中心线的同心圆上,通过电加热器套管与下封头相连。这些电加热器可以单根更换,因此较为普遍地应用于压水型核动力装置。

无论哪一形式的稳压器,根据其功能一般应满足以下要求:

(1)稳压器的饱和水和蒸汽总容积应足以使系统的容积变化,产生要求的响应压力;

(2)稳压器的水容积应足以使在 10% 满功率的阶跃增负荷时电加热器不露出水面;

(3)在大量减负荷时,反应堆的自动控制能有效动作,二回路蒸汽事故排放 40% 的情况下,应能使稳压器的液位波动不致引起液位达到反应堆高液位紧急停堆的高度;

(4)在动力装置甩负荷并由高液位触发紧急停堆,反应堆控制和蒸汽事故排放系统均

失效的情况下,能使稳压器的水不致由安全阀排出;

　　(5)反应堆事故停堆及汽轮机脱扣不致触发堆芯安全注射信号,只有这样方能使稳压器补偿冷却剂体积的变化,并控制系统压力的变化在足够小的范围内,确保核动力装置的安全。

　　典型的电加热式稳压器原理结构如图7.6所示。

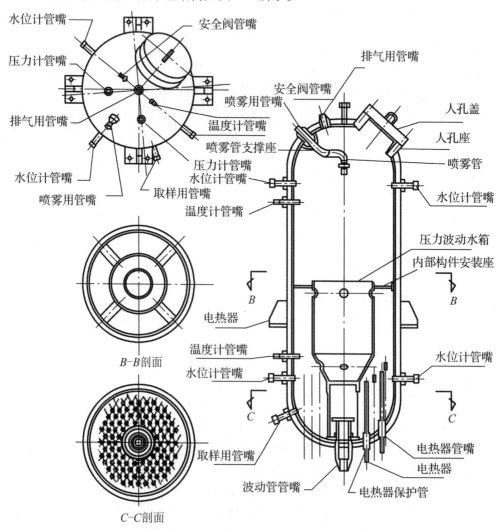

图7.6　典型的电加热式稳压器原理结构图

2. 稳压器的运行管理

在实际运行中稳压器的监督和管理是通过稳压器的压力、温度、水位来监督稳压器的工作状态（即反映系统状况）的。稳压器上装有四块压力表，其中三块为窄量程，一块为宽量程，其测点均在稳压器的蒸汽空腔内。窄量程压力表用于指示、报警、记录和控制，这三块表分别处在联合仪表盘、巡回检测装置上。宽量程压力表用于指示和报警，所以在运行中要对其进行监视，发现异常及时分析和处理。稳压器上共有两块温度表，一块为窄量程，一块为宽量程，测点均在稳压器的水空间内，距电热元件约 10 cm 的地方。宽、窄量程温度表用于指示、读数。为判断安全阀和释放阀是否动作，在排汽总量管上装设了一块温度表（判断内漏），同时在安全阀引漏管上安装了一块温度表（判断是否外漏）。这两块温度表用于指示和报警。

同时在稳压器上还装有宽、窄量程水位表各一块，用于指示、控制、记录稳压器的水位，因此在运行中，对稳压器的压力、温度、水位监测是极为重要的。要严格按温压限制图进行操纵运行。

稳压器的常见故障是电热元件的损坏、安全阀释放阀泄漏等，要进行分析并及时排除。除此之外，稳压器工作在高温高压的恶劣条件下，稳压器本身易发生应力腐蚀、晶间腐蚀，因此要严格控制一回路的水质指标（同于蒸汽发生器）。

7.2.4　主冷却剂泵的运行管理

1. 主泵的基本要求与分类

核反应堆主冷却剂泵（简称主泵）是核动力装置中的关键设备，其功能是使主冷却剂形成强迫循环，它如同人体心脏，把反应堆中产生的热能经冷却剂传递给蒸汽发生器。压水型核动力装置在运行期间，其主泵绝不能停止运转，即使在停堆的短时间内，也不能停止主泵运行，因为它还担负着移除停堆后堆芯的剩余功率的工作，因此主泵对核动力装置的安全起着至关重要的作用。

（1）核动力装置对主泵的基本要求

①能够长期地在无人现场维护的条件下安全可靠地运转。

②主泵转动组件应能满足一定的转动惯量。以便即使在全船断电的情况下，也能够利用主泵惰转提供一定的流量，使堆芯得到适当的冷却。

③主泵结构简单便于维修，其辅助系统也较简单。

④带放射性的冷却剂的泄漏要少（即密封性能要好）。

⑤主泵材料要求使用耐腐蚀的奥氏体不锈钢。

（2）主泵的分类

核反应堆冷却剂主泵可分为两大类，即屏蔽泵和轴密封泵。

屏蔽泵又称无填料泵,泵的叶轮和电机转子连成一体,并装在同一只密封壳体内,从而消除了冷却剂外漏的可能性。这种泵安全可靠,但也有些不足,如屏蔽泵的效率低(一般在50%～70%左右),屏蔽电动机采用耐腐蚀的材料,造价昂贵,对主泵电机供电的可靠性要求太高,因此这种泵一般用于中小型核动力装置上。

轴密封泵具有如下几种优点:采用鼠笼式感应电机,成本低,效率高;电机部分装了很重的飞轮,从而大大提高了机组的惰转性能;轴密封技术同样可以严格控制泄漏量;维修屏蔽方便,轴密封结构更换仅需 10 h 左右。因此目前核电厂一般采用轴密封泵,而屏蔽泵仍用于舰船核动力装置上。典型的压水堆冷却剂泵结构原理如图 7.7 所示。

2. 主泵的运行管理

对于双环路的压水型动力装置,每条环路装有两台主泵(一台运行,一台备用)。其主泵为立式、单级离心泵,由全密封的屏蔽电机驱动,电机为双绕组,泵体为耐腐蚀的奥氏体不锈钢,对主泵运行管理的好坏直接影响核动力装置的安全。

(1)主泵的运行监督仪表

主泵是一回路的心脏,在运行中要对主泵的关键参数进行监督,以保证其可靠运行。除了要严格监督主泵的流量、主泵电流外(通过联合控制台仪表监督),还要对以下参数进行监督:

①通过温度计监督主泵电机定子绕组温度,使其在规定的范围内;

②通过电导式测漏仪监督定子腔内有无泄漏;

③监督主泵工作部件可能造成的振动损坏。

(2)主泵切换操纵要求

主泵有全速和半速两种工作状态,与它相对应的反应堆冷却剂流量有全流量和半流量,反应堆运行在高功率水平使用全流量,运行在 50% 额定功率以下则是半流量,也可使用全流量,但 50% 额定功率以上的高功率区不能使用半流量。反应堆根据负荷要求由低功率过渡高功率,或由高功率降到低功率都要切换主泵。所以在反应堆运行过程中,切换主泵的操作是频繁的,而且也很方便。但是在切换过程中会产生堆功率的波动,这是流量反应性效应的结果。操作不慎会出现超功率反插或刹车。

在堆稳定功率运行时,堆芯有稳定的温度分布。当改变堆芯流量时,冷却剂流量改变,使原来的稳定温度分布受到破坏。首先表现在堆出口温度变化,经过一段时间后,反应堆进口温度也发生变化。在 1～2 min 后,堆芯又出现了新的温度分布,即新的温度场。前后温度场不同,改变了堆芯内中子的慢化、吸收与平衡,影响到有效增殖系数 k_{eff} 的变化,从而导致堆功率波动。主泵切换时的堆功率波动情况见表 7.2。

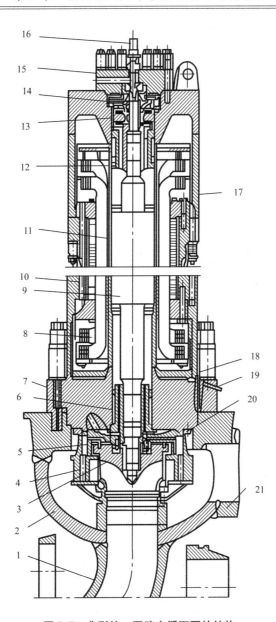

图 7.7　典型的一回路主循环泵的结构

1—吸入管;2—泵的水室;3—工作叶轮;4—导向的出口扩散器;5—卸载腔隔板;6—下轴承;7—电机壳体;
8—定子绕组;9—转子;10—定子铁芯;11—镍铬合金套($\delta = 0.4mm$);12—上径向轴承;13—推力轴承;
14—小叶轮;15—盖;16—转子轴向位置传感器;17—电机上部壳体;18—独立冷却回路的冷却水隔热屏;
19—冷却水;20—铜密封垫片;21—水室压力接管

表7.2 主泵切换时的堆功率波动

类 别	流量/%		堆功率/%		
	初值	终值	初值	峰值	终值
高速切换 高速	100	100	49.5	46.1	49.5
	100	100	90.5	78.1	90.5
高速切换 低速	100	50	17.0	11.3	18.2
	100	50	45.0	31.1	42.7
低速切换 高速	50	100	18.7	26.1	19.5
	50	100	30.0	44.7	31.5
	50	100	45.0	70.5	48.1

①两泵高速切换到备用泵高速时,引起的功率波动为负波动,功率波动幅值很小,其他参数无明显变化。所以两泵高速运行可在任意功率下进行一泵自动或手动的切换。

②两泵间隔5 s先后由高速切换低速的功率波动最大值为14%,因此在50%以下功率水平两泵先后由高速切换至低速是安全的。

③两泵由低速切到高速的功率波动为正值,而且是初始功率水平越高,功率波动量越大。50%功率时,功率波动最大值为25.5%。若保护系统工作时,操作两台主泵由低速切至高速时,第一台泵切换,待功率稳定后,再切换第二台。要求第二台泵距第一台切换时间间隔多于5 s。这样是安全的,且可以防止在切换过程中出现两泵断电事故。

(3)主泵切换的原则

①二泵高速切高速,主机功率降到50%额定功率(防止断电),并要求第二台发电机必须工作。蒸汽发生器二次侧水位保持在规定的范围内。

②二泵低速切至低速,要求主机最高允许在50%额定功率下进行(一般可降至30%额定功率左右)。

③二泵低速(主机功率最高为50%额定功率)切至高速,必须将主机功率降到50%额定功率以下进行切换。

④若将主泵高速切至低速时,应将主机功率降到50%额定功率后,再进行切换操作。

(4)主泵的日常维护与管理

①在每次开堆启动主泵前要检查主泵电机的绝缘、检查绝缘电阻,采用500 V兆欧表进行测量。电阻值应不低于按下列公式所得的计算值:

$$R_{\mathrm{I}} = \frac{\mu_{\mathrm{H}}}{1000 + P_{\mathrm{H}}/100}$$

式中 R_{I}——绝缘电阻,MΩ;

μ_{H}——额定线电压,V;

P_H——额定容量，kW；

也就是测量的电阻 $R_测 \geq R_f$（计算值），则主泵电机是正常的。

②启动主泵前一定要先投入设备冷却水泵。

③按操作规程（条令）用补水泵向系统打压至 1.96 MPa 以上后，启动主泵低速运行 3 min，而后停车 3~5 min，打开主泵排气阀进行放气。

④主泵可直接高速启动，但先启动主泵低速，在转速稳定后再切换高速是对主泵电机有利的。在正常运行后，可根据需要将主泵投入"自动"位置。

⑤注意对主泵运行状态的监督。电机绕组定子线圈温升允许 105 ℃。保证电机二次冷却水进口温度不超过 30 ℃，流量为 6 m³/h，最小流量限制在 5 m³/h。设备冷却水故障允许断水 6 min。

⑥主泵电机有下列异常现象应立即停车，查明原因，如振动异常、噪音异常、设备冷却水故障、超过允许断水时间、定子线圈温度超过允许值等。

⑦回路处于热态，主泵停车后，设备冷却水需继续供水 4 h 后方可停止。

⑧备用泵需每天启动高、低速运行一次。

⑨回路换水时，必须先打开电机顶盖的排气阀使电机内腔与大气相通，然后再开回路排水阀。

⑩当回路是热态时，尽可能不要停止设备冷却水。

7.2.5　控制棒驱动机构及控制棒运行管理

1. 控制棒驱动机构管理

舰船核反应堆控制棒驱动机构管理对核动力装置管理而言，更有它重要的意义。舰船的动力来源于核反应，核反应是受控制棒控制的。舰船反应堆频繁地改变功率或运行状态，控制棒也经常地运动，因此控制棒管理的优劣直接影响反应堆安全。控制棒由控制棒驱动机构驱动，因此加强对控制棒驱动机构的管理是确保核安全的一个重要方面。控制棒及驱动机构是反应堆内唯一的运动部件，它是反应堆控制和保护系统的执行机构。控制棒工作条件恶劣，是比较容易发生故障的部件，而它的故障又以其严重程度的不同（如轻度失步、严重失步、卡棒、掉棒）而对反应堆的启动、停堆和运行带来不同的影响，有时甚至决定着舰船的生命力。因此就控制棒及其驱动机构运行管理问题描述如下。

（1）启堆前对控制棒的驱动机构管理

①在启堆前必须对其定子绕组绝缘电阻进行测量和检查。冷态正常值不低于 5 MΩ（用 500 V 兆欧表测）。还要对灯光位置指示器初、次级线圈对定子机壳和它们之间的绝缘电阻进行检查。它的冷态正常值不低于 3 MΩ，热态（额定温升）不低于 2 MΩ。

②要对驱动机构顶部进行排气，目的是防止控制棒失步。排气保证缓冲器内有水，并

有利于冲动机件内积存的腐蚀产物,可改善因腐蚀产物进入轴承等处影响转动,防止失步故障等。

③定子通电前应先接通定子冷却水、位置指示器原边线圈供电电源和灯光位置指示器电源。

④上述条件满足后,即可对磁阻马达供电。启动时应尽量将磁阻马达的低频电源输出调为三相直流电压,供给定子绕组进行静止启动,以防止滚轮与丝杆啮合不良。

⑤开堆前,按保养规定把全部驱动机构逐一提升200 mm,然后再送至下限位置,以备启堆。在这个过程中,判断丝杆与滚轮是否啮合良好。

(2)在运行过程中对控制棒驱动机构的管理

①堆带功率运行时,应对定子冷却水流量进一步调整,使出口水温低于60 ℃。当出口水温达到或超过60 ℃时,测温线路会给出超温报警信号。若出口水温超过60 ℃,应增加冷却水流量。如增加定子冷却水总流量出口温度仍不下降,说明该台机构定子冷却水套或冷却水分支路堵塞,应立即停止运行进行检查。运行中若发生冷却水中断故障,应立即停止对磁阻马达定子供电,实行紧急停堆,以防定子烧坏。

③控制棒驱动机构受外界冲击而发生失步或掉棒时应根据情况给予处理。若机构正常可逐步恢复;若机件损坏,可按掉棒故障来处理。

(3)定期对控制棒设备检查的要求

①定子绕组对地绝缘电阻,位置指示器线圈对地绝缘电阻及初、次级间绝缘电阻每月检查一次。

②每季度应检查一次磁阻马达静止通电时的转子吸合(半合与全合)、释放(半开与全开)电流等特性参数,并作好记录。如发现与正常值有较大差异时,应分析查明原因。

③在运行初期一两个月内及其以后,每半年要检查一次,一般在0.7~1.0 s之间属正常,不在该范围内应查明原因。

(4)控制棒驱动机构故障的分类

控制棒驱动机构在运行中的故障一般分为两大类,即电气故障和机械故障(又分为堆内、堆外两种情况)。电气故障:往往因失电或烧保险发生掉棒;当控制失效时可能发生卡棒(卡棒也有机械因素)。典型的船用核动力装置控制棒驱动装置,如图7.8所示。

一般来说,压水堆堆内控制棒驱动机构故障多半是由控制棒导向部分阻力过大,超过了驱动机构的提升能力,而使控制棒组件卡住造成的;堆外故障多半是由于驱动机构在高温无润滑的恶劣条件下,因热膨胀变形或腐蚀产物的积累导致轴承卡滞,运转不灵,发生失步。这类故障在程度轻微时,往往不易分辨,即表现出轻度失步。但故障的发展可以对两者作出判断。堆内故障往往容易危及堆的安全,而且检修费用昂贵,工作量大;而堆外故障虽不会直接危及堆的安全,但它极为影响堆的正常运行。

寻找驱动机构故障的原因是较复杂的。首先要区分是电气控制部分还是电机定子部分的原因。因此除按操作规程进行外,还必须靠日常的经验积累。

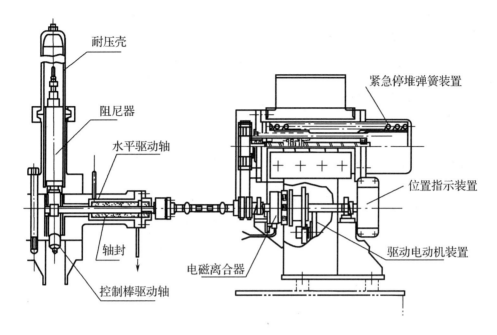

耐压壳

阻尼器

水平驱动轴

轴封

控制棒驱动轴

紧急停堆弹簧装置

位置指示装置

驱动电动机装置

电磁离合器

图 7.8　典型的控制棒驱动装置

2. 最佳提棒程序与控制棒管理

（1）最佳提棒程序

控制棒的提升程序有多种,通常我们在使用中只选取一种提棒程序。控制棒提升或下插强烈地影响堆芯功率的分布,功率分布均匀与否关系到额定功率的发挥和能否破坏热工安全准则等问题。在正常运行时,燃料元件最大中心温度取决于热管的局部最大发热量、最小烧毁比,取决于元件包壳表面与冷却水的传热状态和该元件的发热均匀程度。在一定水力特性条件下,二者都取决于堆芯功率分布的均匀程度,即体积不利因子。然而功率分布依赖于中子通量的分布,而通量分布是由控制棒的提升或下插的状态决定的,所以不同棒栅位置以及改变棒栅位置,就会有不同的提棒程序,也就会有不同的通量分布或功率分布。为了保证在反应堆有效寿期内都能得到额定功率,同时又不至于破坏热工安全准则,就需要根据物理热工计算和实验选择一种提棒程序,既能尽量展平功率分布,减小不利因子,又能得到一个较均匀的燃耗分布。这样一种提棒程序称为最佳的提棒程序。对于一般压水堆来说,最佳提棒程序的操作原则是先提外圈棒,再提中心棒和里圈棒。

（2）控制棒运行管理原则

控制棒的运行管理是保证反应堆安全可靠运行的一个重要问题。下面从控制棒的使用方面提出下列原则。

①在反应堆运行过程中,提升控制棒必须按最佳提棒程序操作,不得随意改动。因为若提棒程序变更了,各组棒的效率会随着周围棒态的改变而变化,引起调节棒的积分效率曲线改变,同时临界棒位也变了。操纵人员就会失去衡量反应性尺度。此时的核测量系统因探头位置效应的影响,使得测量结果表征不了堆内实际功率的状况,相当于操纵人员失去监督堆内状态的眼睛一样。所以不得随意变更最佳提棒程序。

②即使在掉棒故障下运行也要按最佳提棒程序的提棒顺序来操作(必要时经过论证分析方可改变)。如果变更提棒程序,功率分布就完全变化了。如果掉落堆芯的棒组不属于设计时允许的范围,落棒后仍按原提棒程序继续长期的工作,会造成堆芯通量烧偏,影响堆的均匀燃耗和堆所发出的额定功率。所以当发现有棒掉落提不起来时,应及时检查和设法抢修,排除故障。在故障无法排除而仍需继续运行的情况下,回到码头后应设法修复,作出通量倾斜情况的测定,适当调整以后运行的棒位,纠正烧偏通量现象。

③在变更提棒程序时,必须做出各种特性实验,如堆芯通量分布测量、调节棒效率刻度、实验核测量探头的位置效应、校核核功率表等。缺乏实验条件又不能及时做出这些特性实验,在堆芯功率分布发生歪斜的情况下,不能长期工作。必须工作时,一定要降低功率运行,防止发生通量烧偏的现象。

④如果运行过程中调节棒掉落堆芯无法提起,又在100个满功率天之前,只好改变提棒程序。此时,功率分布有些倾斜,所以运行的最高功率要相应地降低。同样,在回到码头之后,应设法修复故障的控制棒。

7.2.6　电气设备与控制仪表的运行管理

1. 电气设备的运行管理

电气设备的运行管理是核动力装置运行管理的基础,在核动力装置的安全运行中占重要的地位。一般说来,核动力装置中的电气设备主要包括汽轮发电机组、电气控制台、柴油发电机组、中频发电机组、应急推进电机、电气网络、灯光、报警、音响信号装置等。这些设备的运行管理都必须按各自的使用保养条例进行,不得有半点马虎。就其共性来讲,电气设备运行管理应遵循以下原则。

(1)电气设备的金属外壳与船体的接地应可靠、正确的连接,接线盒完好并注意密封性。

(2)电气设备的着色应按规定,不许任意更改,如颜色脱落应及时补上。

(3)所有电气设备应清洁、干燥,按规定严格检查测量和保持电气设备的正常绝缘电阻。

(4)工作灯绝缘应良好,灯头的保护罩和玻璃应齐全完好。在水柜、油柜等处工作,应使用24 V工作灯,在电池室、电池自动器及其他必须带电作业的地点工作,应使用绝缘的工作灯。

（5）禁止使用不符合规格的保险丝和绝缘不符合要求的电暖器、电动工具。

（6）检查和保养电气设备时，首先必须断开电源开关（闸刀），并挂上"不许送电"的牌子，必要时拔掉保险丝，并指派专人看管。

（7）在带电的电气设备附近工作时，应使用绝缘工具。拔保险丝时，注意手不能接触带电部分，并禁止带负荷拔、装保险丝。

（8）因抢修而拆开的导线，元件要有标记，导线端头要包扎绝缘。

（9）主电站、电气控制台周围及强电控制站等处应铺有 3 mm 厚的绝缘橡胶或地板布。

（10）在电气设备工作时，严禁触摸转动和带电部分。擦拭换向器时，只能在不带电的情况下使用专用工具进行，并避免擦拭材料被旋转卷入换向器。

（11）电气设备附近不得放置可燃物品（木材、麻屑、布垫、酒精、油类等）。由于短路或其他原因发生火灾时，应首先断开失事电气设备的电路。灭火时，可用石棉布、绝缘棒、电压气、蒸馏水等，如火灾扩大蔓延，而上述器件不能灭火时，可使用泡沫灭火器。

（12）修理后或长期未通电的电气设备，通电前应检查有无人员在进行工作。

（13）电动工具特别是电钻应保持良好的绝缘，每次使用时应检查绝缘电阻。外壳应有地线。

（14）未经允许，禁止将临时的或可移动的电气设备从非规定的地方取得电源，禁止安装临时的电气设备和照明。

（15）在导线及电缆附近工作时应注意以下几点：

①不要敲击到电缆和导线；

②不准在导线或电缆上挂重物；

③在进行电焊、气焊时，不允许火焰接近导线和电缆，也不允许把金属屑喷在导线上，应采取措施保护电缆。

（16）未经考试合格的人员，不得独立工作。非电工人员，不准乱动电气设备。

（17）使用电气设备时，应填写日记簿及值更登记簿，电气设备的技术状况检查修理及重大故障，应按规定填入履历表内。

2. 控制设备、测量仪表的运行管理

控制测量设备及仪表是核动力装置安全运行的耳目。实践表明，实际运行过程中不少误停堆都是由于控制系统的误动作造成的，这给核动力装置的安全带来一定的影响，因此控制系统设备及测量仪表的运行管理显得极为重要。而控制系统设备及测量仪表的运行管理没有统一的模式，有些要通过不断积累经验来实现。因为各控制测量设备均由众多的元件组成，而各设备使用的元件又不相同，其可靠性不一样，在这些设备管理中应进行区别对待。但作为共性应对装置系统及设备进行通电预热，仪器设备应进行表面清洁，运行前应检查装置设备面板上的按钮能否准确动作,检查各灯光信号是否正常,应加模拟信号对系统定值器进行检查调整,使其工作在正常范围内,应检查装置系统内外部接线端、插头及接线箱有无松动或接触不良,并予以清除。严格检查各电气设备的绝缘电阻,对已老化的元件予以更换。除对这些共性要求进行检查外,对以下一些重要系统设备应进行详细检查。

（1）核测量系统

检查供电电源和系统电气绝缘特性;系统自检方式的检查;核测量探头的灵敏度、信号传输线路绝缘性能的检查;核测量仪表的精度检查,核测量通道的互为备用性。

（2）反应堆功率控制系统

应对磁阻马达的绝缘性能和电气插头、插座紧密度进行检查;控制棒性能检查;控制棒及驱动机构运行状态及运转性能参数的检查;低频电源的工作可靠性和电源转换性能的检查;进行自动、手动功率调节功能及其性能检查;对功率控制跟踪性能的检查。

（3）反应堆保护系统

进行保护系统的保护通道自控方式检查;对保护通道工作可靠性、正确性和互换性进行检查;对报警通道进行检查;对保护系统响应时间进行测定,对保护系统的定值进行校验等。进行单机调试整定,检查各定值器、放大器的准确性、可靠性,检查的项目有周期、低压、断流、功率流量比、超温等,并进行堆保护、核测量柜、联合控制台、磁性部件柜联合调试检查。

（4）辐射监测系统

检查元件破损监测系统的可用性;检查双道污水监测系统的可靠性;气流β仪和气溶胶监测仪的可用性检查;多道γ仪的检查;其他监测仪表的检查。

（5）磁性部件柜

对磁性部件柜的供电检查;磁性部件柜各插件保险丝是否完好,检查外部接线端子、接线是否可靠;检查绝缘电阻是否在正常范围内,进行温度的通道及系统联调;进行压力测量通道及系统联调;进行压差测量通道及系统联调;进行流量、水位、功率调节测量通道及系统联调;各定值器的通道及系统联调;对自动投入、切除、报警设备系统进行检查。

（6）热工测量和热工控制系统

对巡回检测装置进行工作性能和可靠性检查;进行巡检各部件调整;对反应堆保护参数的显示、控制通道的可靠性进行检查;对运行安全重要参数的显示、报警和控制通道的可用性进行检查;对自动调节和自动控制装置的工作可靠性和性能进行检查。

（7）差压计、压力传送器等测量仪表

对差压计、压力传送器及表盘、表头经常进行表面保养;检查差压计、压力传送器工作状态是否正常;各仪表热测分电箱是否关闭;用差压计、压力传送器就地测点进行开关、转动检查;检查差压计、压力传送器内有无潮湿或结露,检查密封橡胶有无失效;检查元件有无损坏或烧毁,印刷电路板有无腐蚀情况,各焊点、焊线有无松动;各表头能否正常动作,检查差压计、压力传送器仪表、阀门、接管头、本体端盖有无渗透,检查固定减震器有无松动、失效等。

7.3　核动力装置主回路管道、阀门的运行管理

7.3.1　核动力装置主回路管道运行管理

对于常见的船用压水堆,主回路管道连同压力容器构成第二道屏蔽,但它不像压力容器那样承受强烈的中子和射线的辐照,显得与压力容器相比易于检测和修理,然而不能忽视主回路管道的运行管理。一般失水事故都是由主回路管道破裂或泄漏所引起的。尽管这种概率不大,但在核动力运行管理中应引起足够的重视。主回路管道材料一般为不锈钢,其连接方式有两种,即采用滚压和焊接方法制造,然后采用无损检验焊缝。主回路管道应定期进行在役检查,以确保核动力装置的安全运行。在反应堆投入运行后,主回路管道的运行管理应着重考虑以下几个方面的问题。

1. 管道周期性负荷和疲劳

主回路管道系统工作环境恶劣,在设计和布置时除考虑主回路系统压力和支撑部件质量所造成的负荷外,还必须考虑反应堆在启动、停闭、功率水平变化和其他瞬变时所发生的热膨胀和收缩。如果主冷却剂环路没有足够的挠度,此种局部热应力可能引起严重周期性负载,这样就有可能由于低周波、高应变热疲劳引起失效的可能性。对于压水堆,冷却剂为水,也会因为反应堆堆芯经常性的出入口温度差的变化,使热疲劳和热应力加剧。在反应堆运行中,要严格按温压限制图运行就是为了减少这种影响,加上水中具有强放射性对管路的材料结构会发生一定的影响,会导致主回路管道的疲劳和损伤。

2. 腐蚀影响

在舰船压水型核动力装置中,主回路冷却剂采用无离子水,对水质具有一定的要求。如果主冷却剂中有杂质混入,杂质的腐蚀侵蚀将导致主系统压力边界的破坏。事实上腐蚀是一个长期的过程,先从局部开始,从腐蚀机理来讲,往往是由小变大,由量到质变化。作为主回路管道先为腐蚀损坏,一般先使泄漏逐渐增加,而后导致失效乃至破裂(但若因腐蚀引起,则往往不是突然间破裂)。因而在大量丧失冷却剂事故之前,若管理得好,可以探测到腐蚀损伤而预先加强预防措施。而往往困难的是,部分腐蚀发生在与冷却剂工作介质相接触的管道表面,从而给处理带来麻烦。因此在运行管理中要严密监测水质,及时进行除氧和加联氨,将管道的腐蚀控制在允许的范围内。

3. PWR 回路泄漏率的计算

一般根据绝对压力法计算回路的泄漏率,反应堆压力容器内的状态方程为

$$(p_1 + p_{v1})v = p_{m1}V = G_1RT_1$$
$$(p_2 + p_{v2})v = p_{m2}V = G_2RT_2$$

其泄漏率为

$$Q = (1 - \frac{p_{m2}T_1}{p_{m1}T_2}) \times 100\%$$

日泄漏率为

$$L = \frac{24}{H}(1 - \frac{p_{m2}T_1}{p_{m1}T_2}) \times 100\%$$

式中　Q——在一段时间内泄漏的液体质量与反应堆内液体质量之比,用百分数表示;

　　　L——24 h 内的泄漏量,用百分数表示;

　　　p——反应堆压力容器内的绝对压力;

　　　p_v——反应堆压力容器内的蒸汽分压;

　　　p_m——反应堆压力容器内空气的绝对压力,$p_m = p - p_n$;

　　　V——反应堆压力容器内的容积;

　　　G——反应堆压力容器内的空气质量;

　　　T——反应堆压力容器内的绝对温度;

　　　R——气体常数;

　　　H——从测定开始基准时刻到测定结束经过的时间。

7.3.2　核动力装置用阀门的运行管理

船用核动力装置系统中的阀门运行管理在核动力装置系统中占有重要的位置。压水型反应堆装置一般由十几个系统组成,而所有的回路系统、管道、动力设备、存储罐、各种水箱、油箱等均配有相当数量的各类阀门。动力装置的功率越大,管道的直径就越大,在这些系统中安装的阀门就越重要,对阀门的强度和可靠性的要求就越高。

核动力装置上装配的阀门可分成一回路系统阀门、高压和中压参数的阀门、二回路阀门,以及辅助系统和管路的阀门,由于核动力装置用阀门处于恶劣工作环境下,因此对其的管理就显得相当重要。

1. 核动力装置对阀门的要求

在核动力装置系统中,阀门是以部件形式出现的。但它却是各个系统连成整体的纽带,任何因阀门引起的故障均可能引起严重的后果,甚至发生事故。在核动力装置中由于使用位置、作用不同,阀门完成的功能及要求也不同。阀门工作参数和介质以及所完成的

功能不同,在管路上安装的地点、操作和运行条件也不一样,因此对不同类型、不同等级和不同形式的阀门必须提出不同的要求。

（1）一般要求

①强度和刚度——能承受持久的和短时间的压力、作用力和扭矩的能力,而不出现明显的弹性和塑性变形,以保证产品能正常的工作;

②耐久性——在预定的时期内,在首次故障之前能以给定的概率无故障地或以允许的故障率完成自己功用的能力;

③对于工作介质具有耐腐蚀性;

④循环寿命——以给定的概率,在首次故障之前,完成给定的循环动作次数的能力;

⑤外密封和内密封,即对外部介质能密封,对被阀瓣所截断的两段管道能密封;

⑥采用所要求的驱动装置和能源(电源、水源、汽源、油源、压缩空气源);

⑦保证给定的(截断流道)动作速度;

⑧能安装在所要求的位置上;

⑨规定与管道连接的方式(焊接、法兰连接、端面接头连接或卡套连接);

⑩操作简单方便——能在操纵人员方便的位置上,用规定的操作方便地手动操作阀门;

⑪结构的工艺性能——制造时耗费最少的劳力资金;

⑫检修方便——耗费最短的时间、最少的劳力和资金就能恢复阀门的工作能力;

⑬尽可能减少用材及减轻设备质量;

⑭真空密封性能;

⑮阀瓣和阀座等部件结构材料的耐冲、耐腐蚀性;

⑯具有备用手动驱动机构;

⑰带手动就地操纵和遥控操纵的阀门,应有就地阀瓣位置指示器;

⑱遥控操纵的阀门应有终端位置信号器;

⑲将阀瓣停放在任意位置上的可能性;

⑳有调整关闭和开启动作持续时间的可能性;

㉑无人维护,即阀门不进行技术维护、调整、定期上油等就能完成自己的职能;

㉒无噪音和无振动;

㉓无易激活的合金元素(如钴及其他某些元素);

㉔当阀门长期处于关闭或开启位置时,能保证可靠地动作;

㉕介质易于从阀门的内腔排放的可能性;

㉖当向阀门充注介质时有放出空气的可能性;

㉗不应有难于清洗的滞流区和内腔;

㉘具有清洗内腔用的可拆卸的手孔盖。

（2）特殊要求

除了上述条件外，还有如下特殊要求。

①阀门的主要参数：等级、所要求的结构形式、公称通径、流通能力系数、公称压力（工作压力和工作温度）、控制方式、驱动装置的类型、气动或液动的工作介质、动作时间、所要求的流体阻力系数值、密封度。

②运行条件：介质及其性质、工作压力和工作温度、工作压力和工作温度的可能波动值、化学成分。侵蚀性和放射性水平、阀门的主要用途和它在系统中的安装位置、动作频率（启、闭时间）、可利用度。运行期限、工作年限（一般为 25～40 年）、所要求的可靠性指标、维护和检修的可能性。

③附加要求：可能出现的偏离正常运行条件（冷水进入加热过的阀门内而发生的阀内热冲击），要求在电源和压缩空气参数发生偏离等的不同情况下，都能保证达到阀门必要的开启和关闭位置，等等。阀门必须能排空、清理、清洗和放射性去污。

除了上面列举的以外，对于某些类型的阀门，为了满足特殊的运行条件，还可能要求一些附加的数据。

2.核动力装置常用阀门的种类

在核动力装置中应用的阀门包括以下几种。

（1）切断阀

其主要用于一回路系统中，工作在复杂条件下的主管道上。切断阀又分为闸阀（切断阀、节流阀（滑阀））、快速动作阀、保护阀。切断阀的优点是工作可靠性高。

（2）截止阀

其主要用于常闭状态，如事故状态下的投入阀。其优点是阀瓣行程小，具有较可靠的密封性。截止阀主要有蝶阀和电磁阀。

蝶阀：优点是结构简单，造价低，但要在蝶阀内切断流道而不漏是较困难的。一般用于介质压力在 4 MPa 以下，工作温度在 150 ℃以下的场合。

电磁阀：优点是动作时间短、尺寸较小、质量轻，能用交直流操作。一般用于介质温度在 150 ℃以下的场合。

（3）调节阀

调节阀按操作方式分为由外部能源（气动、液动和电动）操纵的调节阀，靠工作介质本身或无外部能源操纵的调节阀、手动阀或截止阀。

按调节介质流量方式分为单座和双座调节阀、调节闸阀、浮球调节阀、蝶形调节阀。

（4）安全阀

安全阀的功能是当设备或管道内的压力超过极限值时，能自动从中排出气体、液体或蒸汽。

①根据用途划分

安全阀可分为周期性动作安全阀和防爆膜阀。

周期性动作安全阀：允许动作多次，并在回座时能保证所要求的密封度。

防爆膜阀：只供一次动作，排放介质，动作后要求更换整个防爆膜阀和更换防爆膜。

②根据动作原理划分

安全阀可分为直接作用安全阀和脉冲式安全阀。

直接作用安全阀：在介质对关闭件或敏感元件的直接作用下，阀可以自动开启。

脉冲式安全阀（装置）：在介质压力作用下首先促使装置上的脉冲阀（副阀）动作，然后再靠副阀推动主阀，保证其开启。

对于核动力装置上用的安全阀，还有一些特殊要求，如提高阀座的密封性和对周围介质的密封性；提高阀动作和回座的精确度，回座压力低会造成放射性气体的大量排放；提高耐久性，主阀的使用期限应与主要设备的使用期限相等；提高可靠性，因为主阀的自发动作或压力升高时不动作，都会引起严重的事故。

3. 核动力装置用阀门的运行管理

在运行管理中，可靠性是构成阀门质量的因素之一，而阀门的质量是决定阀门能否完成赋予它功能的性能的总和。它表征阀门的运行质量，而且这个参数的重要性对于不同用途的阀门是各不相同的。对于主管路上的阀门，可靠性是一个决定性的因素，而对于支管路上的阀门，随着服务对象重要性的降低、介质压力和温度的下降以及它的侵蚀性和毒性的减弱等，其可靠性参数的重要性亦随之减小。

根据阀门的用途和运行条件，运行管理应包括工作中无故障、零部件和系统的耐久性，结构和零件的可检修性，在运行、存放和运输过程中保持完好状态，等等。

阀门的管理应以阀门完成预定功用的性能为基本要求，即能把规定的运行指标随时保持在需要的范围之内。对于管道阀门来说，它的运行指标包括下列各项：能使关闭件持久地保持关闭截流功能；填料能稳定地保持其密封性能；作用力和水力学特性不变，即保持手轮上的操作扭矩和阀杆上的操作力不变；阀瓣的开、关循环期不变；调节阀的调节特性不变；保持恒定的安全阀开启压力及排放能力，等等。

阀门在某一个时期或某一段时间内，能连续地保持其工作能力的这种性能称作无故障性，它既包括阀门的运行阶段，也包括阀门的存放和运输阶段。

正在运行的阀门应处在一种工作能力状态，在这种状态下它能完成预定的功能，使给定参数值维持在标准技术文件所规定的范围内。即使一个给定的参数超出规定的范围，也认为阀门处于故障状态，当工作能力受到破坏就产生故障。评价阀门故障状态的准则，一般在标准技术文件内已有了规定。故障可能产生于损伤，即由于外部作用的影响破坏了阀门或它的组成部分的正常状态，或是腐蚀而引起的损坏等。

　　根据故障出现的特点,可分为突发故障和渐进故障两种。突发故障的特点是一种或几种给定的阀门工作参数发生阶跃式变化;渐进故障的特点是一种或几种参数发生逐渐变化。

　　故障一般可分为独立故障和从属故障两种。阀门部件的故障一般为独立故障;从属故障是由阀门其他部件的损伤所引起的。根据故障起因的特点,可分成结构性故障(它的发生是同时违反了阀门设计所规定的标准和规程的结果),生产性故障(它的发生是由于破坏了阀门所规定的生产和检修程序),运行性故障(它的发生是由于破坏了阀门所规定的运行规程和条件)。

　　阀门从有工作能力状态过渡到无工作能力状态这一事实的征兆,可作为确定故障的准则,即使是一种给定参数偏离了规定的范围也可引起有工作能力状态的破坏。阀门的故障准则包括严重丧失关闭件的密封性,可移动部件卡塞,阀杆滑行螺母失灵,驱动装置的零件受到破坏,隔膜及波纹管破裂,拧紧螺母也不能消除法兰连接处的泄漏,等等。

　　在阀门的运行过程中,零件会发生材料性能和零件尺寸的变化,当这些变化(腐蚀、浸蚀、磨损)的影响日益积累而造成的故障,一般为渐进性故障。如果已知腐蚀、磨损、受热老化等过程的规律性以及各种因素(如腐蚀组分的浓度、温度、压力等)对它的影响,那么受这些过程制约的耐久性可以通过计算求出。例如,在给定的工作条件下,根据壁厚变化的速度可以预测出经过多少时间阀体或阀盖的壁厚减薄到极限容许值。

　　除了有规律的过程外,阀内还可能出现引起故障的偶然(突然)现象。例如,由于进入固体颗粒而使闸板的密封性丧失,由于温度波动而引起的活动连接部分的零件楔死。发生故障的概率是用概率论方法来求解的,因为即使在运行条件下阀门内所进行的规律性过程,如腐蚀、磨损等,也是在机件的工况经受一定变化的条件下进行的。它们的结果同样受某种波动所制约,并具有随机的特性。总之,故障可渐进地和突然地发生,但应把它看作是随机过程的现象。

　　4. 核动力装置用阀门故障的分类和原因

　　结构上或者说构造上的故障决定于阀门的具体结构。采用熔断保险丝、双金属片或磁力电流限制器、扭矩限制器等这样一些保护手段,能保证结构具有良好的性能,当产生临界条件时,不至于引起永久性的致命故障,而能使故障只具有暂时的性质。同样采用这些手段的还有大直径截止阀和闸阀。采用旁通管,虽然旁通管与主管路并联连接,但它不能看作后备元件,由于它的流通能力比主管路要小许多,它的作用是改善阀门的控制条件,并消除阀瓣开启和关闭时可能出现的水击。

　　产生故障的原因,取决于阀门运行过程中能使参数维持在技术文件所规定范围内的能力。这些参数包括操作手柄上的操作力,手轮的扭矩、阀瓣、填料、垫片的密封性、安全阀和减压阀的排放能力和流通能力、调节阀的特性,等等。当上述任何一个参数达到允许极限而使阀门达到极限状态时,就发生参数性故障。

　　故障可看作是随机现象,但其起因决定于零件表面和内部发生的一系列过程,如在压力、温度、机械磨损、应力、化学作用、放射性照射、打击、振动等作用下所进行的各种过程。

　　丧失功能的致命故障(零件损坏、变形、楔死等)是因零件内产生的应力高于给定材料在其原有状态下的极限允许(临界)值,或因零件内产生的反作用力超过阀门驱动所提供的力。同一种材料的临界应力和临界载荷因制造工艺上的偏差和运行条件对它们的影响不同而不同。因此,当制造的零件为高质量时,故障将发生在相当于故障分布在密集的临界值附近,当低质量时,则离散得相当大。由于这个原因,在压力、温度、应力和其他因素的作用下,阀门材料的性能不断地变化着,应力或载荷的临界值也变化着,但它们总是随机量。

　　阀门构件中只要有一个故障,则阀门就发生故障。在这种条件下,阀门的可靠性取决于最薄弱环节的可靠性。下面列出管道阀门某些可能的故障起因和对它的评价。

　　(1)突然性致命故障

　　①阀体中的一个零件(外壳、阀盖、楔块等)受到破坏;

　　②操作阀瓣的驱动机构零件(阀杆、阀杆滑行螺母、齿轮等)受到破坏;

　　③操作阀瓣的驱动机构或阀瓣被楔住;

　　④波纹管受到破坏(指带波纹管的阀门);

　　⑤隔膜受到破坏(调节阀,压力调节器);

　　⑥紧固件(阀体和阀盖连接的螺栓)受到破坏。

　　(2)渐进性致命故障

　　在很多情况下,当及时发现时,渐进性致命故障可转化成非致命故障的有以下几种:

　　①介质通过填料、阀体与阀盖法兰间,管道与阀体连接法兰间的渗漏;

　　②由于阀瓣的浸蚀性磨损使调节阀水力特性改变;

　　③磨蚀性液流对阀体的磨损;

　　④零件的磨蚀性损耗;

　　⑤阀杆滑行螺母或阀杆螺纹的磨损。

　　(3)渐进性和突然性非致命故障

　　①重紧螺母可以消除填料泄漏故障;

　　②重紧螺母可消除垫片连接处的泄漏;

　　③由于在阀瓣上落入杂物而使阀瓣不密封,不需从管道上卸下阀瓣就可消除的故障;

　　④阀瓣黏在阀座上,不需要将阀门从管路上卸下就可消除的故障;

　　⑤电路接触受到破坏,不需要拆除电气设备就可消除的故障;

　　⑥信号系统的故障,及时发现并在不需要拆装电气设备就可消除。

　　为了研究故障的起因,必须将阀门构件划分成组,每组具有共同的运行和结构特性,去研究它们的工作条件、以小时和以循环次数计的工作时间、它们的参数变化规律和故障分布规律。

由于蠕变或类似的现象,阀体零件承受热老化,由于晶格内和晶间腐蚀,阀体零件又承受腐蚀磨损,因而垫片失去密封性。橡胶零件(隔膜、填料环、垫片)既承受机械磨损,也承受热磨损,结果改变了它们的尺寸,失去了橡胶的弹性(老化)。

以上这些情况,都是在运行管理中必须注意的问题。

7.4 核动力装置水质控制管理

7.4.1 水质在核动力装置安全运行中的地位与要求

在压水型核动力装置中,水质将是影响压水堆主要设备在工作寿期内安全运行的关键问题,水质的管理应摆在重要议事日程上来。这里讲的水质包括一、二回路。从一回路水质管理来看,有其特殊的问题。对于压水堆,一回路水是载出堆芯热量的冷却剂。燃料元件在高温、高压、高通量的条件下工作,为保证燃料元件表面没有污垢沉淀,就必须严格控制一回路水质。而一回路冷却剂处在高温高压、高流速、高通量辐照的工作条件,水质的好坏会引起或加剧反应堆结构和燃料包壳材料的腐蚀,导致反应堆系统剂量水平的积累增加,引起放射性危害,加速水的辐照分解。水质不合格,会加剧反应堆材料的腐蚀,因为在反应堆和一回路系统的设备中大量使用不锈钢材料,在此情况下,若忽视对水中氯离子和溶解氧的控制,就有可能使某些重要设备发生严重的应力腐蚀和损坏,甚至报废。因此为保证反应堆及一回路的安全运行,必须对主冷却剂水质进行严格的控制和管理。其次对于二回路,同样为保证装置的安全运行,必须提出相应的水质指标。为防止或减少蒸发器的结垢,必须严格控制水中含氯量和进入蒸汽发生器中的含氧量,以防止不锈钢管材的应力腐蚀破裂,使装置安全可靠的运行。因此压水堆在运行中必须对水质提出严格的要求。

7.4.2 水质控制的一般方法

1. pH 值控制

pH 值是表示水中氢离子浓度值的一个量。在常温下,中性水的氢离子浓度为 10^{-7} mol/L,即 pH = 7。当 pH 值大于 7 时,溶液呈碱性;而 pH 值小于 7 时,溶液呈酸性。pH 值的大小对金属材料的腐蚀速率有很大影响。冷却剂水偏碱性时,金属表面会形成一层致密的氧化膜,能使不锈钢材料的腐蚀明显下降;但当 pH 值过高时,会引起材料的苛性脆化。若想把冷却剂调到碱性,需要大量加入碱溶液,而这些化合物的浓度过大会加速元件的腐蚀。因此核动力装置一般取 pH 值为 6 ~ 8。

2. 氧含量控制

氧是造成金属材料腐蚀的重要原因之一,冷却剂水中的氧来自两个方面:一是核动力装置启动时系统充水,以及在补水的备制和储存中,由于水和空气相接触而溶入的氧,称为溶解氧;另一种是水在压水堆内由于射线的辐照分解而产生的辐照分解氧。

(1)溶解氧的控制

目前核动力装置中一般采用加联氨除氧的方法,通过联氨与冷却剂水中的氧发生反应而达到除氧的目的。根据其特性,只有当冷却剂温度在 90 ~ 120 ℃ 范围内时,这种化学反应的反应速率最快、除氧效果最好。其原因是联氨的分解和氧化产物都不会增加水中溶解固体,联氨在高温下分解成氨有利于提高 pH 值,氯和高氯酸能很快使联氨氧化成氮,对金属抵抗氧的点腐蚀提供了保护。因此在运行过程中,一般在冷却剂温度达 90 ~ 120 ℃ 时应停止升温数小时。进行加联氨除氧时要特别注意的是联氨系剧毒、易燃、腐蚀性强的氮氢化合物,使用时要特别注意安全。另外,它又是一种不稳定的化合物,在温度高于 175 ℃ 时会逐渐分解,生成水、氨和氮气,所以进行除氧操作时尽可能在 90 ~ 120 ℃ 时进行,不要待温度过高才实施。

(2)辐照分解氧的控制

冷却剂水在反应堆内受射线的辐照分解生成氢氧根和氢离子,氢氧根离子进一步又分解为水和氧。为抑制水的电离分解,向系统内加入过量的氢气,让可逆反应朝着复合方向进行,实现辐照分解氧的控制。

3. 氢含量控制

压水堆核动力装置的冷却剂中必须对含氢量进行控制,若含量过多,会给锆合金包壳带来氢脆问题。锆合金的含氢量随着冷却剂中氢含量的增加而增加,当锆合金中吸入的氢超过其固溶极限时,会以氢化物形态析出,而使材料变脆。大量的数据和运行经验表明,在标准状态下冷却剂水含氢量在 25 ~ 35 mL/kg 范围内比较合适,在这种情况下,既能起到抑制辐照分解氧的作用,又可避免出现严重的锆合金氢脆现象。

4. 氯含量及氟含量的控制

核动力装置中大量使用了不锈钢材料,而不锈钢的应力腐蚀是引起设备损坏的重要原因之一。造成应力腐蚀有两个方面的条件:一是设备受外力作用或在加工过程中留下的残余应力;另一个是冷却剂中存在着氧离子和氯离子,而后者是造成应力腐蚀的必要条件。因此必须对核动力装置水质中氯含量和氟含量进行严密的控制。

冷却剂中氢离子的主要来源是密封填料、化学添加剂、离子交换树脂等外来物质,所以控制氯离子的主要措施是严格控制含氯物质的使用量。而氟离子的来源主要有几方面:用含有浓硝酸、浓氢氟酸的溶液清洗锆合金属后未用高纯浓度除盐水冲刷干净,材料表面上留着的部分氟离子被带入了冷却剂,一些密封填料如聚四氟乙烯、石棉绳等材料在冷却剂中溶入了少量氟离子。一般说来,氟离子的含量超过 1×10^{-6} 时,对锆合金有明显的侵蚀作用。

7.4.3　典型船用堆的水质指标控制与管理

一般船用堆的技术要求和规程都规定了核动力装置各回路水中的杂质组成和容许量指标,不仅对航行期间各回路在设计参数下工作时的水质指标进行了规定,而且对初次充注、串洗和回路的补水、反应堆重新装料不工作期间和在非工作状态下保养时也都作了规定。此时每个回路按不同组合规定了如下水质标准值:pH 值,固形残余物,氧、氯化物,氟化物,铁、铜的含量,总含盐量或水的电导率,水的比放射性,以及为保持给定的水化学工况而加入的工艺添加剂的浓度(氢、氨、硼酸、碱等)。

电导率与 pH 值有关,即与含盐量有关(见图 7.9),其能很容易且精确地测定。

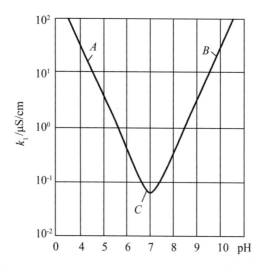

图 7.9　在 25℃下水溶液的电导率和 pH 值的
关系曲线

A—酸式盐区域(例如 HCl);

B—碱式盐区域(例如 NaOH);

C—中性盐区域

国外典型船用堆一回路水质基本要求见表7.3。

表7.3　一回路水质要求(在氨和氨–磷水工况下)

水质指标名称		在码头最初充满的水和补水指标	在航行期间的补水	指标值			
				一回路水在码头不工作和启动装置时		在航行期间的回路水	
				标准值	极限值	标准值	极限值
pH 值	pH	5.5~7.0	5.5~7.0	9.0~10.5	9.0~10.5	9.0~10.5	9.0~10.5
氨含量/(mg/kg)	NH^{3-}	—	—	10~60	5.0~60	10~60	5.0~100
磷离子含量/(mg/kg)	PO_3^{4-}	—	—	10~10	1.0~10	1.0~10	1.0~10
全固残留物/(mg/kg)(不大于)		1.5	—	5.0	10.0	—	—
铁含量/(mg/kg)(不大于)	Fe	—	—	0.1	0.5	0.1	0.5
氯离子含量/(mg/kg)(不大于)	Cl^-	0.025	0.025	0.05	0.1	0.05	0.1
溶解氧含量/(mg/kg)(不大于)	O_2	0.02	0.02	0.02	0.1	—	—
折算至 NaCl 总含盐量/(mg/kg)	C/C	1.0	1.0	—	—	—	—
电导率/($\mu\Omega^{-1} \cdot cm^{-1}$)(不大于)	×	2.0	2.0	—	—	—	—
比放射性/(Bq/kg)	A	—	—	—	—	$10~10^{-7}$	$3.7 \times 10^8 (10^{-2})$

俄罗斯某型反应堆一、二回路水质的标准和指标,如表7.4、表7.5所示。

表7.4　某型的反应堆一回路水质标准和指标

水质指标	水质标准	实际值
pH	>6	7～9.4
浓度/（mg/kg）		2～12
钾	2～16.5	3～20
氯化物	<0.1	
氢的浓度/（cm³/kg）	30～60	25～50
硼酸的浓度/（g/kg）	0.8	0～6
稳定工况下折算为氧化铁的腐蚀产物浓度/（mg/kg）	<0.2	0～0.1
总β平均放射性/（Ci/kg）	不作规定	2.5×10^{-4}

表7.5　核动力装置二回路水的技术标准

指　标	水质指标			
	初次充注	滤器前的给水	蒸汽发生器前的给水	补给水
按 NaCl 计的总含盐量/（mg/kg）	0.5	0.5/1	0.3/0.5	—/1
全固/（mg/kg）	不作规定/1	不作规定	不作规定	不作规定
氯离子含量 Cl^{-1}/（mg/kg）	—/0.05	0.05/0.05	0.02/0.05	—/0.5
铁 Fe^{3+} 含量/（mg/kg）	—/0.05	0.05/不作规定	0.05/不作规定	不作规定
铜 Cu^{2+} 含量/（mg/kg）	—/0.02	0.05/不作规定	0.02/不作规定	不作规定
pH 值	5～7	—	—	—
溶解氧 O_2 含量对特种合金制的蒸汽发生器/（mg/kg）	不作规定	不作规定	0.05/0.05	不作规定
对碳素钢制的蒸汽发生器/（mg/kg）	不作规定	0.15/0.2	0.02/0.05	不作规定
油含量	无	无	无	无
比放射性 A/（Ci/L）	—	$10^{-10}/10^{-8}$	—	—

附注:分子——正常的(不大于)水质指标值;分母——水质指标极限值。

俄罗斯原子破冰船的运行经验表明,严格遵守所有标准要求,经常检查汽轮机装置不同点的水质和用舷外水冷却的热交换器的密封性,二回路中的水质可以大大超过技术要求。原子破冰船"西伯利亚"号的 6 年运行数据(如表 7.6 所示)的平均值证实了此情况。

表 7.6　1978—1983 年间"西伯利亚"号破冰船二回路水质平均运行数据

检查点		按 NaCl 计总含盐量/(g/kg)	氯离子含量/(mg/kg)	氧含量/(mg/kg)
冷凝器后的冷凝水	主汽轮机	0.11	<0.05	0.1
	辅助汽轮发电机	0.115	<0.05	<0.01
冷凝水	滤器前	0.05	0.01	—
	滤器后	0.03	0.004	—
	蒸汽发生器前的给水	0.1	<0.02	0.01
	热阱	0.25	<0.05	—
	补水主储备量柜	0.55	0.055	<10
制淡水装置	蒸馏水	0.46	<0.05	
	加热蒸汽的冷凝水	~0.125	<0.05	

附注:1. pH=6.35——滤器前的冷凝水;pH=6.2——滤器后的冷凝水;

　　　2. 蒸汽发生器后蒸汽的放射性 $<4 \times 10^{-10}$ Ci/L。

7.5　核动力反应堆换料运行管理

核反应堆换料是反应堆运行管理中的一个特殊环节,是为反应堆运行服务的一个组成部分。需要根据运行的实际情况决定是否换料:当反应堆已达到了最大燃料周期,丧失了剩余反应性;当反应堆内燃料元件破损数目已达到千分之一以上,回路沾染严重而不能正常运行时;反应堆堆芯构件有重大损伤、控制棒失灵,或其他事故使反应堆不能正常运行时。

7.5.1　核燃料更换的主要任务和要求

1. 核燃料更换的具体任务

核动力反应堆在核燃料燃耗到满寿期后,必须及时更换核燃料。其具体任务如下:

(1)从反应堆内卸出原装的废旧核燃料,将新的核燃料装入反应堆内;

（2）对新旧核燃料进行吊装、运输、储存及监护；

（3）对伴随核燃料更换而吊出堆外的堆内部件,进行检验和必要的修理或更换；

（4）按规定对反应堆压力容器、主螺栓等部件和焊缝进行在役检查,并采取必要的补救措施；

（5）对换料过程中产生的放射性"三废"进行处理、储存或转运。

2. 核燃料更换应遵守的原则

反应堆核燃料含有裂变产物,对核燃料更换、运输、储存过程中的技术方案、工艺设施、操作规程和人员技艺都带来许多困难和特殊的要求,必须遵守如下原则：

（1）保证安全准确地按预定的程序和方式,实现核燃料及堆内部件的装卸、运输和储存；

（2）防止意外临界,确保在任何情况下都不发生临界事故；

（3）防止设施、设备和人员受到意外过量的辐射照射。

3. 核燃料更换的要求

核动力装置设计中,必须要有一套完整的核燃料更换的技术原则、工艺流程和技术方案的要求,包括以下方面内容：

（1）新、废以及破损核燃料组件的卸装、运输、储存、检验和必要的修复；

（2）随同核燃料更换必须同期进行在役检查的堆内部件的卸装、去污、运输、储存、检验和必要的修复；

（3）核燃料更换的设施、设备、专用工具的检查、试验、去污和维修；

（4）核燃料更换期间产生的放射性"三废"的处理；

（5）核燃料更换后环境评估及报告程序。

7.5.2　核反应堆换料的基本程序

1. 核燃料更换的准备

（1）技术准备,包括核燃料更换技术方案(含预想事故处置)的制定、论证、审查和批准。

（2）设施条件准备,包括核燃料更换的场地、吊运、储存、防护、监测、消防、救护和通信等。

（3）人员准备,包括操作人员的选配、培训、考核、资格审查和模拟演练等。

（4）物资准备,包括器材配件的筹备,工装器具的筹配、调试和检验,新料的组装和检验等。

（5）应急准备,控制核设施应急计划规定和核燃料更换具体情况,制定出相应的应急计划具体实施方案,并做好准备。

（6）实施计划准备,包括施工计划、工艺规程和各种操作卡的制定与演练法。

（7）组织指挥准备,包括核燃料更换现场组织指挥机构的组成、体系的建立、口令的制定和临场演练等。

（8）同步工程施工准备,包括结合核燃料更换同步进行的一回路检修、反应堆堆舱修理等工程施工准备等。这些准备与核燃料更换准备同步完成,并纳入统一的施工网路计划实施控制。

2. 拆堆

（1）排除裂变气体。将控制棒驱动机构顶部排气用的排气阀逐个接上排气管,逐个打开排气阀,使储存在控制棒顶部的裂变气体全部排送到专门的废物处理系统中去。裂变气体排净后,拆除全部排气阀,使外界清洁空气进入堆内。然后用专门堵塞将所有排气阀塞死。

（2）拆除堆顶结构管线、电缆。

（3）拆除堆顶一次屏蔽及绝热层。

（4）拆除控制棒驱动机构。

（5）利用螺栓拉伸机拆除主螺栓。

（6）利用大 Ω 切割机切开压力容器顶端与筒体法兰之间的大 Ω 密封焊环。

（7）安装换料水套。

（8）吊压力容器顶盖。

（9）向堆芯充硼。

（10）水下作业用专用工具吊取有关部件。

3. 卸料

反应堆卸料,指的是在反应堆已经拆开,反应堆堆芯已敞露于空间的情况下,把反应堆堆芯内已经“燃烧”过的废元件组件从反应堆堆芯中取出,送到燃料元件组件存放水池,等待化工后处理。

反应堆卸料操作必须备有专门的设备,如拟采用回转屏进行换料,即用专用设备与回转工作台、换料机构相配合进行,反应堆卸料就是利用这些设备联合操作,在水套协助下进行的。一般包括以下两个步骤:吊回转工作台于压力容器筒体法兰上;回转工作台与换料机构联合卸料。

所谓联合卸料,就是利用回转工作台对准堆芯内每一个元件组件,由换料机构进行燃料元件的抓取。典型的压水堆换料机构如图 7.10 所示。具体步骤如下:

（1）在远距离操纵台上,操纵内、外工作台按预装调试校正刻度旋转到预定刻度(角度),使内工作台上的元件门孔对准某一准备卸取的元件组件头部;

（2）吊换料机构于回转工作台上,并夹紧固定;

（3）远距离操纵元件门,使其打开;

（4）远距离操纵换料容器上的屏蔽转门，使其打开；

（5）操纵抓具下降，抓具到位后自动给出信号，电机自动停转，抓具停止下降；

（6）操纵抓具闭爪，抓住元件组件头部；

（7）操纵抓具上升，抓具到达换料容器顶部后给出指示信号，电机自动停转；

（8）关闭元件门与屏蔽转门；

（9）吊走换料容器去元件存放水池。

操纵回转工作的内外台，使内台上元件门孔对准下一个准备卸取的元件组件，等待换料容器来卸取元件……依此类推，将堆芯内所有元件组件都卸出。核燃料卸出后，根据技术标准，对卸料后的反应堆压力容器、平顶盖、安全阀及复用部件进行在役检查和必要的修理。在反应堆压力容器及堆内部件检验、修补、清洗和一回路设备拆检复装完毕后，堆内装入大型过

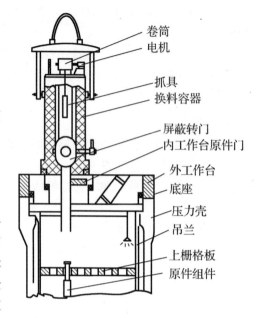

图 7.10 典型的压水堆换料机构原理图

滤器，进行反应堆一回路系统串洗，直到达到清洗度要求为止。然后进行一回路系统水压试验，检验其紧密性和密封性。

4. 装料

在新燃料组装、检验合格后，按卸料的相反程序完成装料的全部操作。

5. 压力试验串洗和冷热态调试

在装料完毕后，按检验程序进行压力试验检验其密封性，包括运行压力和设计压力试验；接下来进行串洗，达到清洗度要求为止，然后进行冷、热态调试。

6. 物理启动和物理试验

核燃料更换后，尤其是在堆内部件检修和一回路系统检修后，必须经过单机、系统的完整性、紧密性、清洁度检验和验收合格后，才能进行物理启动和物理试验。

换料后反应堆物理启动和物理试验必须按批准的计划、项目和程序统一组织实施。

7.5.3 反应堆换料中的安全与防护

反应堆换料过程是接触放射性最强、有害气体最多的一个过程，是属于强放射性操作，因此必须有严密的放射防护及安全保证。

1. 次临界安全的保证

反应堆在换料过程中,要绝对保证核燃料不起链式反应,即保证反应堆处于次临界状态。

2. 安全防护措施

为确保换料过程中的安全,一般要制定严密的安全防护措施。

(1)γ 射线的防护

在反应堆换料措施中应充分考虑对 γ 射线的安全防护,操作时一定要按有关规定执行。

在进行操作之前,应由剂量监督人员进行实地测量,根据实际测量情况必要时可临时增加防护措施。

(2)中子射线的防护

在换料过程中,吊装带有中子源组件时,应根据中子剂量强度临时在换料容器周围增加石蜡等屏蔽中子材料的防护层。

(3)放射性气体的排除

对于堆内的放射性裂变气体,通过控制棒驱动机构顶端的锥形排气阀、回转工作台上的专门抽气孔,将裂变气体排入专门的排气系统。对于其他放射性气体,在操作过程中采用可靠合理的空调系统利用强烈的抽风造成负压空间,使其不逸出堆外,等等。

(4)个人防护

换料过程中要严防放射性物质进入体内形成内照射。在操作现场必须严格遵守个人防护制度,如穿防护衣、携带个人剂量仪等;采用有效的人员隔离和屏蔽措施;使用可靠的辐射监测系统和设备,保证人员、环境和工艺设备的辐照安全。

更换核燃料的操作人员,必须经过严格的技术培训、考核,具备相应资格,并经审查批准。

7.5.4 破损燃料组件的管理

核燃料组件在运行或在卸出吊运过程中,因包壳破损,燃料已暴露在冷却剂或空气中,必须对破损燃料组件进行严格的控制和管理。

核燃料更换的设计中,必须提供破损燃料卸出、吊运的技术方案、工艺流程、操作规程、环境安全分析报告和接收的专用容器及其储存设施。

破损燃料组件的卸出、吊运、储存等操作必须严格按工艺程序实施,加强行政管理,健全防护、屏蔽手段,严密防止污染的扩大。

破损燃料组件的吊运储存期间,必须按技术要求和技术规范,实施温度、压力和辐射水平的监督与控制,及时作出环境安全分析报告。

核燃料更换必须按核动力装置维修期间的质量保证的规定,实施技术管理和验收。

对破损核燃料组件必须作出明确的编号、方位和移动范围的标记,并有详细、精确的检验、修理记录和验收签字。

核燃料更换期间的各种技术文件、资料、记录和文书,都必须整理归档,长期保存。

7.6　核动力装置设备质量管理

7.6.1　质量管理的概念

船用核动力装置在其建造和运行过程中,需要有极其严格的质量管理和质量控制,它对核动力装置的安全具有极为重要的作用和意义。就普遍的质量管理概念而言,它经历了三个阶段:产品的检验、数理统计、全面质量管理。

(1)产品的检验(大约在 20 世纪 20 年代～40 年代),这个时期的质量管理主要按产品标准的规定,对产品进行检验,区分产品的合格与否。

(2)数理统计(约在 20 世纪 40 年代～60 年代),这一阶段的质量管理除注重产品的检查外,还强调采用数理统计方法,从单纯的事后检验发展到预防为主,预防和检验相结合的阶段。

(3)全面质量管理(20 世纪 60 年代后),这一阶段的质量管理,不仅只看产品的质量和合格率,还要看它在使用中的匹配性、可靠性、经济性。

装置设备的全面质量管理标志着把专业技术、统计方法、技术管理密切结合,建立一套完整的质量管理体系,这个体系及任务涉及市场调查研究、设计、制造、工艺装备、原料供应、计划生产、检验、运行管理等各个不同环节。核动力装置由于其复杂性更是如此,需要有完整的全面质量管理体系来保证,这也是核动力装置的性质和特点所决定的。全面质量管理包含着广义的性质,其特点包括以下几个方面:

①质量管理工作的全面化;

②管理工作;

③方法科学化;

④组织机构的严密化。

设计过程的质量管理,主要指为工程的施工和使用提供工程所用的方案、原材料、半成品、设备的加工制造、订货等的技术资料、施工图纸及工程投产准备和使用维修的技术资料等的质量管理,设计质量的优劣是工程质量的决定性因素。

辅助过程的质量管理,主要指工程上所用的原材料、半成品、设备、施工工具、施工用料等的物资供应以及动力供应等的质量管理。因此辅助过程质量管理是十分重要而不可忽视的。

运行过程的质量管理,工程的使用过程是考验工程实际质量的过程,也是工程全面质量管理的归宿点。工程质量的特性包括性能、寿命、可靠性、安全性、经济性。这些特点是根据使用要求设计的,因此实际质量情况必须在而且只有在使用过程中才能作出充分的评价。

7.6.2　船用核动力装置的质量管理

由于船用核动力装置与一般工程设备相比具有更苛刻的核安全要求,从而使核动力装置的质量管理具有更严格的要求,否则核安全就没有保证。

1. 核动力装置质量管理的指导思想

核动力装置的质量管理要在"质量第一"的方针下,贯彻"一次成功、预防为主"的质量管理指导思想,运用现代质量管理理论和方法,执行国家有关的质量管理条例,对各过程实现全过程、全面的质量管理。

2. 质量保证大纲

每一个核动力装置都必须制定总的质量保证大纲,它是核工程的一个重要组成部分。质量保证大纲包括为物资或服务达到相应的质量所必需的活动,验证所要求的质量已达到所必需的活动,以及为产生上述活动的主观证据所必需的活动。

质量保证是"有效的管理"的一个实质性的方针。通过有效管理达到物质要求的途径是:对要完成的任务作透彻的分析,确定所要求的技能,选择和培训合适的人员,使用适当的程序和设备,创造良好的工作环境,明确承担任务者的责任等。概括来说,质量保证大纲必须对所有影响质量的活动提出要求及措施,包括验证需要验证的每一种活动是否正确地进行,是否采取必要的纠正措施。质量保证大纲还必须规定产生证明已达到质量要求的文件证据。这些原则和目标适用于对核安全重要物项和服务的质量具有影响的各种工作,如设计、采购、加工、制造、装卸、运输、储存、清洗、安装试验、调试、运行、检查、维护、修理、换料、改进和退役。

3. 质量管理的体制

船用核动力装置应实行承造、承修厂内部和监造、监修方与运行队伍多线质量管理的体制。

工厂内部实行工人自检、互检、专业人员专检相结合的全面质量管理,完成对建造、修理工程的全过程、全系统的质量控制和检验验收,力求产品在形成过程中一次成功。

监造、监修方实行过程质量监督、单项提交检验验收和总验收,重点放在建造、修理过程中对影响质量较大的重要环节和关键因素上;运行队伍应力求按操作规程及监督运行参数为主要内容,实现对质量进行跟踪管理,发现异常及时分析处理,同时加强日常的维护保养和定期检查。

过程质量监督包括建造、运行、修理的全部过程和运营管理影响到产品质量的各个方面。实施过程质量监督,应贯彻"预防为主,防患于未然"的方针。

4.质量监督的重点范围

质量监督范围是由生产中直接影响产品质量,引起产品质量异常波动的因素,诸如人、原材料、机器设备、方法和环境等五大方面所决定的。监督范围通常可包括如下内容:

(1)主要原材料、坯件、外协件的质量和管理;

(2)主要生产工具、工艺设备、检验仪器的质量和管理;

(3)主要工序的工艺质量和检验质量;

(4)技术标准,包括图纸、技术条件、主要工艺规程、试验规范、标准样件的质量和管理;

(5)各种岗位责任制和生产、技术、检验制度的完整性,以及实际执行情况;

(6)生产施工现场,包括工艺纪律、文明生产、废品隔离等的管理状况;

(7)重大技术措施的具体落实情况;

(8)人员的技术水平、资格审查、质量教育和实际质量观念等情况。

5.质量监督的基本方式

核动力装置建造和修理过程的复杂性,决定了质量监督方式的多样性,而且还得随着技术和工艺的发展而改变。目前,其基本方式可分为掌握质量动态和机动检查两种。

6.单项检验验收

单项检验验收是对关键设备、关键工序和技术薄弱环节,选定若干项目,由工厂向监造、监修方逐项提交的一种例行检验验收。单项检验验收应分批、分期、分阶段地进行,通常可分为坞内工程、车间调试、船内安装、码头试验和航行试验等五个检验验收阶段。

7.总验收

在工程全部完成,单项检验验收和扫尾工程全部结束,连同技术协议全部兑现,经监造方、工厂和运行队共同核查,报经有关部门批准后,签署总验收书。

总验收工作中除对合同、技术协议兑现情况逐项检查外,至少还应对如下几个方面落实情况进行核查:

(1)战术技术性能的评价;

(2)工程总结报告;

(3)技术总结报告;

(4)事故和重大故障处理经过及技术结构;

(5)重大技术问题依据及结论;

(6)遗留问题的处理措施;

(7)随船备品备件、船上供应品装备情况及评语;

(8)质量评估结论;

(9)安全评价报告等。

8. 质量的评价与评定

核动力装置建成后,应对质量进行实事求是的评价,其评价常用指标如下。

(1)合格率,主要包括自制件抽查合格率;配件一次合格率;单项工程一次合格率;码头试验一次合格率;航行试验一次合格率。

(2)返修率,主要包括单项工程返修率;码头试验返修率;航行试验返修率。

(3)最终不合格率。

(4)遗留工程项目比率。

修理质量的评定由承修厂进行统计、核查并草拟修理质量评定书;质量的评定分为优质工程、良好工程、一般(合格)工程三种。

7.6.3　船用核动力运行期间的质量管理

船用核动力装置的运行质量不仅是核安全的重要因素,而且是提高装置性能的重要保证。所以,在船用核动力装置运行过程中,一定要做好质量保证工作,切实重视运行期间的质量管理。船用核动力装置全寿命核安全管理是指从方案论证、设计、建造、安装、试航、运行、维修、直至退役等各个阶段都要进行监督管理,严格把好核安全关,最大限度地提高战斗力,保障各项任务的完成。船用核动力装置的运行工作是船用核动力装置管理和保障任务中一项十分重要的内容,它是保证船用核动力装置处于完好状态,使其维持安全、正常和连续运行必不可少的工作之一。运行工作的好坏,不仅直接关系到船用核动力装置运行的连续性和安全性,而且对船用核动力装置的安全将会产生重大影响。核动力装置运行期间的核安全管理包括核安全有关的运行资格、物项、质量及制度管理。其管理目标是保证装置及物项运行过程的核安全;保持和恢复核动力装置技术性能和安全功能;保护环境,保障运行人员的健康和安全。

1. 加强核动力运行期间的质量管理,必须落实质量保证体系

在世界核能飞速发展的今天,安全和质量是核能利用和管理的首要目标,强化管理就是强化安全和质量,以预防核事故的发生。由于船用核动力装置的独立特性,人们比较注意安全问题而忽略质量问题。其实,目前的质量问题已经超越了原有的意义,国外已形成了质量管理体系,对船用核动力装置施行全寿命管理,并制定了质量保证大纲,规定了船用核动力装置在设计、建造、运行、维修和退役期间的质量保证工作。质量保证的核心内容共

有五个部分,即质量保证大纲,质量保证组织,质量保证控制,质量保证管理,质量保证监督与检查。另外还将审查和对故障的研究得到的结果反馈到工作管理方法中或者反应堆装置的设计中。质量保证能够适应设备或装置的改装所引起的变化,它能对故障作出迅速的反应,同时还能促进新标准的制定。建立健全并贯彻落实运行质量保证体系是加强核安全的重要手段,因此在健全落实质量保证体系的情况下去管理反应堆装置的运行,来满足船用核动力装置在运行期间的质量保证是极为重要的。船用核动力运行期间的质量管理具有很强的严密性,这种严密性是通过审查、反馈,以及通过对审查结果采取的果断措施等过程体现出来的。许多审查结果,如果孤立地看可能不成什么问题,但是如果把它们与那些经常被人们疏忽的"小事"综合进行考虑的话,就很可能形成事故的基础,这是我们应切实注意的问题。为确保核动力舰船的建造、运行、修理质量,必须在吸收外国船用核动力装置和国内民用核设施运行经验的基础上,进一步加强并落实运行标准、运行质量保证体系,完善监督、监测措施,严格质量控制制度,规范运行活动,使船用核动力运行工作过程和技术检测有据可依,有效地促进船用核动力运行安全工作的科学化、规范化水平,进一步提高运行质量水平,最大限度地减少事故隐患。

2. 为确保核动力装置运行期间的有效质量管理,必须提高运行人员业务素质

考虑到船用核动力大多在海上运行(独立性强,技术后援的缺乏),加强运行期间的质量保证,首先要注重运行人员的理论学习,提高运行人员业务技术素质。同时,要加强运行人员实际动手能力的训练。在运行期间发生突发事件能迅速处置,确保核动力的运行安全。另外,要发扬船用核动力运行技术骨干的传、帮、带作用,这是做好船用核动力在海上运行期间质量保证的基础。要大力开展船用核动力运行人员的资格认证工作,只有当其取得相应的资格后,才能从事某些项目的运行操纵与管理,使船用核动力在海上运行期间的运行质量得以保证。

3. 为提高运行期间的全面质量管理,必须落实核安全文化建设

在国际原子能机构(IAEA)大力倡导和国际核能界的积极推行下,核安全文化建设得到了迅速发展。经过各国核电厂的实践证明,推行核安全文化对改进安全水平有着明显的作用,且稳定持久。对于在役船用核动力装置,推行核安全文化可以充分发挥人员的主观能动性,是解决核安全问题的一条可行、可靠的途径。船用核动力装置运行、管理人员的安全意识、思维方式、工作作风、工作态度、工作认识对核安全工作非常重要。影响核安全的因素中人的因素第一已被公认。综观国内外,由于人的原因导致核设施发生的一系列事故、事件中,都可以从上述几个方面找到原因。我国船用核动力装置自运行以来,没有出现美、俄等国曾发生的重大核事故,但也出现过一些与安全有关的事件或事故。从对这些事件或事故的原因分析中可以发现,要保持船用核动力装置的运行安全和良好的性能,除了技术上的原因,即合理的设计、高质量的制造和科学的管理外,更重要的因素是对安全质量的责

任心、健全的体制和执行机构、各级人员的质疑提问态度。目前发生核事故的最重要的教训是由于相关人员的"安全文化"程度低而产生错误行动造成的,所以要从根本上保证核安全。船用核动力在海上运行期间的运行质量得以保证必须提高人员的安全文化程度。虽然核安全法规标准、规章制度和严格安全监督以及工作人员熟练的技术水平等都是保证核安全的重要措施,但是这些都是需要人去执行的,人员没有安全意识,一切规定和措施也就失去作用。所以说,没有安全文化,就无安全可言。因此借鉴民用核设施管理经验,在船用核动力装置单位大力倡导和推进安全文化建设成为船用核动力装置安全管理的内在要求。

4.加强运行期间质量管理,必须推进核安全监督和管理并重模式

依据核安全和运行法规及标准,组织运行准备、计划、运行实施、试验与验收等核安全过程管理,必须加强船用核动力装置运行阶段的核安全监督,推进监督和管理并重模式是提升运行期间质量管理的双刃剑,特别是把好运行程序、运行法规、规章制度的执行,以满足现阶段船用核动力装置运行监督、管理的需要,使船用核动力装置在运行期间的质量管理提高到一个新水平。核安全法规是进行核安全监督的依据,没有核安全法规,核安全监督就没有法律依据,核安全监督的独立性、客观性、权威性及有效性也就得不到保证。不能做到有章可循,有法可依,在监督检查、管理过程中也就没有说服力。因此,有必要依据我国现阶段运行及核安全监督管理的特点,推进监督和管理并重,逐步建立健全船用核动力装置运行安全的质量管理体系,以确保核动力装置的运行安全。

7.7 核动力装置的文件、信息管理

核动力装置的文件与信息管理也是综合性的系统工程。文件和信息是与装置相匹配的软件工程,是核动力装置安全不可分割的一项基本内容。文件是指船用核动力装置设备的设计、最终安全分插报告、安装、运行说明书、图纸、技术资料、各运行规程和与运行相关的规章制度等,除上述文件所包括的内容外,还有运行时间、事故及其过程、经验、维修、技术状况、人员状况,等等。

加强文件和信息管理是掌握核动力装置技术状况、维修动态、积累数据资料、进行工程技术分析,为准确制定计划、程序、安全运行提供实践与理论依据。

7.7.1 文件管理的基本任务

(1)各种文件应齐全,并经监造、监修方和运行队及有关部门审核认可;
(2)各文件应分类编号,规定其存放位置,指定专人负责;
(3)制定严格的使用制度,并使应用方便;

(4)将运行、维修的信息定期列入文件管理。

7.7.2　信息管理的基本任务

(1)收集、整理各种信息,储藏各种信息,储藏各类信息载体和实物;

(2)对各类信息定期进行统计和量化处理;

(3)对各种信息定期或专门进行分析、研究或讨论;

(4)组织重要信息的交流和反馈;

(5)贯彻信息报告和通报制度;

(6)健全并执行信息归档制度。

核动力装置安全运行管理信息的采集分为直接获取和间接获取两种方式。

直接获取包括运行人员和维修人员有目的、有组织、有计划地跟踪运行、维修过程,采取登记、笔录、图纸、录音、录像、照相、摄影、存储载体以及直接收集信息实物等。

间接索取包括利用各种方式和途径,从国内外索取、购买、征订与船用核动力装置运行、维修有关的各类信息载体,含图纸、资料、图书、文件、影片、照片、音响磁带、存储载体和信息物等。

同时核动力运行、维修管理部门必须对采集到的各类运行、维修信息进行分析与综合,以提高其准确性、科学性和适用性,指导核动力安全运行。

7.7.3　信息的安全管理

核动力装置安全运行各种信息都应按保密规定进行管理,图纸、资料、图书、文件、影片、照片、音响磁带、存储载体和信息物等,只要与装置安全信息有关,都应按相关规定执行,确保信息的安全管理。

7.8　核反应堆装置的维修管理

管理的目的在于做好工作。管理学是一门研究工作中的领导艺术和工作方法的科学,是进行有效工作的一种手段。

凡是涉及人们活动,进行工作,都必须有管理。近代的生产理论认为,科学、技术和管理是促进生产发展,实现生产现代化的三要素,而管理又是最重要的因素,因为科学技术的发展要靠科学管理来实现。同时,先进的科学技术也只有依靠科学管理才能很好地发挥作用。因此船用核反应堆装置的维修管理是船用核反应堆运行管理中的一个极为重要的组成部分。

维修,是对使用中的船舶进行维护和修理活动的统称。维护也称技术保养,是为保护船舶设备的技术性能,使其发挥正常功能而采取的技术措施。修理也称修船,是当船舶设备产生性能衰退,或发生故障、失效现象时,为保持或恢复其正常性能采取的技术措施。船舶维修是船舶的重要技术保障工作,船舶维修搞好了,船舶的战术技术性能就能及时得到保持和恢复,就能充分发挥并完成船舶的使命。

7.8.1　概述

为使某设备保持或恢复到规定状态或满足规定的功能要求而进行的一切有关活动,称为维修。

维修一般可分两大类,即改正性维修和预防性维修。在设备发生故障后实施维修,称为改正性维修;为减少设备故障或功能下降的概率而按预定的准则实行的维修,称为预防性维修。

改正性维修任务包括故障诊断、临时维修和修理三个方面的内容。

故障诊断是指根据检查、核实和试验提供的资料作逻辑推理,用以查明故障的可能原因。

临时修理是对损坏的设备进行临时性修理,其目的主要是使设备在进行长期性修理以前暂时恢复使用而进行的修理活动。

同其他活动一样,维修需要使用一些完善的指标来评价其效果。核能动力电厂维修评价的主要综合指标有设备的可用率、维修质量设备可靠性剂量测量结果和维修的直接费用。可用率是用数字来表明一种设备能在某指定时间按规定完成其规定任务的概率,它是一个极其重要的指标。

维修质量一般从三个方面来衡量,即每个设备每年强迫丧失功能的次数,设备的灵活性和克服不正常因素的干扰能力。

设备的可靠性,其重点放在平均故障间隔时间(MTBF)和平均修复时间(MTTR)方面。

剂量测量结果能反映出法定剂量限值贯彻执行的情况和"合理可行尽量低的原则"的实际效果,核设备经过维修后均应系统地分解和分析剂量代价,以便进一步确定剂量来源、剂量代价的演变和它们与有关系统的放射性水平的关系。

维修的直接费用是维修经济性主要指标,直接费用指标被用来对各种可能的预防维修方案从经济角度进行分类,各种方案的费用不仅要相互进行比较,且还要与通过某一方案的执行而避免或推迟了有故障的损失进行比较。维修费用指标大致可分为与维修政策有关的费用,执行费用,后勤费用,设备费用等。

7.8.2　船用核动力装置维修的特点

船用核反应堆装置是由反应堆、回路系统、蒸汽发生器、稳压器、主泵、辅助设备等多元素组成的复杂装置系统，又处于海洋环境中使用，因此船用核反应堆装置的维修又不同于一般装置的维修，具有其自身的特点和要求。

（1）船用核反应堆装置维修有别于一般装置维修的最显著特点是，反应堆装置及其相关的设备具有放射性，给维修带来较大的难度。因此，一切维修管理的方式、措施，均应以保证人身、设备、环境的安全为基本准则。

（2）由于船用核反应堆装置是在海洋环境中使用，远离陆地，在维修管理中往往无后援，从而对维修管理的方式、措施及维修质量提出了更高的要求。船用核反应堆装置系统属于"复次性"装置，不仅要保证它们每次使用的可靠性，还要考虑长期反复使用的要求，因此应把每次维修与整个服役间的维修结合起来，统筹安排。就整个装备来讲，绝大多数设备是"复次性"的装备，但船舶是在海上航行，航行安全尤为重要，从这个意义上说，整个船舶具有"准单次性"装备的特征。对此，在维修思想上要重视维修质量，要从保证船舶安全的角度，寻求最优的维修保障和管理方式。

（3）船舶长年在海上航行，对水下部分船体和装置进行一般性的技术保养亦无法直接通达。有些精密度较高的装置，在水面状态难于调试。这些都必须用专门的船坞或船排等维修设施将船舶拖到岸上来进行。由此说明船用核反应堆装置的坞、排修理是其维修独有的特色。同时，船舶在水面状态停泊只不过是其"储存"状态，而航行才是其工作状态。对于船体这类"固定部件"，由"储存"而引起的耗损是经常性的，而机械类的"运转部件"，运行引起的磨损是经常性的。它们之间的耗损规律并不一致。船体耗损常常又是引起坞、排修理的主要原因。对此，要从维修方针上寻求"固定部件"和"运转部件"相匹配的最佳维修间隔和修理周期，改革坞、排修理，统筹安排坞、排和在船舶上原位组合修理的范围，以减少维修工作量。

（4）船舶舱室内设备错综复杂，布置紧密，空间狭窄，维修条件较差，不仅原位维修不便，而且由于设备的交错布置引起的牵连工程相当多。据一些船舶统计数据表明，拆装量约占修理量的80%，而附加工作量约占8%~10%，有些设备的附加工作量达其维修工作量的好几倍。为此要提高船舶设备的可维修性，减少附加的牵连工程，对于难修理的部件采取无维修设计或简化维修设计。必须从船舶设计开始抓起，从根本上解决船舶的可维修性。

（5）船舶设备的故障具有随机性，从而具有维修生产的单件生产性。单件生产的特征是修理制品多种多样，其数量不多而规格各异，工艺烦琐，生产不连续，手工操作多，使得船舶维修周期长、成本高、维修质量难以保证。船舶维修周期长达数年，而且随着新型船舶的出现,维修周期还有不断增长的趋势。随着新型船舶的出现,维修周期在不断增长。为此,要从改革维修方式、方法和手段入手,缩短修理时间,以提高船舶的有效利用率。

为了根本解决对船舶维修的要求,必须从维修全局着眼。首先着眼于船舶维修的全系统,把船舶维修有关的全部内在和外在的因素组成有机的整体系统,应用系统工程的方法加以处理。其次是着眼于船舶的全寿命,即从船舶的论证和设计开始,直到船舶退役的整个寿命过程来考虑有关维修问题。

船用核反应堆装置的维修管理主要是针对船用核反应堆装置在维修期间,对其任务、分工、体系、规章制度更加条理化、序列化,采用合理的方法,进一步保证维修的安全和质量。

7.8.3　船用核反应堆装置维修原则

船用核反应堆装置的维修应确定以可靠性为中心的维修思想,应努力提高装备固有的可靠性、可维修性,缩短维修周期,提高维修质量,降低维修成本,讲究维修的经济效益,以适应现代化建设,环境保护和未来的需要。

1. 维修的基本原则

(1)船用核反应堆装置的维修必须贯彻执行国家及各级主管部门所制定的各种方针政策、法律法令及有关部门关于装备维修的指示与规定。

(2)必须贯彻执行"安全第一"、"预防为主"的方针,自始至终把安全工作放在首位,认真落实,并根据具体维修施工任务的情况和特定条件,制定相应的安全规定和措施。

(3)必须在现代维修思想的指导下,掌握和运用现代维修理论和维修科学技术,强化维修管理,改善维修手段,更新维修工艺,推广应用现代新技术、新设备、新工艺和新材料,努力提高维修水平。

船用核反应堆装置维修的主要依据包括所属设备的可靠性、维修性;各种设备的性能特点;工作时间和技术状况;各类设备、器材和腐蚀、磨损、老化规律;对现有设备、仪器监控的能力及维修手段;工作训练、试验任务的使用要求等。

根据船用核反应堆装置的技术状况、损耗规律和监控能力,维修主要采取定期修理、视情修理和状态监控三种维修方式,具体采用哪种视当时的具体情况而定。

2. 装置的全寿命管理

全寿命不同于某一设备所具有的个体寿命。维修管理的目的和任务是从全寿命全系统维修的观点出发,从技术上来改善和提高维修的品质,提高装置的维修质量,降低劳动强度和物资消耗,以取得良好的技术经济效果。全寿命是指装备从设计研制开始到淘汰退役为止的全过程时间的总和,又称为寿命周期(life cycle),它可分为五个阶段。

（1）论证阶段

通常包括战术技术指标（含维修性）论证和方案论证及确定。

在装置设计方案论证阶段，不仅要深入研究装置技术方面的基本性能，而且应使维修思想、方针、维修保障策略等体现在方案论证工作中。这是装置方案论证的主要内容之一，作为船用核动力装置这方面的设计是必不可少的内容。作为维修部门应做好下列主要工作：

①整理和积累装置使用与维修的数据资料，作为提出可维修性要求和进行方案论证的依据；

②结合单套装置设计的任务书，拟出维修性能的基本要求；

③提出可靠性、可维修性的定性要求和定量指标，并结合到方案论证中；

④根据战术技术要求，拟制装置的维修保障方针、保障规划，并估算寿命周期的维修费用，权衡装置性能与维修保障间的得失，使之得到最佳的匹配；

⑤选派维修工程技术人员参加拟制设计任务书和方案论证的评审。

（2）研制阶段

研制装备的硬件和软件，通常包括工程研制、设计定型和生产定型。

装置设计通常是根据方案论证所拟制的设计任务书，由设计部门负责进行初步设计、技术设计和施工设计。随着设计的深入，维修要求和定量指标也将逐步结合到具体装置中去。一旦装置设计定型，装置的可维修性便被基本固定下来，成为固有性能。维修部门应十分重视装置设计阶段的可维修性的落实情况，具体应考虑如下内容：

①设计过程中要参与设计方案的分析研究，审核各种维修定量指标的计算，尤其要注意舱室布置的维修可达性，零部件的通用化、标准化和互换性，审核船舶进出坞和上下排的方案可行性。

②审核装置维修资料和工艺文件，如船舶进出坞、上下排操作说明书。大型设备的维修移动路线和出入通道的开设情况，水下维修方案，等等。

③整理和收集装备的使用说明书和维护保养规程，审核设计部门提供的维修文件清单和维修文件。

④审核备品计算和备品供应清单，选择备品供应方案。

⑤对装置寿命周期维修保障费用作出预算，着手准备装置服役后特殊维修设备的配置。

（3）生产阶段

把定型的装备投入生产并交付订购方。

新装置列装服役，即对装置进行使用、储存、维修，直到该种装置退役为止。

生产制造是将设计付诸实施，制成各种单项装备和组成船舶的过程。这个阶段配有单项样机的制造试验，又有首制船舶的制造与试航。对此应按设计的工作参量、维修参量、保障参量来全面检查验收单机和整个船舶,并根据检查、试验、鉴定结果,将信息反馈到论证和设计部门,提出设计改进意见。具体应做好下列工作:

①编制船舶战术技术性能、可靠性、可维修性等综合性能为基础的验收规范性和验收标准,参与维修性能的检验。

②对单机样机进行全面考核,测定可维修性各项指标,进行故障模拟试验,测定各项维修参数。分析试验中产生的各种故障原因,注意积累故障数据资料,提出控制故障率的改进意见。

③组织试航,实测和分析实船试航中的工作参量、维修参量和保障参量。测定技术性保养的各种参数,全面检查装置性能、可靠性和可维修性。收集有关意见和要求,汇集各种试验和分析资料。

④以定型产品为准,修订使用与维修方面的技术资料,编写单型船舶维修保养条例和各项维修技术规程、标准,并组织出版以供有关单位和人员使用。

⑤汇集制造中遇到的维修问题,进行分析研究和评价,连同实际数据反馈给有关设计部门。

(4)使用阶段

使用阶段是装置寿命周期中时间最长的一个阶段,是维修实践活动最为频繁的时期,因为装置将面临着实用的严峻考验,各种参量都在发生变化。维修部门的主要任务如下:

①及时、系统地收集维护保养和修理的各种参数,为此需要建立准确、可靠的数据统计制度,使数据统计工作规格化、制度化和专业化。

②对装置使用中的各种数据进行宏观统计分析,考查装置使用性能的变化情况,并不断地测定装置技术的状态,实施主要设备的故障监控,对装置使用性能进行监督,做好船舶性能的定级和转级工作。

③组织船舶及其装置的定期维修和适时修复,总结经验,不断完善和修订各种维修制度、规程或技术标准。

④向设计部门反馈装置维修信息,不断完善设计。

(5)退役阶段

在退役淘汰阶段,维修使用部门应做好下列有关的工作:

①制订装备换装计划,及时予以更换制式装备;

②根据现役船舶的任务,分析船舶的技术寿命、经济寿命和使用寿命,提出船舶退役原则,制定船舶退役技术标准;

③适时修订船舶延长寿命后继续使用的物资保障计划,保证维修所需物资有继续供应的来源。

7.8.4 反应堆装置维修管理的基本任务

1. 维修管理的基本任务

船用核反应堆装置维修管理的基本任务是:从维修的全系统和全寿命两个概念出发,把维修工作建立在现代科学技术的基础上,运用维修管理的理论和方法,遵循船舶维修的特点和客观规律,对船舶维修体系进行总体决策规划,对维修系统的各个环节和维修各个过程进行预测、计划、组织和控制,实施科学管理;对维修系统中涉及人、财、物、时间、信息、质量等各项要素进行合理地协调、周密地计划、有效地指挥,实现最优化修理,即所花时间最短、维修质量最好,维修经费最低,以使船舶达到在航率高,生命力强。

全寿命维修管理的范围比传统维修管理更为广泛,其具体任务如下:

(1)确定和贯彻维修的策略、政策和原则;

(2)制定和执行维修法规、条例和维修技术标准;

(3)研究、改进维修管理体制和作业体制的静态和动态结构,使维修体制不断适应环境变化,充分发挥各个机构的职能;

(4)研究和规划维修方式,划分各项装备的维修等级,改革和采用先进的维修手段;

(5)论证新装备研制中的维修性能,拟制装置维修性能的要求、准则或规范,评审、试验和鉴定新装备的可靠性和可维修性;

(6)研究装置的经济性,进行装置全寿命的经济性分析,掌握维修经济规律,降低维修费用;

(7)建立装置维修保障系统,拟制维修保障计划,制定维修保障资源使用政策;

(8)掌握维修活动程序和主要环节,运用科学管理技术,实施计划管理,控制维修质量;

(9)加强维修人员技能训练,不断提高维修管理水平和作业水平,合理配备各级维修技术力量,疏通人流渠道;

(10)开发维修科学,开展维修科研,提高维修科学性,实现船舶维修现代化。

为开展船舶全寿命维修活动,完成各项维修任务,必须使维修管理现代化。为此,须做到下列几点:

(1)管理体制系统化。首先要用系统观点组织船舶维修,将有关维修的各种因素组织到系统中来,讲究系统的全局优化。在具体管理结构上要注意管理层次性,分层管理,平战结合,有条不紊,不打乱仗。

(2)管理方法科学化。要加强船舶维修科学的研究和维修规律的分析,把维修工作建立在科学的基础上,减少维修工作的盲目性。

(3)管理手段现代化。要运用数学和计算机工具加强对船舶维修中随机现象的研究,使维修管理工作计量化。要实现各部门之间的信息系统网络化。

(4)管理人员专业化。要注重维修管理人才的培养,按层次配备相应水平的专职管理人员,做到管理称职,能胜其任。

船用核动力装置维修管理的确定,应在确保核安全的前提下贯彻以可靠性为中心的维修思想。船用核动力装置维修要努力提高装备固有可靠性、可维修性,缩短修理周期,提高修理质量,降低修理成本,讲究维修的经济效益,适应现代化建设、环境保护和未来的需要。

船用核动力装置维修管理的任务是在确保核安全的基础上,对核动力装备实施科学、适时、有效的维修,提高或保持核动力装置的安全运行。

2. 维修管理的安全监督

维修管理中的安全监督是一项非常重要的工作,对于船用核动力装置在维修中的安全监督十分重要。在维修活动的自始至终都要执行安全监督制度。安全监督制度根据维修安全工作的性质,可分为核安全监督制度、技术安全制度和保卫保密制度。各级维修部门的人员都必须树立"安全第一,预防为主"的思想意识,认真落实船用核动力装置维修的安全规定,并根据每项具体任务的特殊情况和特定条件,制定相应的安全措施,确保维修的安全。

7.8.5　维修管理中的质量保证

产品质量的好坏和是否合格,一般说来,是根据质量标准来判断的。符合标准的就是合格品,不符合标准的就是不合格品。对于加工装配性的产品来说,不合格品包括不可修复的和可修复的。从质量管理的角度看,我们不能只满足于降低废品的数量,而应该把注意力集中于降低整个不合格品的数量。

维修质量是指通过维护和修理,使维修对象保持、恢复到其为新品时规定的质量指标。而装备维修质量的好坏,是指通过维修手段来保持和恢复装备系统和整机的性能及其他各项质量指标的程度。

维修质量管理是指在维修活动中,运用现代科学管理的手段,充分发挥组织管理和专业技术的作用,确保维修装置的质量。要做到这一点,必须按照质量保证体系、维修大纲来进行。

7.8.6　反应堆运行维修管理中的信息反馈

1. 维修信息的分类

信息是维修系统中的一项重要物质资源,是我们掌握维修规律,发现问题,分析原因,采取措施,不断提高维修质量和经济效益的必不可少的依据。信息反映了各种维修事物的状态和特征,同时又是维修事物之间普遍联系的一种媒介。为此,能否重视信息的收集、积累和利用,是衡量维修管理水平的一个重要标志。

在维修工作中,所谓维修信息,是指经过处理的数据、技术文件、定额标准、情报资料、条例、条令及规章制度等的总称。不过,严格地说,信息是指数据、文件、资料等所包含的确切内容和消息,它们之间是内容和形式的关系。其中,数据形式表达的信息,是管理中应用最为广泛的一种信息,维修管理定量化离不开反映事物特征的数据。因此,经过加工处理的数据是最有价值的信息。在管理工作中往往将数据等同于信息,将数据管理等同于信息管理,不过,信息管理是更为广义的数据管理。

维修管理,按信息性质来分,包括维修技术信息和维修管理信息两类。维修技术信息是指维修技术工作中所用的技术说明书、维护规程、技术条件、工艺要求、改装图纸、技术通报等,以及各种维修数据,如温度、压力、间隙、振动频率、功率等。维修管理信息包括下列几方面的内容:

(1)船舶现状信息,如舰名、船舶和装备型号、出厂日期、规定寿命、航行或动转时间、现行技术状况、待修和失修情况、可出海等级、修理状况、制造厂和修船厂名等。

(2)船舶勤务信息,如航行次数、航行时间和里程、出航反应时间、出航延误次数、海上锚泊和码头停靠时间、日常训练和值班、值勤时间等。

(3)故障事故信息,如事故性质、特征、事故等级、原因、时机、责任者、后果及处理情况;重复性故障的部位、次数、原因与发现时机;经常性耗损、腐蚀、磨损等。

(4)维修施工信息,如维修类型;派工情况(派工号、任务性质、时间与工时估计);维修性质(原位检查、分解、拆卸、组装、更换、修理、调整、清洗、油漆);维修次数、工时消耗(实动工时、牵连工程工时、非生产工时、工时损失)等。

(5)维修人员信息,如参与维修的人员数量、技能水平、技能等级、特殊技能要求;维修人员的培养与训练、维修技术专业的设置等。

(6)备件器材信息,如需求量、库存量、定期入库量、发放和周转情况;消耗性器材的品种和数量;物资流通渠道和运输路线。

(7)维修设备信息,如维修设施和设备的类型、数量、规格;特殊设备需求情况;设备的技术状况、发展和配置规划等。

(8)维修经济信息,如人员、设备、器材和能源消耗费用;维修工时和材料定额;工时单价;维修费用定额等。

(9)维修质量信息,如检查、拍片、探伤、密性试验情况;台架试车记录;试航、定重、稳性试验记录,总验收书等。

如按来源分,信息可分为间接信息和直接信息两类。间接信息是被人工处理过的信息,如从各种履历表、登记表、维修卡等记载所获得的信息,或是人们口说、汇报的信息。间接信息必须对其来源的正确性、可信度加以充分了解,以免前提不准确而得出错误结论。直接信息是指用仪器直接从装备中收集的信息,并直接输入计算机加以处理,中间不经过人的处理,如各种自动化控制过程。直接信息必须注意仪器的精确度、使用方法、技术性和时间性等。不适当的使用方法,即使仪器精确也难获得准确的信息。

2. 信息在维修管理中的作用

信息是维修管理的基础,掌握维修现状、分析管理中的问题、研究维修技术、判断维修质量、衡量经济效益,以及调查、验证和分析某项维修活动,都需要以信息为依据,其具体作用体现如下:

(1)监控和预测装备的使用与维修现状。通过维修数据的分析,鉴定装备的可靠性和利用率,从而可确定装备现有的技术等级,对装备实施监用;利用装备工况监测数据,对装备进行故障监控,实施视情维修;通过维修生产信息,及时了解维修作业的进展,进行维修任务的协调和物质资源的调整。

(2)改善和提高维修管理效能。通过信息分析,可以衡量维修的实际水平,及时发现维修流程中存在的问题;根据信息能较为准确地估算维修人员编制,制定维修人员的训练要求,制定和调整维修设备的配置和备品储存方案。

(3)有利于控制和节省维修费用。根据装备的故障率资料,能较为恰当地确定装备的修理标准和修理间隔期,从而能合理地使用装备,延长其使用周期和寿命;通过费用资料的分析,合理安排备件和器材的购置,避免资金积压。

(4)有利于提高设计和制造质量。通过信息反馈渠道,使设计和制造部门获得第一手的实践资料,及时改善设计和制造质量,提高装备的可靠性和可维修性,提高设计评审水平和装备鉴定与定型的质量。

(5)为编写维修文件提供可靠的科学依据。根据装备的故障资料可摸清损耗规律,有针对性地确定维修项目和维修周期,从而选定相应的维修方式和方法,为编写各种维修条例,维修大纲和规程提供可靠依据。

总之,维修信息的收集、处理与分析,对于积累维修经验,开展理论研究,改进装备维修性能,实施维修科学管理,都将起到十分重要的作用。

3. 维修信息管理与信息反馈

(1)维修信息管理

提高维修管理效能与信息的利用是密切联系的。信息是进行维修管理决策的基础和前提。信息管理的一项重要任务就是要求能够广泛、迅速、可靠、准确地提供所需的维修信息。为发挥信息在维修中的重要作用,信息管理工作必须做到"广、快、精、准"。

快:信息工作要高速度,数据的统计、传输、反馈要做到及时、迅速,要走在各项维修活动的前面,要抢先一步。信息贵在新,贵在快,否则起不到信息的作用。

精:信息工作要针对性强,目的明确,有的放矢。要求提供的信息有系统、有选择,是维修实践所需的信息。维修数据的统计应当完整化和表格化。统计表要简明扼要,内容完整,记录容易,读取方便,并且有较好的通用性。同时,信息量要满足数理统计方面的要求。

准:要求信息真实,实事求是,有充分的依据。信息不准确或假信息将会造成错误决策,产生错误的行动。

要达到广、快、精、准的要求,就必须健全信息管理体制,建立专门的管理组织,培训专职信息管理人员,制定科学的信息管理方法,设置各种信息资料的记录、报表,并有信息输送渠道。

船用核动力装置维修信息的反馈在维修管理中具有很重要的地位,维修信息的采集一般有两种方式,即直接获取和间接获取。

直接获取包括运行人员和维修人员有目的、有组织、有计划地跟踪运行、维修过程,采取登记、笔录、图纸、录音、录像、照相、摄影、磁性软盘以及直接收集信息实物等,也包括利用原地设施仪器或特意携带仪器随场测得的各种参数数据的采集和整理。

间接索取包括利用各种方式和途径,从国内外索取、购买、征订与核动力运行、维修有关的各类信息载体,含图纸、资料、图书、文件、影片、照片、音响磁带、磁性软盘和信息物等。

(2)信息的交流与反馈

船用核动力装置信息的交流与反馈包括情况报告、统计报表和信息通报三种形式。情况报告分为定期和不定期两种。定期报告又分为月、季和年度报告三种形式。

有关装备修理部门应分别于当月、季度、年度前将有关的维修信息上报到上级有关部门。统计报表是按规定格式填报的维修计划执行情况的统计表,其种类、形式和时间要求同情况报告。通常定期报表可随情况报告一起上报。

船用核动力装置维修信息十分重要而又非常复杂,必须适时归档并予以妥善储存。各级装备修理部门,必须在船舶入列后即按规定格式或版本建立修理档案,并对一些重大问题作单项归档保存。后续修理、技术档案的填写由相关部门负责,上一级有关部门负责审核。

有关单位和人员应分类整理、及时归档和妥善储存修理的有关合同、协议、文件、图纸资料、技术数据、施工明细单、各种记录、事故处理及结论修理文书、总验收书等。主管单位和人员应收集、整理、归档和保存各种修理情况、修理前后技术状况、修换主要零部件、修后试验记录、修后评估及存在问题,并在承修厂填写经历本。各级装备修理科技档案或情报资料室,是维修信息归口管理单位,必须按任务分工管好用好各种维修信息,组织好归档和储存工作。下级机关有义务随时向上级机关提供各种维修信息;上级机关有权随时检查和调用下级机关各种维修信息及其管理情况。

7.8.7　船用反应堆运行管理中的自修

船用核动力装置维修管理中的自修,在维修管理中具有很重要的地位。由于船舶经常远离陆地在海上,后援不足,船用反应堆出了故障、异常完全依靠运行人员来处置和修复,因此核动力装置的自修是运行人员的重要职责。为保持核动力装置良好的技术状况,要求运行人员不断增强对核动力装置自修与排除故障的能力,要求运行人员具备平时能自修、自救的素质。其任务包括按规定提出并完成核动力装置有关修理期间的自修工程项目;维护保养好岗位的装置设备,并会调试设备、会修理设备常见故障,能验收相关设备、系统及其备品、配件。为此运行人员必须坚持以下维护保养制度与规定:

(1)日检拭,每日或隔日一次,每次不得少于 45 min 的检查和擦拭。

(2)周检修,每周一次的检查和保养,并填写履历表。

(3)月检修,每月不得少于 6 d 的月检修。

核动力装置在海上航行中,组织每两天进行一次机械擦拭,学会油料、油脂、药品、注液的使用与保养。核动力装置必须领取和使用规定品种、型号的油料、油脂、油品和注液;储存的油料、油脂、油品和注液要妥善保管,防止漏油、进水或混入杂物,并按规定时间进行抽样检查和化验,确保核动力装置的完好率。

7.9　核动力装置的辐射防护管理

由于船用核动力装置的移动性,必须加强核动力装置的辐射防护管理,这是船用核动力装置运行管理的重要特征。

7.9.1　船用核动力装置的辐射防护特点与标准

1. 船用核动力装置辐射源及特点

核动力装置的辐射源来自核反应堆运行中的裂变辐射,包括瞬发裂变中子和缓发裂变中子及裂变产物的 α,β,γ 射线等。作为船用核动力装置的辐射防护具有其独特的特点,具体如下:

(1)属于移动式装置,空间小,放射性污染浓度大;

(2)由于经常远离陆地,辐射防护条件比陆地困难得多;

(3)既要保护舱室环境不被污染,还要使船员受照剂量保持合理、可行、尽量低的水平,保障核动力装置运行操纵人员的安全。

因此船用核动力装置的辐射防护管理具有更高、更严密的要求,从而加强放射防护,强化放射管理是船用核动力装置运行管理的重要任务。

2. 船用核动力装置辐射防护的基本原则与标准

(1)辐射防护基本原则

①实践的正当化:确认一切与辐射有关的活动,必须具有代价与利益相比是可以接受

的正当理由,否则就不该采用接受不必要照射的实践。

②放射防护最优化:在进行与辐射照射有关的任何活动时,必须选择用最小代价获得最大利益的优化方案,以使必要的照射是"合理可行尽量低"(ALARA 原则)的水平。

③剂量当量限值化:个人或群体所接受的当量不应超过限值。

④放射防护管理制度化:单位和个人必须在执行《船用核动力设施辐射防护安全规定》的前提下,制定在具体的运行管理中放射防护管理制度和监督实施的措施,实现放射防护制度化。

(2)辐射防护管理要求

①船用核动力装置辐射防护管理应按最优化原则,对每次带放射性的运行管理、维修活动都要制定相应的管理限值,并不得高于限值。

②确保监测的有效性,制订监测计划,并按管理限值进行记录、调查或采取干预措施,同时作出放射性安全评价。

③对放射性物件的运行管理、维修活动,都要采取相应的去污、屏蔽、通风、防护及控制措施,尽量使人员接受的剂量减至最小。

④对放射区域必须进行划区管理,并在区域间实行严格的控制和监测制度。

⑤对从事放射工作人员要进行分级管理,并按级实行保健制度。

⑥对放射性废物、废液、废气的中间处理、排放、运输、储存中的放射防护按有关规定进行。

⑦对核动力装置应急计划中的应急任务,应建立必要的体系和制度,并组织相应的演练。

⑧凡发生违犯放射防护规定的事件,必须及时向上级报告,并追加相应责任。

(3)船用核动力装置放射防护的基本标准

①放射防护工作人员的年剂量与剂量限值如下:

a. 连续 5 年内的年平均有效剂量,20 mSv;

b. 任何一年的有效剂量,50 mSv;

c. 眼晶体的年剂量当量,150 mSv;

d. 四肢(手和脚)或皮肤的年剂量当量,500 mSv;

e. 其他单个器官或组织,500 mSv。

正常情况下,装置的运行管理、维修中排出的放射性流出物造成公众个人的剂量当量每年不应超过 0.25 mSv。

②公众中个人的年剂量当量限值如下:

| 全身 | 1 mSv |
| 单个器官或组织 | 10 mSv |

一年期间摄入放射性核素的量,执行国家 GB8703—88《辐射防护规定》中列出的年摄

入量限值(ALI)规定。

7.9.2　船用核动力运行期间的辐射防护与管理

1. 辐射工作区级划分及管理

(1)作为核动力船舶一般将工作区级划分为放射工作场所和一般工作场所。

(2)放射工作场所应划分为以下三区：

a. 控制区(红区)。在该区工作的人员,一年内接受的总有效剂量当量可能超过 20 mSv。

b. 监督区(黄区)。在该区工作的人员,一年内接受的总有效剂量当量小于 20 mSv,但可能超过 5 mSv。

c. 非限制区(绿区)。在该区工作的人员,一年内接受的总有效剂量当量一般不大于 5 mSv。

(3)放射工作场所中三个区域间应有明确标志和控制手段,规定合理的人流通道和通风流向,地板、墙壁及其他室内装饰都要具有耐辐照和易于去污的性能。

放射工作场所区级划分以工作人员在该场所内连续工作一年,其个人可能受到辐射照射的年有效剂量当量值的大小为基本依据。

放射工作场所不同区级的标志色为非限制区——绿色;监督区——橙色;控制区——红色。

划分区级时,应尽量利用场所内的自然边界。在作为区级分界线的自然外界处,标上相应的区级标志色。场所内仅含单一区级时,在场所的入口处标明相应的区级标志色和区级标志牌。

2. 运行期间辐射防护与管理措施

(1)运行期间对带放射性的物件和场所,必须在工作前、工作中进行剂量监测;对超过允许的剂量水平,必须采取相应的有效防护措施。

(2)为减少外照射,可以相应采取增大距离、增加屏蔽、减少作业时间和对部件进行清洗去污等办法。

(3)为减少内照射,可以相应采取封包、通风、去污、隔离操作及穿戴个人防护服装和过滤呼吸面具等。

(4)对放射工作场所要严格控制,防止污染;一旦污染,首先限制污染扩大,标定污染区域、控制车辆和人员流动路线,并组织人员进行洗消去污。

(5)在进入核动力装置舱室和设备管理检修前,应进行清洗去污并作剂量测量后采取适当措施方可进行。

（6）污染的控制与去污：

①在进行船用核反应堆运行和维修活动中，应尽可能减少放射性三废（废气、废液和固体废物）的产生与排放，严防对工作场所和环境的污染。

②严格对放射性物品的管理，不得乱动、乱放，严防堆放在非放射区域或丢失。

③在检修、换料和放射性物体洗消、加工、运输、处理过程中，应始终坚持对污染的控制和监测，防止发生污染事故。

④当异常情况下发生污染时，应按如下程序及时处理：

a. 首先采取措施，控制污染的继续扩大；

b. 组织污染范围调查，划定污染区域和可能的污染区域，并设置相应标志；

c. 按区域控制车辆、人流路线和通、排风方向；

d. 进行污染程序和原因调查，制定去污方案和程序；

e. 组织人员进行相应的洗消去污工作；

f. 去污中应力求减少废液、固体废物的产生与流失。

（7）事故和应急：

①船用核动力装置必须制定事故的应急计划。其内容包括应急行动的组织领导，各种可能的事故预想，相应剂量水平的预定值，预计采取的相应对策和善后措施等。

②维修事故应急计划和任何应急活动，都应避免发生误判断、误指挥和误操作，严防次级事故的发生。

③加强人员应急辐照的管理，必要时进行医疗跟踪和专门治理。

④当发生严重放射事故时，有关作战、防化通信、联络、抢救医疗、消防和警卫部门均应紧急动员，并按规定程序和渠道，及时向领导机关和地方政府发出通报。

⑤事故被控制后，应联合组织有关部门进行深入的调查，确定事故的原因、经过、后果、责任、教训、个人和集体经受剂量及累积剂量，并汇集整理成事故总结报告，上报领导机关。

（8）船用核动力装置事故的支持与救援：

①动力船舶在停泊码头期间发生放射事故时，维修部门、修理工厂和维修人员必须按核动力装置应急计划和其他有关条例、规定，给予积极的支持与救援。

②船用核动力装置在海上航行期间发生放射事故时，维修人员应按上级指挥机关和业务部门的命令，召集人员，完成适当的海上预处理，配合船员完成返航任务。

③已发生放射事故的船用核动力装置在停靠码头修理或进坞后，按等同于维修中放射事故处理的原则，承修单位应全力地完成处理任务。

3. 放射工作人员的分级及健康管理

（1）放射工作人员

凡进入放射工作场所的人员均为放射工作人员。放射工作人员按个人可能接受的年剂量当量(含内、外照射的待积剂量当量)H_e划分为三级。

①甲级:工作人员可能接受的年有效剂量当量H_e超过 20 mSv,此级人员应进行个人剂量监测,建立个人剂量档案,并定期进行体检。

②乙级:工作人员可能接受的年有效剂量当量H_e不超过 20 mSv,但超过 5 mSv。此级人员应进行个人剂量监测,建立个人剂量档案,并定期进行体检。

③丙级:工作人员可能接受的年有效剂量当量H_e不超过 5 mSv,此级人员不需进行个人剂量监测。

机关维修管理人员和外协人员,凡进入放射工作场所工作,按相同分级法实施同等管理。

(2)放射工作人员的健康管理

放射工作人员的健康管理,是船用核反应堆运行、维修管理的重要内容之一,必须按如下要点认真地实施管理:

①设置专门的放射工作人员个人剂量监测和健康管理机构,配齐监测设施和防护用具,建立健全个人剂量和健康档案,指定医疗机构定期进行医学监督;

②根据工作人员的工作性质、条件和分级标准,按有关规定享受放射性保健待遇,包括保健灶具、月发剂量补助费、实供营养品、促排药物、定期体检和疗养等;

③对于受照剂量过高或体检发现与辐射有关的健康改变的工作人员,应进行统一的医学跟踪和观察,必要时应转送专门医疗机构进行放射医学的特殊诊断和治疗;

④对连续从事放射工作超过 15 年的人员,应由授权的医疗机构会同放射防护管理部门进行全面体检和健康评审,并依据年龄、健康和专门技能等情况,提出是否继续从事本职工作或脱离放射工作的意见;干部、人事部门按其意见进行调整或安排。

7.9.3　核动力装置的放射性废物处理

1."三废"处理及管理目标

船用核动力装置在运行、维修过程中,不断地接收或产生放射性气体、液体和固体废物,简称放射性"三废"。这些"三废"必须进行控制、监测、处理、排放和储存等各个环节的管理。其管理目标是使放射性"三废"产生量、排放量和对环境的影响得以控制;使伴随产生的放射性照射剂量当量不超过放射防护规定的值;使工作人员和公众造成的集体剂量保持在合理可行尽量低(ALALA 原则)的水平。

2."三废"管理的基本要求

(1)必须根据国家法规和核动力设施有关规定及"三废"管理目标,制定并执行"三废"管理目标,使"三废"切实得以有效地控制。

(2)根据"三废"的放射性活度、容积均为最小和放射防护的"四化"原则,必须对气体和液体排出液中的放射性核素进行监测、区分与控制,并制定符合实际的管理限值和参考水平。

(3)对"三废"处理、监测及收集气象、水文数据所用的设施、设备、器材,应制定相应的使用、维护和标定规程,始终保持其良好技术状况。

(4)定期检验和核查"三废"收集、处理、排放及储存情况,按规定的渠道、程序和格式向上级部门及当地政府报告。

(5)必要时应对船舶放射性排出物的释放、收集、处理、防护、屏蔽的系统、设备及运行方式进行检验和核查,确定其合理性和有效性,以尽量减少其产生和排放量。

(6)放射性"三废"的接收、收集、监测、处理、转运、储存或排放等每个环节,必须对与其相关的数据、资料及理由等作真实而准确的记录,必要时还要作出推算。其记录、推算和结论都应分类归档,妥善保存,留名在案。

(7)对放射性"三废"管理、运行、处理和监测人员,必须进行严格的培训、考核和资格审查。

3. 放射性"三废"的来源

(1)放射性废气的主要来源

①核动力装置一回路冷却剂中逸出的气体;

②一回路系统冷却剂泄漏或设备拆卸过程中释放出的气体;

③核燃料更换操作中释放出的气体。

(2)放射性废液的主要来源

①从船舶上接收的核动力装置一回路运行中排放的废水、泄漏水、取样水等;

②一回路系统和设备检修时泄放水、去污水;

③核燃料更换时的冷却水泄放水、去污水、储存水池用水等;

④防护胶及人力洗消水等。

(3)放射性固体废物的主要来源

①核动力装置一回路中运行失效而淘汰的废树脂、过滤器芯体、垫片及无法修复的设备、部件、电缆、绝缘材料等;

②一回路系统及设备维修中淘汰的零部件;

③放射性设备检修擦试用的工具、纤维材料等;

④运行人员及维修人员的防护服装、用具等。

4. 放射性"三废"的分类与收集

(1)核动力船舶放射性"三废"分类原则

①按"三废"的来源分为从船舶接收的和运行维修中产生的两类;

②按物理和化学形态分为气体、液体和固体三类;固体废物又分为干、涩度两种形态和

可燃、不可燃两种化学形态；

③按核素的放射性毒性分为极毒组、高毒组、中毒组和低毒组；

④按放射性比活度分为高放、中放、低放三种；

⑤按预定的处理方法分为包容、焚烧、蒸发、固化、过滤、扩散、排放、储存废物等。

（2）放射性固体废物、废液分类收集的要求

①包容器具必须标明内盛废物的名称、主要核素、物理状态、比活动、表面剂量率及收集人名等，并按规定作出详细记录和登记；

②收集的废物不得混杂非放射性废物，并将可燃性与不可燃性废物分开；

③从船舶上接收固体废物时，必须对船舶方提供的记录与登记进行核检，按安全防护要求包容后再按规定的工艺通道转运出船舶；

④从船舶上接收废液时，必须测量活度，然后按规定程序进行接收和处理；

⑤对放射性设备和部件检修前的化学去污或洗消，对产生放射性粉尘的热绝缘等材料的拆除，必须采取湿法操作，并收集于密闭不透的包容器具中；

⑥放射性废物转运路线与临时储存点，必须避开人流密集区域，采取保卫措施，防止撒、漏、丢。

5. 放射性"三废"的处理

在正常情况下，废气可直接排入大气，在燃料元件破损或更换核燃料情况下产生的废气，必须经由废气系统接收，并经过过滤、除碘和扩散沉降处理后，由高烟囱排入大气。

（1）放射性废液处理

放射性废液可按低放、中放、高放废液分别处理。

①低放废液。要经过离子交换柱交换并经稀释由获准的排放口排入海水中，蒸发后残渣排入废水储存罐中作中间储存。

②中放废液。必须经过蒸发浓缩、离子交换柱交换，后由获准的排放口排入海水中，蒸发后残渣排入废水储存罐作中间储存。

③高放废液。此类废液不作处理，直接排入废水储存罐作中间储存。

从船用核动力运行或维修中产生的放射性废液，必须按排放限值的规定和经批准的排放口位置或海区进行排放，并能对排放过程中的排放速率、比活度进行监测。

（2）放射性固体废物处理

放射性废物可根据污染程度采取洗消后复用或直接转运至中间废物库储存。

放射性污染的设备、部件或工具，如经洗消后仍超过本底水平，即作为放射性废物储存；如等于或低于本底水平，即可作为常规物件使用或作生活垃圾处理；工作人员防护服及污染水平，如每分钟、每 100 cm 的计数超过 5000，即按废物储存，如低于此计数，可洗消后重复使用。船舶核动力装置放射性废液和固体废物的储存为短期中间储存。其储存工艺

的基本要求如下：

①未处理过的废物储存应有相应的处理计划，具有随时提取处理的条件、转运能力和工艺技术，防止过量积攒或不适当的提取、转运而增加危险的可能性；

②已处理(焚烧、蒸发、固化等)过的废物必须留有足够的储存余量，防止意外情况下被迫采用不适当的方式、方法储存废物；

③必须有合理的技术工艺和完整的手段，防止废物在储存期间的扩散；

④盛装废物的器具的设计和材料，应与废物种类和可能遇到的环境相适应，以保持废物在储存期间的完整性；

⑤储存废物时，必须对存入时间、性质、数量、种类等进行登记和记录。

对储存设施的基本要求如下：

①废物储存场区必须有明显的标志和严格的隔离措施，对进入场区的人员、车辆实行控制；

②具有监测放射水平和废物回取的基本能力；

③具有简易、方便、可靠的废物装卸能力和易于去污与检修的专用工具；对强放废物还应设有遥控或远距离装卸、操作装置；

④具有良好的通风、排水、屏蔽、检测、去污、防火、监护及报警设备。

(3)放射性废气的排放

元件破损后检修和换料中产生的气体必须经处理和监测后由高烟囱排放，并对排放过程和排放后的一定周期内进行大气环境监测。

放射性排出流的排放是一项受法律管制的审慎活动，必须严格按辐射防护规定进行控制和管理，任何轻率或鲁莽地排放，或因控制失效而造成超过限值的排放，均要按异常情况进行调查和追究。

7.9.4 核动力装置辐射事故的处理原则

经常对全船人员进行安全教育，开展事故预想预防活动和制定事故处理方案。工作中要严格遵守操作规程，加强岗位责任制，保证正常工作。当船用核反应堆辐射事故发生后，当事人应立即采取措施，防止事故蔓延扩大，并立即报告领导和剂量监督员，船领导、船医和剂量监督员，并应迅速采取下列措施。

(1)组织人员制止事故扩大或进行抢救、抢修等必要补救措施。采取这些措施时，要考虑正当化和最优化原则。为避免事故扩大，需封闭事故现场，撤离事故受照人员，防止污染扩散，使事故危害限制到最小范围和最低限度。

(2)事故处理应优先考虑工作人员生命安全和公众的防护，及时抢救危及生命的急症，尽量避免食用作物和水源的污染。

（3）判断事故规模和确定人员受照剂量。应收集一切判断事故规模和估价事故后果有价值的实物样品和资料，分析受照者陈述和剂量数据及测定方法、医学检查等资料。

（4）迅速测量现场的放射性活度，确定影响范围划出禁区，并决定人员在场的工作时间。

（5）估计人员所受剂量。详细记录人员受照经过。受照人员剂量超过规定值时，应及时医学检查和处理，并及时上报卫生机关，必要时转入专门医院诊治。

（6）皮肤污染时，应尽快洗消。体内污染时，根据情况采取监测及促进措施。

（7）衣服污染时，应存放于污染区。

（8）组织对事故现场彻底洗消污染。

（9）事故处理后，组织人员对事故进行分析、总结教训，逐级上报。

（10）对肇事者根据情节按有关规定处理。

复习思考题

7-1　船用核反应堆装置为什么要坚持日常保养与定期检查制度？

7-2　试述反应堆装置在役检查的基本要求、范围、方法和技术。

7-3　典型压水堆动力装置在役检查的主要项目有哪些？

7-4　试述压力容器的脆裂转变温度特性。

7-5　船用反应堆堆芯运行管理总的要求是什么？

7-6　蒸汽发生器在运行管理中要注意哪些问题？

7-7　简要说明核动力装置系统中晶间腐蚀的预防方法。

7-8　稳压器运行管理的重点是什么？

7-9　试述主冷却剂泵切换操纵要求和切换的原则。

7-10　试述控制棒驱动机构常见故障的分类，说明控制棒运行管理的原则。

7-11　电气设备的运行管理遵循的原则是什么？

7-12　控制设备、测量仪表运行管理中应注意的共性问题是哪些？

7-13　主回路管道运行管理中应注意哪几方面的问题？

7-14　核动力装置用阀门的要求有哪些，其故障原因是哪些方面？

7-15　试述水质在核动力装置安全运行中的地位。

7-16　水质控制的一般方法有哪些？水质管理的分析方法有哪几种，各有什么特点？

7-17　试述核燃料更换的主要任务及要求、换料的基本程序及安全防护措施。

7-18　为什么要加强核动力运行期间的质量管理？

7-19　船用核反应堆装置维修管理的特点、基本原则是什么？

7－20　船用核反应堆装置维修管理的基本任务有哪些?

7－21　试述维修信息管理的分类、维修信息在维修管理中的作用。

7－22　试述船用核反应堆装置自修管理的责任和义务。

7－23　试述船用核动力装置辐射防护的特点。

7－24　试述船用核动力装置辐射防护的基本原则、要求、标准。

7－25　试述船用核动力装置辐射防护的基本措施与三废管理的基本要求。

第8章 核动力的核安全管理

核安全融于整个核动力反应堆的运行管理之中,核动力的核安全管理涉及方方面面,它是一项复杂的系统工程。在核动力装置整个服役期内,必须贯彻纵深防御方针,坚持辐射防护原则、事故预防原则、事故控制和缓解原则。作为运行管理责任单位,应遵循下列原则:

(1)应明确核动力装置的安全目标,熟悉和了解核安全法规以及核安全技术条件的管理要求。

(2)对核安全法规和装置技术条件的落实情况进行监督管理和检查。

(3)采取相应的措施和行动纠正运行管理过程中出现的偏差,以确保核安全。

8.1 核安全管理

8.1.1 核动力安全管理的目标和原则

1. 核安全目标

核安全的总目标是在核动力装置的建造、运行、维修、退役过程中,确保核动力装置系统、设备的安全,保障人员和公众的健康,保护环境不受放射性危害。

2. 核安全政策要点

围绕核安全的总目标,我国为此颁布了核设施的一系列法律法规。概括说来,我国核安全政策有十项要点。

(1)坚持安全第一,质量第一的方针。我国在发展核事业过程中,必须坚持安全第一,质量第一的基本方针,贯彻预防为主的原则,使从事核能工作的人员具备良好的政治、业务素质,在核动力装置建设过程中的每一环节,即选址、设计、建造、调试、运行和退役中切实贯彻质量保证制度,努力防止事故,减小事故发生的概率,使严重事故的可能性及其辐射后果减少到最低程度。

(2)明确运行单位及其主管部门对核安全的责任。

(3)实施国家核安全监督,建立独立的核安全监察管理队伍。

(4)建立核安全法规体系,实行许可制度。在核安全管理中,要做到有法可依,有法必依,执法必严,违法必究。

(5)贯彻纵深防御的原则,预防事故,减小事故影响。

(6)建立完整的质量保证体系,确保建造、运行、维修、退役过程中的质量。

(7)建立严格的运行管理制度。经验证明,核事故以及事故后果的扩大,都与人员的误操作有关。保证核动力装置安全运行,运行人员的素质和严格的训练起着关键作用。联合控制台的操纵人员要经过严格挑选、严格训练和国家考核,领取执照后才能参加运行,并且定期轮训和考核。

(8)对核事故要有充分准备,要制定有效、完善的应急计划和措施。核动力装置投入运行前,必须建立应急管理体制,制定事故应急计划和落实各项措施,并进行必要的演习,提高运行人员的应急能力,应建立各级应急指挥中心和统一的应急评价中心。在发生事故时,指挥各项应急响应活动,评价和预测事故发展及后果情况,确定对象和采取适当的防护措施,保护人员和环境的安全,把危害减小到最低限度。

(9)重视和加强核安全领域内的科研工作。

(10)加强国际间的合作与交流。

核安全的目标是明确的,但对这一目标的定量描述是困难的,船用核动力装置的核安全融于整个核动力反应堆的运行管理之中,根据国内外核装置经验,核动力装置的核心部件堆芯严重损坏的概率大约是 10^{-3} 次/(堆·年),这种概率应该说不是很理想。因此应加强核技术管理,对动力装置进行概率风险评价,从而提出核安全方面的设备改进和管理措施,使实际堆芯损坏概率下降 $1 \sim 2$ 个数量级,从长远讲,未来核动力堆芯严重损坏的概率应低于 10^{-5} 次/(堆·年)。为实现这一目标,除了设计建造严格外,更实际的是将核动力安全高效运行和技术管理等各方面有机结合起来,这样才能有助于核安全目标的实现。

3. 核安全的基本原则

核安全包括的内容相当广泛,它是一项复杂的系统工程,一般说来应包括以下几个重要原则。

(1)纵深防御的原则

核动力装置的安全是按照"纵深防御"的原则来部署各项工作的。所谓"纵深防御"是在设计和运行中采取许多安全措施,多层重叠设防使其相互补充,又互为备用,从而使个别设备失效时得到补救或改正。只有合理地运用纵深防御原则才能确保核动力装置在任何单一人为错误或单一机械故障时不会危及公众,造成重大后果。

纵深防御保证满足安全的三个基本功能是控制反应堆(自动停堆),冷却堆芯(移除衰变热),包容放射性,以阻止放射性裂变产物的逸出。

纵深防御原则的重点是多道屏障,一般压水型动力装置设置三道屏障。

第一道屏障,燃料二氧化铀陶瓷体芯块和包壳的完整性。

第二道屏障,将反应堆冷却剂包容在内的一回路压力边界的完整性,用以阻止和滞留从燃料包壳内逸出到冷却剂中的和冷却剂里感生的放射性物质外泄到一回路压力边界外。

第三道屏障,堆舱完整性。它将反应堆、冷却剂系统的主要设备和主要管道包容在内。它能阻止从一回路系统外逸的裂变产物泄漏到环境中去,而且它是确保运行人员和环境安全的最后一道防线。

纵深防御原则的第二个重点就是保护,按保护层次来说,一般分为 5~6 层,用以确保动力装置的核安全。

第一层次纵深防御保护,是保守设计、质量保证、监视活动以及安全措施的综合,使放射性物质释放的连续几道屏障都得到了加强。

第二层次的纵深防御是监察运行,包括对异常运行或对系统失效任何指示的响应。提供这一级保护确保前一道屏障的完整性。

第三层次的纵深防御,是设置专设安全系统和保护系统,这是为了防止设备失效和人因差错演变成设计基准事故,防止设计基准事故演变成超标准事故,同时包容放射性物质。

第四层次的保护,是包括事故处置在内的各项措施,其目的是保护堆舱的完整性。

第五层次的保护,是整个动力装置之外的应急响应的保护,其目的是缓解放射性物质释放到外部环境中。核动力装置三道屏障和五层保护见图 8.1。

（2）辐射防护原则

辐射防护原则是核动力安全管理的基本原则,它必须保证在正常运行情况下或事故情况下,装置内部的放射源具有高可靠的辐射防护设施和辐射防护手段,以使放射性限制在一定的范围内,而不影响人身安全、设备安全和环境污染,所有的辐照剂量符合国际辐射防护委员会(ICRP)的标准。

（3）事故预防原则

应当采取一切合理可行的设施和步骤,预防那些可能从核燃料中释放出大量放射性物质的事故。预防到什么程度要根据安全目标,特别要参照风险水平以及一种事故的发生概率及其潜在的放射性后果之间的综合关系来确定,同时要应用纵深防御原则、安全分析的结果以及安全研究和运行经验的反馈。

（4）事故控制和后果缓解原则

要采取一切合理可行的步骤,来对付严重事故的蔓延,缓解事故的后果。尽管核动力装置设计时已考虑了专设的安全设施,仍要使操作规程、人员培训等方面采取切实可行的步骤来防止预期运行事件转化为事故或对已发生事故进行控制,使事故或事故后果减小到最低限度。

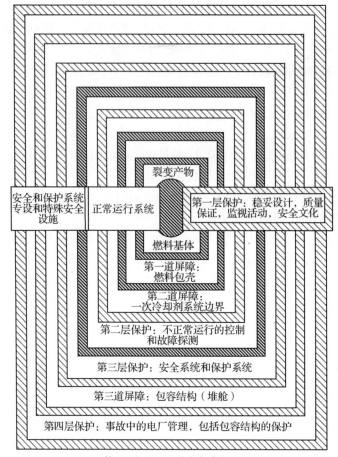

图8.1　核动力装置三道屏障和五层保护

8.1.2　核动力领域核安全管理理念

　　核动力安全管理不同于一般的装置设备的安全管理。由于核动力反应堆系统具有强放射性、高温、高压、衰变热等特殊问题,核动力从建造到寿命终了均有个管理问题,管理出质量、管理出可靠性,管理好就可以加强和保证核安全。

　　核动力安全管理围绕着核安全总目标,必须坚持核安全的基本原则,做好核动力建造期间的核安全管理、核动力运行期间的核安全管理、核动力维修期间的核安全管理、核动力退役期间的核安全管理;做好核安全监督、核安全审评等工作。

在整个核动力领域,核安全管理思想的发展经过以下四个有代表性的阶段。

(1)20 世纪 70 年代核安全管理集中于设计、安装、调试和运行各个阶段技术的可靠性,即设备和程序质量。在设计方面,考虑系统设备的冗余性(redundancy)和多样性(diversity),以防止事故的发生并限制和减小事故的后果;在程序方面,所有工作都使用程序,按程序办事,程序的采用降低人为失误的可能性。

(2)20 世纪 80 年代核安全管理以预防人因失误为主要对象,提出了众多减少人因失误的措施。特别在三哩岛事故发生后,核能界反思 20 世纪 70 年代核安全管理思想和管理原则,提出了新的思想和原则。除预防人因失误外,更深入地拓展事故处理规程的内涵,以增加其应用范围和有效性。

(3)20 世纪 90 年代核安全管理思想是以"安全文化"作为核安全管理的基本原则,是核能界核安全管理思想发展的必然结果和要求。1986 年切尔诺贝利事故在核能界引起了强烈的震撼,人们分析事故的根本原因,重新探讨安全管理思想和原则。与此同时,20 世纪 80 年代末兴起的"企业文化"这一管理思想在世界范围内得到广泛的应用。结合"企业文化"的管理思想,国际原子能机构 INSAG 组织提出了"安全文化"这一新的安全管理思想和原则。因此,20 世纪 90 年代核安全管理思想体现就是安全文化建设,既强调组织建设(安全水平取决于决策、管理、执行多个层次),又注重个人对安全的贡献。因此,20 世纪 90 年代核安全管理思想是对 70 年代和 80 年代安全管理原则的继承和发扬。今天我们进行安全管理时,必须坚持并实践 70 年代和 80 年代行之有效的安全管理原则,再加上坚持不懈地进行安全文化建设,才能保持并且持续地提高电动力的安全水平,并向着更高的安全目标迈进。

(4)跨入 21 世纪,核安全管理思想是在以"安全文化"作为核安全管理基本原则的基础上,加强核安全水平的评价和监测。其目标是确保核动力领域所有活动满足核安全要求。加强在正常运行期间的核安全水平评价,也就是对与核安全相关的生产活动进行风险分析和评价,确认其对核安全的影响,并核实相应的预防措施已就位;同时,确认遗留问题已得到纠正,否则需要重新进行评价;对核安全水平的评价结果必须记录在案。

对评价和监测中发现的与核安全要求相关的偏差问题,必须采取措施纠正或处理;并按照核安全功能评价方法进行独立地评价核安全水平。进行独立监督、独立评价活动的过程应包括"探测——分析——建议——跟踪"。这是一个朝着更高核安全水平不断改进的连续滚动过程。维修期间独立的核安全水平评价与核动力正常运行期间的评价一样,应对已知的反应堆运行模式应用类似的核安全功能分析方法与有关的核安全要求的满足情况(状态控制点检查),进行核安全水平的评价。

事故状态下的核安全水平评价,在发生核动力运行事件或出现应急情况时,应按规定执行事故后的连续监督程序,监测核安全重要参数、分析机组状态、评价核安全水平,并通过采取必要的纠正措施确保专设安全设施及某些控制操作电源的可用性;同时,在事故情况下应启动应急支持后援手段,技术支持组应分析评价机组状态和估计、预测其发展趋势,提出决策和解决方案的建议;事件处理结束后,应及时写出书面事件报告,对事件原因、事件后果和事件响应/处理行动进行独立分析和评价。核安全水平监测相关部门对核安全水平应进行实时监测,并对核安全指标作趋势分析。

8.1.3　核安全管理中的核安全控制

1. 核安全控制的作用和地位

核安全管理的核心是核安全控制,对于核动力一般分为正常运行工况期间的核安全控制、核动力再启动的核安全控制、定期试验的核安全控制、事故工况期间的核安全控制、外部侵害和自然事件的核安全控制。

正常运行工况包括所有 FSAR(核动力运行技术规范)规定的标准运行状态,核动力正常运行工况期间必须严格遵守核动力运行技术规范的要求。正常运行工况期间的核安全控制是通过一系列的运行程序来实现的,为此必须制定一套用于核动力正常运行工况和正常瞬态的运行程序,确保核动力在运行技术规范规定的条件内运行;同时,对程序的编制、审查、批准、修订及其相关人员的资格应有明确的规定;应制定程序使用及其临时修改的相应措施或要求。核动力再启动的核安全控制包括标准状态及其转换的控制、再启动安全评价(RSAM)。标准状态及其转换的控制是通过静态控制点程序(SHP)和动态控制点(DHP)程序实现的。设备状态的任何改变导致 QSR 系统/设备不可用的情况下,必须立即按核动力运行技术规范的规定采取措施,以确保核动力核安全水平的维持;任何可能影响核动力安全的工作,必须事先进行风险分析并采取相应的预防措施;维修、工程改造后,系统或设备重新投入运行之前,必须对其进行品质再鉴定和功能再鉴定;确定有缺陷或超差的仪表、报警和控制装置,作出适当的标记,并及时地采取纠正措施。为保障安全系统和设备的功能,必须按程序采取行政隔离措施;核动力所有活动均必须保存完整记录。定期试验的核安全控制,应对核电站安全运行所必需的或在事故工况下能将机组带入安全状态所要求的设备或系统进行定期试验,这是为了确保处于停运的专设安全设施的可用性或可靠性;事故工况期间的核安全控制应通过执行应急运行程序和实施场内/场外应急计划来实现。

外部侵害和自然事件的核安全控制应针对出现外部侵害和自然事件的情况,制定和执行相应的应急措施,以确保核动力安全。

船用核动力装置是一个结构复杂、技术密集的大系统,其与核电站运行空间相比相对狭小,负荷变化频繁,其安全性能要求很高。核动力装置在运行过程中所出现的各种事件都需要操作员去干预,因而对操作员的要求高,要求操作人员具有良好的专业知识和操作经验以处理核动力装置可能出现的故障。一旦发生故障,将给操作人员带来很大的压力。如 1979 年美国的三哩岛事故以及 1988 年前苏联的切尔诺贝利事故,由于操作员对反应堆状态的错误认识,都造成了反应堆烧毁和放射性物质外泄。为了让操作员在故障时能尽快地、准确地断定发生的故障,避免错误判断、采用错误的处理方法,一个较好的方法是加强核动力装置智能控制与监测管理,如采用故障诊断系统自动地进行诊断,一旦发生故障,由操作员根据诊断结果来采取正确的操作,降低事故后果,防止事故的进一步扩大。

核动力装置系统控制与监测管理要求能够对船舶核动力装置的主要运行参数进行监控,或发现动力装置可能的运行故障,发出相应的报警信息或给出故障的部位、故障的原因,使操作人员能够参考系统给出的建议及时地发出命令,降低误判断、误操作的可能性,防止出现运行故障,使其达到较好的运行状态,从而改善动力装置运行性能,保证动力装置的安全性,提高船舶动力装置的操纵安全性。

以船用核动力装置为研究对象,利用专家控制理论建立的安全监测控制系统能够管理整个装置运行,能对典型运行故障进行诊断。当系统在出现故障时能及时调用知识库专家知识进行专家推理,分析核动力装置控制实际运行中典型故障产生的原因及解决方法,故障诊断处理具有实时性。

目前智能监测与控制在核动力装置故障诊断中的应用还处于发展阶段,但随着对该技术研究的迅速发展和应用领域的日益广泛,这些控制系统将有效地提高和保障核动力装置的运行可靠性,预期在不久的将来会在核动力装置运行的故障诊断中得到广泛的实际应用。

2. 核安全监测控制方法

随着科学技术的不断进步,被控对象变得越来越复杂,而人们对控制精度的要求日益提高,这样就产生了复杂性与精确性的矛盾。传统控制理论的单纯数学解析结构难以表达和处理有关被控对象的一些不确定信息,不能利用人的经验知识、技巧和直觉推理,所以难以对复杂系统进行有效的控制。而一个系统具有从周围环境自学习的能力,能自动进行信息处理以减少其不确定性,能规划、产生并能安全、可靠地执行控制作用,这就构成了一个智能控制系统。核安全智能控制系统与传统控制系统的主要区别就在于它们处理不确定性和复杂性的能力不同,一个控制系统能否成功地克服不确定性和复杂性取决于该系统智能水平的高低。

一种控制方式或一个控制系统,如果它能够有效地克服被控对象(过程)和环境所具有的高度复杂性和不确定性,并且能够达到所期望的目标,那么就称这样的控制系统为智能监测控制系统。

智能监测控制诊断系统的框架结构主要由知识库子系统、状态识别子系统、诊断推理和判断子系统三部分组成。智能控制诊断系统如图8.2所示。

可以认为,专家系统是一个具有大量专门知识与经验的程序系统,它应用人工智能技术,根据一个或多个人类专家提供的特殊领域知识、经验进行推理和判断,模拟人类专家作

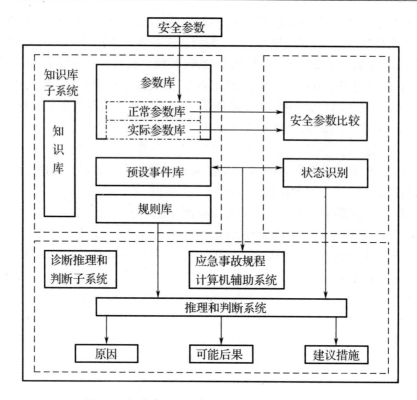

图 8.2　智能监测控制与故障诊断系统的框架结构

决策的过程来解决那些需要专家决定的复杂问题。简言之,专家系统是一种计算机程序,它能以专家的水平完成专门的而一般又是困难的专业任务。

一般专家系统由知识库、数据库、推理机、解释部分及知识获取五个部分组成,最重要的是前三部分。

(1)知识库

知识库是专家系统的重要组成部分,储存以适当形式表示的从专家那里得到的关于某个领域的专门知识、经验以及书本知识和常识,它是领域知识的存储器。

一个专家系统工作性能的优劣取决于专家的知识及经验。存储在知识库中的专家的知识有两类:一类是确定性知识,是领域的事实,是已被专业人员掌握了的广泛共享的知识;另一类是不确定性知识,是凭经验、直觉和启发而得到的知识。这一类知识是被某一领域少数专家深刻领悟和正确运用,实际上是少数专家经过多年实践而掌握的一种"善于猜想的艺术"。

知识库中的知识应该具有可用性、确实性和完善性。知识的可用性既与领域专家有关又与专家系统的设计者水平有关,因为一条可用的知识,由于设计者存入计算机时处理不当,使用起来非常困难,这就表示可用性差。知识确实性与完善性取决于领域专家。

要建立一个好的知识库,首先是从领域专家那里获取知识,称其为知识获取,然后将获取的专家知识编排成数据结构存入计算机中而形成知识库,知识编排的过程称为知识表达。一个理想的知识表达应该能够精确表达专家的思维与知识,应该能有效地通过计算机进行实现,应该简明、易于理解和便于改进。

(2) 数据库

数据库存放专家系统当前工作已知的一些情况,以及用户提供的事实和由推理得到的中间结果。对专家系统而言就是计算机中划出一部分存储单元,用于存放以一定形式组织的该系统的当前数据,相当于一个工作区。随着推理的进行及与用户的对话,这部分内容是随时变化的,因此还与一般意义上的"数据库"的概念不同。总之,专家系统中的数据库存放的是该系统当前要处理对象的一些事实。

(3) 推理机

推理机实质上是计算机的一组程序,其目的是控制、协调整个专家系统的工作。其根据当前的输入数据或信息,利用知识库中的知识,按一定的推理策略去处理、解决当前的问题。

常用的推理是指从原始数据和已知条件推断出结论的方法,这种推理方式也称数据驱动策略,或称由底向上策略。要设计一个正向推理机就是设计一组程序,使其具有下述功能:

①能利用数据库中的事实或数据去匹配规则的前提,若匹配不成功,能自动地进行下一条规则的匹配;

②若某规则匹配成功了,将此规则的结论部分自动地加入数据库;

③能判断何时推理结束;

④能将匹配成功的规则记录下来。

故障诊断专家系统是人工智能在设备故障诊断中的应用,它模拟人类专家解决特定问题的方法进行智能诊断。为了加强核动力装置的运行安全管理,无论船用堆还是陆用堆,各国都在研究和发展故障诊断专家系统,尽管还在发展中,但这是一个方向。故障诊断专家系统的构成及诊断过程可用图 8.3 的结构来说明,它由知识库、全局数据库、知识获取子系统、解释子系统、人机接口、推理机等组成。利用知识表达技术、知识存储技术、规则搜索技术及知识元重组方案等技术,建立了专家系统的知识库。

一般故障诊断专家系统具有实时性强、维护性强的特点。它可以实现实时监测核动力装置的参数,并能及时给出诊断结果及维修信息,确保核动力装置的安全。

核安全评价来源于核动力装置技术状态的监测和结果分析,因此核安全控制中的核安全监测是极为重要的。

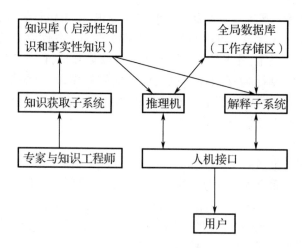

图 8.3 故障诊断专家系统的构成

8.1.4 核安全管理中的核安全分析方法

为了预防事故发生,船用核动力装置核安全管理中必须开展反应堆事故分析。事故分析是船用核动力装置核安全管理中的一项重要工作,它研究核动力装置在异常工况与事故情况下的行为,以维持与提高船用核动力装置的核安全水平。事故分析一般有两种方法,一种是依据设计基准事故的确定论评价法,另一种是概率安全评价法,即 PSA 法。

1. 确定论方法

确定论方法是核动力发展史上长期使用的方法,其基本思想是反应堆纵深防御的原则,除了反应堆设计得尽可能安全可靠外,还设置了多重的专设安全设施,以便在一旦发生最大假想事故情况下,依靠安全设施将事故后果减至最轻程度。在确定安全设施的种类、容量和响应速度时,需要一个参考的假想事故作为设计基础,并将这一事故看作最大可信事故,认为所设置的安全设施若能防范这一事故,就必定能防范其他各种事故。确定论方法是根据以往的经验和社会可接受的程度,人为地将事故分为"可信"与"不可信"两类。对压水堆船用核动力装置来说,将主冷却剂管道冷管段双端剪切断裂作为最大可信事故,在设计中作了认真考虑,并加以严密的设防。即便这种严重的初始事件发生,因有应急堆芯冷却系统等安全设施的严密设防,未必会产生严重的后果。但对那些后果较轻的事故,例如一回路管道小破口失水事故、船用核动力装置运行中发生的运行瞬变等未进行深入研究。

2. PSA 评价方法

PSA 是一种工程安全系统评价方法。它用给予事故场景的方法和思路分析研究对象系统,通过综合运用多种安全分析技术,结构化、系统化地鉴别出其可能的后果,计算出各种危险因素导致事故发生的概率,达到安全分析和风险评估的目的。PSA 的主要目标是对系统的设计、性能和环境影响提供定性和定量的信息与见解,包括确定主要的风险因素、风险的定量估计以及对可降低风险的各种方案进行比较。1975 年,PSA 首次大规模综合性应用于美国核能管理委员会的反应堆安全研究(WASH – 1400)。自这次具有里程碑意义的研究以来,PSA 方法得到不断发展和完善,已经成为高风险大型系统,如核电站、航空航天系统、大型石油化工企业等安全评价的重要工具。

PSA 与传统的确定论安全分析的主要区别在于 PSA 使用系统的方法来确定由各种初因事件产生的事故序列,并对其发生频率和后果作出更现实的估计,PSA 还能对安全评价中的某些不确定性作出定量分析,同时能定量地处理专家的意见或判断。此外,PSA 能够在确定论分析所能提供的意见外,对安全问题再提供一些重要看法。如在核电厂中,PSA 能对下述事宜的决策提供有益的见解和输入量:①设计和更改;②电厂运行;③安全分析和研究;④核安全管理。

应用 PSA 的基本方法:首先要找出可能导致事故的各种事件组合(称之为事故序列),重点考虑初因事件、系统失效和人误等的组合,确定每一组合的发生频度,最后评估其后果。该过程的核心是对事故序列的建模,要求所建立的事故序列模型能够模拟事故的起始、系统的响应以及系统所受破坏的状态谱。PSA 采用事件树与故障树相结合的方法作为事故序列建模基本方法,即用事件树(ET)描述系统对事故初因事件的响应和事件序列演变过程,展示事件所有可能的不同后果,进而求得导致系统失效的定性结果(主要事故序列及最小割集组合)和定量结果(系统失效发生频率);而故障树(FT)描述该响应过程中系统的失效模型,进而确定系统失效原因和不可用度。由于大多数的技术系统包括和依赖于人的行为,所以在 PSA 模型中不能不考虑人的可靠性。

PSA 方法是应用概率风险理论对船用核动力装置安全性进行评价,PSA 法认为船用核动力装置事故是一个随机事件,引起船用核动力装置事故的潜在因素很多,船用核动力装置的安全性应由全部潜在事故的数学期望值表示。PSA 法认为事故并不存在"可信"与"不可信"的截然界限,仅仅是事故发生的概率有大小之别,一个船用核动力装置可能有成千上万种潜在事故,事故所造成的社会危害理应用所有潜在事故后果的数学期望值来表示,这个数学期望值就是风险。船用核动力装置风险研究中指出,堆芯熔化是导致放射性物质向环境释放的主要因素,而小破口失水事故和运行瞬变是引起堆芯熔化的主要原因。所以对船用核动力装置进行 PSA 分析是必要的,而且是有效的。应该说,对船用核动力装置进行 PSA 分析过程实际上就是对船用核动力装置系统的一次全面审查、全面认识的过程,是从不同的角度对船用核动力装置复杂工艺系统的安全性作出全面综合的分析。在分析过程中,还能对系统相关性、人员相互作用、结果不确定性、不同事故系列的"相对重要性"等各方面作出全面完整的分析。PSA 中所用的事件树和故障树分析法,还可用于系统方案论证、安全审评及其变更、查找系统薄弱环节、评价和建立事故管理规定以及指导运行维修等方法,并取得了较好的效果。PSA 为安全有关问题的决策提供了协调一致的完整的方法。尽管 PSA 作为一个工具提供了许多有用信息,但也应看到 PSA 的数值结果有它的局限性和不确定性。因而,对具体船用核动力装置的应用来说,坚持多重屏障和纵深防御设计原理,预防事故的发生和减轻事故后果,即采用传统的确定论分析方法是一个合理权衡的工程方法。同时,应该将两种方法有机地结合起来,互为补充,方能更有效地提高船用核动力装置系统的运行安全水平。

8.1.5　核安全管理中的核安全评价

所谓评价,一般是指按照明确目标测定对象的属性,并把它变成主观效用(满足主体要求的程度)的行为,即明确价值的过程。

核安全评价是外部和内部的专家组通过结构完整、目标明确及可见的评估程序对核动力装置运行安全的有效性与预定目标、目的及其业绩期望的一致性进行全面评估的过程。核安全评价是利用控制论和系统工程的观点,对核动力装置整体进行评价。在进行评价时,要从明确评价目标开始,通过评价目标来规定评价对象,并对其功能、特性和效果等属性进行科学的测定,最后由测定者根据给定的评价标准和主观判断把测定结果变换成价值,作为决策的参考。

核安全评价以安全分析为基础,分析事故因素及其相互作用,找出关键性的危险源或危险源组合,预测事故的危险,为预防事故、优化安全措施和提高安全运行水平提供了科学依据;核安全评价结果反映了核动力装置安全运行状况,比较其优劣,配合适当的奖惩,可以鼓励或鞭策运行单位重视核安全,督促核安全管理和核安全技术部门加强工作,提高运行人员的安全意识;尤其是安全评价与安全责任制相结合,使安全责任制科学化,对各级领导加强安全管理,改善运行安全状况,具有经常性的督促作用。

核安全取决于设备的可用性、人的行为、工作组织的管理的有效性,并受到环境因素的影响,船用核动力的运行管理必须依照这一目标进行。

为落实核动力装置核安全的总目标必须建立并维持一套有效的防护措施,以保证艇员、公众和环境免遭放射性危害。对于船用核动力装置而言,同样必须满足三大功能的要求,核安全才能得以保证,也就是完成反应性控制、堆芯冷却和放射性产物的包容。这三项功能是保护核动力工作人员、公众和环境免受放射性危害的根本。核动力装置在正常运行工况、故障或事故工况下,都要保证这三方面功能的实现。

为了保障船用核动力在训练、运行、维修及其执行任务中的核安全,深入了解与核安全有关的重要系统、设备的技术状态,全面掌握各系统、设备的可用性、可靠性和安全性,核安全监督部门应对船用核动力装置安全重要系统、设备的运行核安全状况进行评价,避免核动力装置在系统或设备部分故障情况下继续运行,由此造成人机环境恶劣,对操纵人员产生影响,发生核安全事故。确保核动力装置的安全使用,应该针对核动力装置的实际研究船用核动力装置的安全监督和核安全评价的相关问题。

核安全的监督管理有诸多环节和多方面的工作,而安全评价是其重要手段,充分发挥安全评价的预测作用和督导作用,是实现核动力装置安全运行这一目标的重要途径。

按评价方法的特征,评价可分为定性评价、定量评价和综合评价。

(1)定性评价,即依靠人的观察分析能力,借助于经验和判断能力进行事物按属性分类或分等级的评价方法。

(2)定量评价,即主要依靠历史统计数据或实验数据,运用属性方法构造数学模型进行精确量化的评价方法。

(3)综合评价,即以上两种方法的组合运用,这种综合常表现为定性方法和定量方法的综合,有时是两种以上定量方法的综合。由于各种评价方法都有优、缺点,而综合评价方法兼有多种方法的长处,因此可以得到较为可靠和精确的评价结果。

这些方法可分为完整性评估、逻辑评估、技术经济指标评估、系统效能综合评估、加权综合评估、模糊数学评估和神经网络综合评估。在各类方法中,以模糊数学综合评估技术应用居多,按方法和指标可分为模糊综合评估、模糊模式识别、模糊聚类分析三类;按评估所需信息可以分为基于工作参数和性能指标的模糊综合、基于结构参数的模糊综合和基于多种复合信息的模糊综合等。

综合评价技术在大至环境工程、城市规划、工程项目,小至状态监测与故障诊断、分子效应等广阔的领域得到了深入广泛的应用。

针对核电厂的安全评价应用主要包括 IAEA 的 OSART 运行安全评价、WANO 同行评价,以及核电站本身组织的内部评估。IAEA 于 1996 年对大亚湾核电厂,1997 年对秦山一期工程组织 OSART 评价,学习了国际同行的先进经验,得到了良好的建议和帮助。国内运行核电厂中,大亚湾核电站和秦山核电公司已经正式启动了十年定期安全评审(PSR)项目。有效的安全监督和定期的安全评价能够促使核电厂找出良好实践经验进行推广,发现不足以便及时纠正,使核电厂的安全业绩得到持续改进。

而对于船用核动力装置要深入做好核安全管理工作,迫切需要对核动力装置运行核安全状况进行评价。潜艇核动力装置运行核安全状况的评价是一项涉及面较广的系统工程,它不仅需要作长期的数据积累,对系统设备的运行模式、故障机理等进行深入的研究,而且还要有一套科学的分析手段。

事实上,在安全状态上很难有一个明确的划分级别界限,特别是在对船员与环境因素的评估中,很难有一个标准的量化数值进行精确的描述,即使用语言描述也很难完全尽如人意。例如对于船龄 20 年的舰船与船龄是 20 年零一天的舰船,在本质上是没有绝对区别的。如果将安全状态之间的过渡情况用[0,1]之间的过渡函数(或数值)来表示的话,即采用模糊数学的方法来加以表示,这时各种评价的结果不再是单一的一项评价级别,而是该船相对于各安全状态的隶属程度的多少,这样评价的结果更具有科学性和说服力。

8.1.6　核安全管理中的核安全检查制度

船用核动力运行核安全检查的目的是掌握核动力装置安全状况,核实核动力装置运行、维修(改换装)和退役等活动是否满足许可证条件及核安全要求,及时督促、纠正不符合项,确保核动力装置的运行、维修和退役活动符合批准的文件和有关要求。

1. 运行管理核安全检查范围

(1)核动力装置安全重要物项及其运行保障;

(2)运行人员素质;

(3)运行核活动及其记录文书和技术文件;

(4)许可证条件中所规定的范围;

(5)为防止和减轻可能发生的核事故而制定的预防措施、应急准备和能力。

2. 运行管理核安全检查分类

运行管理核安全检查分为日常核安全检查、例行核安全检查和非例行核安全检查:

(1)日常核安全检查主要是跟踪检查或随机抽查核动力装置运行、维修过程中影响核安全的物项和操作,及时掌握核设施的安全状况;

(2)例行核安全检查主要是对在船用核动力装置安全重要物项及其运行、维修保障能力的综合评价性检查;

(3)非例行核安全检查主要是针对船用核动力装置执行任务前或者核动力设施安全重要物项维修后的综合评价性检查、其他检查中发现的核安全重要问题的检查和核动力装置安全重要物项维修过程中的现场核安全检查见证。

(4)日常核安全检查运营单位组织实施,例行和非例行核安全检查由运营单位的上级组织实施。

3. 运行管理核安全情况报告制度

核安全情况报告的种类包括以下几种:

(1)日常核安全情况报告;

(2)运行季度报告;

(3)运行年度报告;

(4)运行事件报告;

(5)安全重要物项运行维修(改换装)事件报告。

4. 运行过程中的核安全管理

核动力装置运行时,必须满足下列核安全基本要求:

(1)有效控制反应堆功率,并能在故障情况下及时将反应堆控制到安全的停堆状态;

(2)有效排出堆内热量,保持堆芯处于可冷却状态;

(3)将放射性物质控制在规定范围内;

(4)实现上述安全保障功能的有关辅助系统均处于正常状态,满足核动力装置运行安全限值与条件。

8.2　核安全法规与安全文化

8.2.1　核安全法规与体系

随着核能事业的发展和核反应堆的设计、建造和运行经验的积累,为了确保核动力装置的安全运行以及在任何情况下(包括发生严重事故)保障工作人员、公众和环境免受过量的辐射危害,由国家立法机构、行政机构和行业协会或学会制定和颁布的供核设施选址设计、建造、运行、维修和退役遵循的一套与核安全有关的法律性和规范性文件,称为核设施的安全法规和标准体系。从 1982 年起,参照 IAEA 的核安全导则及规定,确定了我国的核安全法规体系。它由国家法律、国务院行政法规、部门规章、核安全导则、标准及规范组成。该体系涵盖了核设施安全性能的审查和评定、核设施的安全监督、核事件的调查处理、应急计划的审查,以及核设施安全许可证的颁发等方面,为保证我国核设施的安全运行奠定了法律法规基础。

1. 核安全法规体系

核安全法规体系层次如图 8.4 所示。

中华人民共和国环境保护法是保护和改善生活环境、防治污染、保障人体健康,促进社会发展的法律,由人大常委会发布,是国家法律。

核安全管理条例是规定管理范围、管理机构及其职权、监督管理原则及程序等重大问题的规章。它是国务院发布的行政法规,具有法定的约束力。

实施细则是根据核安全管理条例,规定具体实施办法的规章,由国家核安全局或国家核安全局联合国务院其他部委发布,具有法定的约束力,属部门规章。

核安全规定是规定核安全目标和基本安全要求的规章,由国务院批准,国家核安全局发布,具有法定约束力,属部门规章。

核安全导则是说明或补充核安全规定以及推荐有关方法和程序的指导性文件。若不

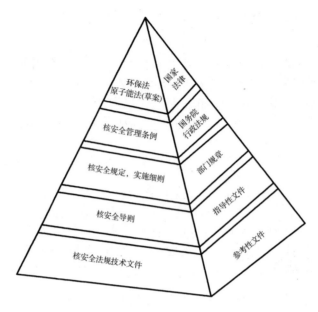

图 8.4　核安全法规体系层次图

遵照核安全导则而采用其他的方法和程序时,必须论证其安全性或等效性。

（1）国家法律

中华人民共和国宪法；

中华人民共和国环境保护法；

中华人民共和国原子能法。

（2）国务院行政法规

中华人民共和国民用核设施安全监督管理条例；

中华人民共和国核材料管制条件；

核电厂核事故应急管理条例。

（3）部门规章

部门规章包括实施细则（核设施安全监督管理条例实施细则等）、安全规定（核动力设计、建造、运行、维修、退役安全规定等）、环境保护（辐射防护安全规定等）、放射卫生防护（放射卫生防护基本标准等）及其他有关与核安全有关的部门规章。

①部门规章的横向三个门类

a.核安全监督管理门类,包括核动力装置的设计、建造、运行、维修、退役；核设施、辅助设施选址和设计；核辐射防护；质量保证；核安全分析；核安全监督和审评；核材料及其储存设施设计、建造；核装置运输、储存、维护、使用及安全监督和审评等。

b.核事故应急管理门类,包括应急组织与职责、应急计划和实施程序、应急保障和应急实施。

c.核材料管制门类,包括核材料包装、运输、使用、处置、储存级别的核安全监督检查和审评等。

②部门规章的纵向三个层次

a.第一层次(顶层),规章。它包括部门核设施核安全规章(条例)。该层次规章是核安全法规在部门的细化,是部门法规的重要组成部分,是对部门核设施管理范围、管理机构及其职责、核安全监督管理原则及程序等重大事件的确定。它既是部门核安全工作的行为规范,又是部门核设施核安全保障的基本依据,是具有强制效力的文件。

b.第二层次(中层),规范性文件。它是相应于第一层次规章在技术领域的细化,包括规定、准则、要求等。核安全规范性文件是从核设施技术状态管理出发,规定核安全目标以及实现目标应遵循的原则和要求,是具有约束力的文件。

c.第三层次(底层),标准。它以核安全法规、规章和规范性文件为依据,对核设施涉及核安全保障的技术服务事项和有关核活动规定出定量定性指标、参数、限制、程序、要求、详细考虑方面和采用相关标准及实践等。该层次标准作为上层法规、规章和规范性文件的支持性文件。

(4)核安全导则

核安全导则是说明或补充核安全规定,以及推荐实施安全规定的方法和程序的指导性文件。HAF 系列的核动力安全导则共计 62 个。目前,中国核安全法规的范围包括以下方面:

①核动力厂(核电厂、核热电厂、核供热供汽厂等);

②其他反应堆(研究堆、实验堆、临界装置等);

③核燃料生产、加工、储存及后处理设施;

④放射性环境的管理;

⑤个人剂量的监测、卫生和健康状况管理;

⑥放射性废物的处理和处置设施;

⑦核事故应急;

⑧核材料的持有、使用、生产、储存、运输和处置;

⑨核承压设备(设计、制造、安装和使用)。

8.2.2　核安全法规的若干规定

1.核安全监督管理

国家为了保证核设施在建造和营运中的安全,保障工作人员和群众的健康,保护环境,促进核能事业的顺利发展,对核设施实施严格的、集中的核安全监督管理。"安全第一"的方针是我国核能发展和核安全监督管理的指导方针。核安全法规体系是监督管理的基础。

国家核安全局对全国核安全实施统一监督管理,独立行使核安全监督权。国家核安全局监督管理的主要措施是许可制度,通过许可证管理,对核电厂、核材料和核活动实施监督。

我国核安全法规规定,核安全许可证持有者(或申请者)对核电厂、核材料和核活动的安全承担全面责任。

2. 安全许可制度

我国实行许可制度。

核安全许可证是国家监管机构批准申请人从事有关核安全专项活动(如核电厂选址、建造、调试、运行、退役、核材料持有、使用、生产、储存、运输和处置等)的法律文件。

许可证申请人必须提交申请书、安全分析报告及其他有关文件,经国家核安全局评审批准后,方可进行相应的核活动。

许可证主要包括各阶段的安全许可证件;操纵员执照;核材料许可证等。

3. 核安全审评制度

根据有关责任单位提交的安全许可申请书和文件资料,具体组织各项核活动的安全审评工作。

4. 核安全报告制度

为了核动力的运行安全,必须实行核安全报告制度,该制度包括日常核安全情况报告、核动力运行季度报告、运行年报告、运行事件报告等。

8.2.3　核安全文化

1. 安全文化概念的形成

文化一词在汉语中的含义是很全面的。《辞海》中对文化有三条注释,其一是"从广义来说,指人类社会历史实践过程中所创造的物质财富和精神财富的总和,指社会的意识形态,以及与之相适应的制度和组织机构";其二是"泛指一般知识,包括语文知识在内";其三是"指中国古代封建王朝所施的文治与教化的总称"。

在切尔诺贝利事故后,国际原子能机构(IAEA)组织审查切尔诺贝利核电厂发生的事故,讨论时人们发现:从事故的人因错误——违反操作规程,为完成汽轮机试验不顾反应堆将进入不稳定状态,眼看着要发生事故还想碰运气把试验做完——最终酿成了一场人为的核灾难。

1986 年 IAEA 国际核安全咨询组(International Nuclear Safety Avisory Group,INSAG)提

交的《关于切尔诺贝利核电厂事故后审评会议的总结报告》(INSAG – Ⅰ)中出现了"安全文化"(SAFETY CULTURE)的字眼,明确地把安全文化联系起来。1988 年 INSAG – 3《核电厂安全的基本原则》中就把安全文化的概念作为一种基本管理原则。

"安全文化"这一概念的运用和逐步普及,在核能界引起了不少的讨论,甚至争论。于是,国际核安全咨询组又发表了一本专著《安全文化》(INSAG – 4)。

INSAG – 4 这本专著深入地论述了安全文化的定义和特征,安全文化对决策层、管理层、个体的不同要求。为了便于推行,INSAG 提出了一系列的问题和定性的指标以衡量不同层次所达到的安全文化程度,以使安全文化的推行能起到提高电站安全性的作用;使"安全文化"这一抽象的概念成为一种具体的有实用价值的概念。

安全文化是企业文化组分之一,安全文化在西方的提出和发展又有其特殊性,是把安全文化概念应用于核安全管理。安全文化的提出表明,西方人要从沉湎于专门化、定量化、标准化而忽视人的精神的作用这种过分的理性主义中超脱出来,在此基础上研究如何借助员工的价值取向的精神力量为实现核安全目标服务。

2. 核安全文化的定义

INSAG – 4 对核安全文化定义为"安全文化是存在于单位和个人中的种种特性和态度的总和,它建立一种超出一切之上的观念,即核电厂的安全问题由于它的重要性而需要保证得到应有的重视"。

核安全文化体现为必要的组织机构、一定的规章制度加上恰当的人员行为规范,以形成一种核安全高于一切的气氛。其作用是约束核电厂内的个人行为和人际关系,养成正确的思维习惯,调动员工重视改进安全的积极性,最终达到核电厂创优的目的。

3. 核安全文化的一些特性

"核安全文化"作为安全管理的基本思想和原则,它的产生与核动力领域安全管理思想的演变和发展息息相关,一脉相承,是安全管理思想发展的必然结果,同时也是现代企业管理思想和方法在核能界的具体应用和实践。

一般领域的安全文化的定义是安全价值观和安全行为准则的总和,体现为每一个人、每一个单位以及每一个群体对安全的态度、思维程序及采取的行动方式。而核动力领域的核安全文化定义是存在于单位与个人中的种种特性和态度的组合,它建立一种超出一切之上的观念,即核动力领域的核安全问题由于它的重要性而需要保证得到应有的重视。应当有"安全至上、安全第一"的组织运作机制;对各级员工来说,要养成"安全至上、安全第一"的安全意识;其实质是"一整套科学而严密的规章制度 + 全体员工遵章守纪的自觉性和良好的工作习惯",从而在整个核动力领域内形成人人自觉关注核安全的气氛。同时,核安全文化水平的高低,在很大程度上取决于领导层和管理层对核安全的认识和重视程度,取决于他们在核安全立法和执法过程中的力度;取决于核电站的每一位员工对安全要求的正确理解,取决于他们执行安全规定的严肃性,取决于他们一丝不苟的良好工作习惯,也取决于他们时时处处寻求一切机会来改善核安全的水平。安全文化不仅与个人、态度有关,还与单位、体制有关。

营运单位对核电厂安全负有法定的责任,但安全文化不仅是营运单位的事,也是大家的事,诸如设计、建造部门,从事科学和工程基础性研究工作的单位,安全监管部门和政府领导部门等。

核安全文化不是突然冒出来的东西,它是从非核工业安全文化演变过来的。由于切尔诺贝利事故后全球对核安全的重视,由 IAEA 发起,各国大力支持,核安全文化的概念被推广、实践和发展。核安全文化受到国际、国内、单位等多层"大气候"的影响。

良好的安全文化不是自然而然地形成的,要求领导重视、制定安全政策、各级干部起表率作用、严格要求、培养教育、全体员工积极响应、通力合作、持之以恒,再加上外部其他单位的帮助,国家和国际的引导,才能逐步形成。安全文化是对核电厂安全起作用的所有单位和个人的完美属性的总和,这是有机联系起来的,按物质转变为精神,精神又反作用于物质的认识原理,安全文化能起到比各个部分机械总和还要大的作用,良好的安全文化对核电厂的安全、质量、可靠的运行、总体经济效益及企业形象等产生巨大的推进作用。

安全文化一经培养,会潜移默化地传给下一代的工作人员,产生久远的影响。

8.2.4 安全文化的组成与要求

安全文化由两部分内容组成:第一是单位内部必要的体制和管理部门的逐级责任制;第二是各级人员响应上述体制并从中受益所持的态度。

1. 安全文化对各个层次的要求

将整个核能机制(或单位)里活动的人按其职责不同分成三个层次:决策层、管理层和个体(人)。INSAG-4 对每一层次提出了相应的要求,如图 8.5 所示。

2. 对决策层的要求

凡属重要的活动,人们的行为方式总是受高层领导提出的要求所支配。影响核电厂安全的最高领导层是立法层。国家安全文化的基础就是由立法层奠定的。政府的职责是审管核电厂及其他核设施的安全法规,以保护职工、公众和环境,同时政府还鼓励国际交流,提高安全水平。以上讲的是国家层次的决策层。对于任何一个单位,上述精神也同样适用,决策层推行的政策决定了工作的环境,支配着每个人的行为。对决策层的具体要求如下。

(1)公布安全政策

凡从事与核电厂安全有关活动的单位都要发表安全政策声明,把其所承担的责任告诉大家,让人人都明白。该声明就是全体工作人员的行动指南,也是该单位的工作目标和单

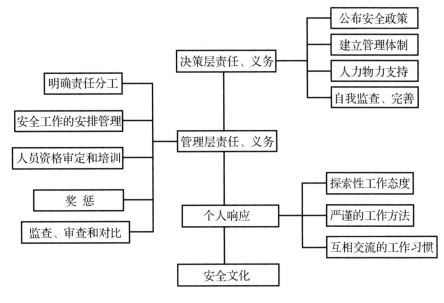

图 8.5　安全文化示意图

位管理层对核电厂安全方面的公开承诺。

（2）建立管理体制

安全政策的实施首先要求在安全事务方面有明确的责任制。要用文件的形式明确责任，并要建立明确的汇报渠道，使从事核电厂安全事务的各单位之间有极明确的权限。至于与核电厂有关的其他单位，责任制要求这些单位通过其本身的管理体制和职责分工，保证对其产品的质量有明确的负责制度。在对核电厂安全有重要影响的一些大单位内部，要设立独立的管理部门，负责核安全活动的监察。例如在某些营运单位，这类监察部门的任务是详细考查电厂的安全活动，他们直接向高层汇报。

（3）人力物力支持

确保安全所需要的充足的人力物力，必须拥有足够的有经验的职工。人事制度应保证把有能力的人员及早提拔到关键岗位上去。人员培训至关重要，要保证有充足的培训经费。要保证职工从事与安全有关的工作时配备必要的设备、装置和各种技术手段，职工从事与安全有关的工作时其工作环境要好，以保证能有效地完成工作。

（4）自我完善

作为一项制度，各单位都应对与核电厂安全有关的工作进行定期审查。其中包括人事安排与培训，运行经验反馈，对设计变更、电厂改造和操作规程的管理等。

（5）承诺

核动力管理层要公开承诺以上所列的各项要求，说明在社会责任方面的立场，表明在安全方面的坦诚意愿。高层的领导要表态承诺，他们要关注与核安全有关的工艺过程的定期审查，经常向职工讲述安全和质量的重要性。核动力安全是营运单位的重要议题。

3. 对管理层的要求

每个人的工作态度往往受他们各自工作环境的影响。在实践中形成的有益于安全的工作环境和养成重视安全的工作态度，这是培养个人的良好安全文化的基础，管理层的经理们的责任是要这样去实践。对于管理层，INSAG - 4 提出以下六个方面的要求。

（1）明确责任分工

通过授权制使每个人职责分明，分配给每个人的责任必须十分明确，并应写成详细文件，不得含糊。授权中个人职责的总体划分必须经过审查，保证没有遗漏、重叠和含混不清之处。责任分工应由其上一级批准。经理们应保证每个人不仅了解他们自己的责任，还要了解周围同事的责任和他们管理部门的责任，了解与其他班组责任之间的关系。

（2）安全工作的安排与管理

应确保高标准严要求地完成各项与核安全有关的工作。为了保证工作能够按规定进行，经理们应建立一套监督和管理制度，强调文明生产。

（3）人员资格审查和培训

应确保他们的工作人员都能充分胜任自己所承担的工作。这是通过任命程序来确保的。同时，人员的培训及定期复训是必不可少的。要注意到，对于电厂运行中的关键岗位，对人员是否称职的判断，还应考虑生理和心理等方面的因素。要对每个工作人员灌输技术技能和培养他们严格遵守程序的工作习惯，同时进行更广泛的培训，促使每个人了解他们工作的重要意义和由于错误理解或不谨慎而导致失误造成的后果。

（4）奖励和惩罚

应该鼓励那些在核安全方面有突出表现的人员，并给予物质奖励。但在营运核电厂的过程中，不要鼓励那些危及安全的高产值。物质奖励不能只基于产值，而是要与安全生产联系起来。当发生错误时，注意力不要过多地放在错误本身，而更应注意从中吸取经验教训。然而，对于重复出现的问题或严重的失误，经理们要采取纪律措施。但是具体做法要慎重，处罚不应导致人们隐瞒错误。

（5）监察、审查和对比

要负责实施一整套的监督措施，例如对培训计划、人事任命程序、工作方法、文件管理和质保系统等定期进行审查。这些监察审查活动，对于设计、制造和建设部门，包括对设计变更或工程变更的管理办法的详细审查。对于电厂运行，包括对运行参数、维修要求、电厂改造、电厂状态控制和任何非常规运行等的变更的审查。通过这种监督和审查，经理们得以核查安全管理体系的工作状态。

（6）以身作则

通过以上的种种工作,领导应以行动表明他们对安全文化负责任,从而促进职工们的安全素养,培养出一种良好的作风。这种作风可以保证集体和个人取得优异的工作成绩。经理们的任务是,确保职工能按已拟定的规则办事并从中受益。同时,通过以身作则,维护职工对追求高标准工作成绩的持续积极性。

4.安全文化对个体素质的要求

INSAG-4 对于个体素质,也就是对于任何在核安全方面争取优异成绩的个人来说,他们的响应应该包括以下三条:

（1）探索的工作态度;

（2）严谨的工作方法;

（3）相互交流的工作习惯。

着手每一项工作后,每个人都要采取一种严谨的工作方法,包括弄懂工作程序;按程序办事;对意外情况保持警惕;出现问题时停下来思考;必要时请求帮助;追求纪律性、时间性和条理性;小心谨慎地工作;切忌贪图省事。

每个人都应清楚,相互交流的工作方法对安全至关重要。其中包括从他人处获取有用的信息;向他人传递信息;汇报工作结果并做书面记录,无论是正常状态或是异常状态;提出新的安全建议等。

个人良好的安全素养还包括以下内容:

（1）树立主人翁精神,对工作要有追求优秀的要求;

（2）培养勤学、虚心、好问、多思的习惯;

（3）培养团结协作的团队精神。

8.3　核动力运行人员管理

8.3.1　运行人员在核动力运行管理中的作用与地位

任何一个先进装备、复杂的系统都是通过人来实现的,毫不例外,对船用核动力装置而言,在确保核动力装置安全运行的因素中,运行人员是诸因素中最重要的,因此加强运行管理确保核安全,最根本的是抓人员的管理,应该说人的因素是第一位的,装置的可靠性、质量、现代化程度的提高不可能代替和取消运行人员。根据国外核电厂的运行经验看,美国核电厂运行研究所(INPO)在 1983 年所分析的重大事故中,人为误操作原因引起的事故占总事故的 52% ,1985 年人为事故为总事故的 40% 左右。实际上从三哩岛事故以后,人们已经认识到核安全中的关键因素是人、人的操作及与运行有关的管理。

核动力装置在运行、试验、维修期间,人与系统设备之间有着相互关系,系统设备靠人来实施运行管理,从而决定了在核动力装置的核安全分析中,必须考虑人员的因素。当然在分析、估算紧急和正常条件下人员响应的可靠性,分析和考虑涉及各种任务错误率的精神压力、习惯和其他因素的影响时,没有固定的模式,需要经过长期积累,从中找到规律,并应用于实践。

进行人因分析是为了估计人误对各种安全系统和部件无效度的影响。一般可应用等效的方法来确定人员因素,即可利用人误预测技术的一般原则。可通过概率树图对事件进行描述,概率树图即简化的决策树或事件树,每步或每分支表示不同的人员动作可能性和不同的环境可能性,等等。

在许多情况下,人误是比较直接的,并可根据基本数据直接确定出数值,在另一些情况下,当包含的人误因素很多时,应用概率树图把人误分解成若干分支,一般可根据某些分支作用的基本数据的外推得出总的人误数值,具体见表 8.1。

表 8.1 一般错误率的估计值

错误率	动 作
1×10^{-4}	选择键控开关,而不是非键控开关(不包括操作人员把位置弄错而又确信键控开关选得对的判断错误)
1×10^{-3}	选择形状或位置不同的开关或开关对,假定没有判断错误,例如,操作人员开动一只粗柄开关而不是小开关
3×10^{-3}	一般操作人员。例如,由于看错标牌而选错开关
3×10^{-3}	疏忽错误。被疏忽的项目夹杂在过程之中,而不是像上面那样发生在过程结束时
1×10^{-2}	一般疏忽人误,当被疏忽的项目状态在控制室没有显示器时
1×10^{-2}	在紧迫情况下,经过头几个小时,操作人员未能正确地行动
5×10^{-2}	经过自检的运算错误,但没有在另外的纸上重新演算
$1/x$	操作人员伸手抓错开关(或开关对),选择了样子特别相似的开关(或开关对)。其中 x 为与期望的开关相似的开关数目,适用范围 $x = 5$ 或 6。随着项目 x 的增加,错误率可能下降,因为操作人员可能有更多的寻找时间。在 5 或 6 项时,他没料到会出错,而因此有更大的可能性没有仔细地寻找
1×10^{-1}	操作人员伸手抓错了电动阀的开关(或开关对),他没注意到电动阀的指示灯早已处在所需状态,而未考虑到已经选错了开关的情况下,他就改变电动阀的状态
~1.0	除了错误开关的状态未处所需状态以外,其他同上
~1.0	如果操作人员未能正确操纵两只紧耦合阀或按程序步骤操作开关对中的一只,他也不能正确地操作另一只阀门

表 8.1(续)

错误率	动　作
1×10^{-1}	班长或检查员未能判明操作人员的最初错误
1×10^{-1}	各种工作交接班的工作人员对硬件设备的状态检查失误,除了检查表或书面命令要求检查的以外
5×10^{-1}	班长在一般的巡回检查中,假定没有检查表可用时,不会发现不符合要求的阀门状态等
$0.2 \sim 0.3$	迅速产生危险动作的高度精神紧张状态引起的一般错误率
$2(n-1)x$	假定时间非常紧迫,为补救在紧急情况下产生的错误,而再一次进行尝试的错误率,其中 x 为动作的最初错误率,在前一次错误的尝试后,每再尝试一次,错误率增加一倍,当尝试次数 n 趋于极限时,错误率将达到 1.0 或直到时间用尽,这种极限情况代表了变得完全混乱或无效的个别情况
~ 1.0	操作人员在精神极其紧迫情况(例如大破口事故)开始后的头 60 s 内未能正确地采取行动
0.9	在极其紧迫情况开始之后,经过头 5 min,操作人员未能正确地行动
0.1	在极其紧迫情况开始之后,经过头 30 min,操作人员未能正确地行动
x	在大破口事故后,经过 7 d 以后,所有工作都完全恢复到正常的错误率 x

　　这些数据是在考查有关核电厂工作人员的技术水平、职业、操作规程及控制系统、显示系统装置运行设计资料之后做出的,同时通过与核电厂运行人员、管理人员和工程技术人员的讨论,观察一些核电厂的控制室试验、维修和标度工作以及研究书面材料和图片而得到的,可供对船用核反应堆运行人员分析时参考。

　　同时,在推导核电厂操作人员错误率时,必须考虑各种因素方能得到较为实际的数据。一般来说应考虑以下比较重要的几个行为效能构成的因素:推测人员的精神压力水平;控制系统和显示系统的人因工程学质量;人员训练和演习的质量;现场的文字说明书的质量及使用方法;人类活动的相依性;显示系统的反馈形式;人员的重复度;人员技术的熟练程度;反应能力,等等。

　　总之,人员可靠性牵涉的因素较多,也较复杂,除上述以外,人员可靠性还因所处的对象、时间、场合不同而不同,不过有一条是确定的,即我们必须加强技术人员的技能培训管理。

　　在正确认识人因在核动力装置运行安全中的重要性后,人员的培训管理就是一个重要的问题,我们既要看到人误对核动力装置运行安全的严重性,又要充分认识到人误是可以降低的,其根本途径是加强核动力技术人员的培训管理。从广义上讲,人员的培训管理应包括两个大的方面(事业心的培养、技能的培养),二者缺一不可。

8.3.2   人因工程学的基本概念

随着现代科学与工程技术的发展,"更安全""更有效""更方便"已经成为现代工业发展所追求的方向,"人机界面"的术语已为各行各业所熟悉。人与机器、人与工具、人与环境的关系正随着各种系统复杂性的增加而越来越密切。人的因素已成为系统的关键环节。人的失误常常是事故的直接原因。因此,在各个领域内,人的因素对人因的研究也越发深入,并得到了更为广泛的重视。

人们最早称人因工程为工程心理学(Engineering Psychology),后称人机工程(Human Engineering),近年来逐渐统一为人因工程(Human Factors Engineering)。这是一门研究工业系统中人机关系,使操作人员动作最佳化的科学。在仪器设备的设计中,人因工程研究如何实现操作人员的有效应用。早在第二次世界大战期间,一些国家,特别是美国,就大力发展高性能、威力大的新式武器,但由于只注意提高机器性能而忽视了人的因素,失败的教训屡见不鲜,这使人们认识到:要设计好一个现代化设备,仅有先进的工程技术知识是远远不够的,还必须掌握和应用生理学、心理学等多方面的知识。于是一门完整的新兴边缘学科——人因工程学应运而生了。

1. 人因工程学研究的范围、方法、体系

人因工程学是一门应用范围十分广泛的综合性边缘学科。它的定义有如下的表述:运用生理学、心理学、管理学和其他有关学科的知识,研究人的生理心理等各方面能力和极限与其所使用的机械在一定条件下的相互作用,使人、机械和环境相互适应、相互协调、相互促进,从而提高工效和安全性的一门科学。在美国,它被称为"Human Factors Engneering",在西欧许多国家被称为"Ergonomics"。人因专家要具备工程学、生理学、心理学、人体解剖学、人体测量学、环保学、管理科学、信息科学,以及色彩学、声学、光学等多方面的知识。实际上,人因工程学的研究是物理学原理的应用、人体特性研究的应用、环境分析的应用,以及实际工作经验分析的应用的综合。这构成了其独特的研究体系。

(1)人因工程学的研究范围

①研究人和机器的合理分工及其相互适应的问题;

②研究被控对象的状态信息如何输入,以及人的操纵活动的信息如何输出的问题;

③建立"人-机-环境"系统的原则。

(2)人因工程学的研究方法

①实测法——这是器械进行实测的方法,是最常用的方法之一,如为了解决操作面设计而进行手臂活动范围的测定。

②实验法——当实测法受到限制时,可采用实验的方法,如为了得到某种按钮开关的按压力、手感和舒适感等人体要求的资料,必须进行现场实验。

③分析法——当问题比较复杂,采用前两种方法不能直接得出结论时,就需要对问题进行研究。一般此种方法是以前面两种方法为基础的。

(3)人因工程学的研究体系

人因工程学的研究体系见图 8.6。

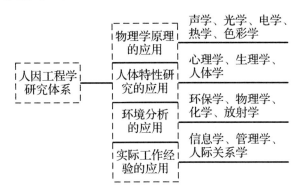

图 8.6 人因工程学的研究体系

2. 人因工程学在核动力领域中的应用

人因工程的研究起始于第二次世界大战期间。20 世纪 60 年代,人因工程学先后在美国、前苏联、日本以及西欧各国开始应用并发展很快,应用逐渐扩大推广,如在宇航、交通等许多领域里都取得了可喜的效果。在核电厂运行史上,出现了三哩岛和切尔诺贝利两次重大事故,事故后的分析认为这两次事故的发生在很大程度上是由于人员失误造成的。所以人因工程在核能事业中的应用已逐步得到了世界各国的普遍重视。通常可以认为采用人因工程学的研究成果,能够避免和防止大约 25% 的核电厂故障和事故。

我国于 20 世纪 70 年代末、80 年代初开始人因工程学的研究,并将其应用于机械和电子等行业。核工业领域中人因工程的研究开始于近几年,主要应用于核电厂控制室的设计与改进,并已经取得了一定的成果。

(1)核电厂人因工程学原则

从核电厂的安全性和可操作性出发,使人机功能分配最佳化,人机接口合理化,以充分发挥人机的综合性能。例如,核电厂主控制室设计应特别注意到与操作人员特性有关的人因工程学原则,即考虑到人体尺度、感官能力、思维能力、生理与心理特征、动作习惯、反应能力及限度来设计主控制室。

(2)核电厂人因工程内容

它包含操作员特性、教育和训练、客观条件等方面。

①操作员特性

a. 人体尺度。在人机接口设计中,人体尺度占有重要位置,它涉及系统性能、操作员安全及机器的可操作性等。人体尺度数据各国有差别,原则上人体尺度要为90%操作人员所接受。

b. 习惯选择。控制设备的操作方式及仪表指针的位移方向要符合常人的习惯,如图8.7所示的功能与动作的关系图。颜色的选择亦应符合习惯,例如红色表示异常,绿色表示正常。

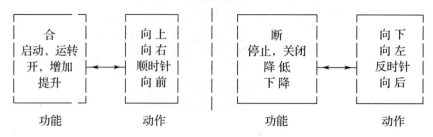

图8.7　控制设备功能与动作关系图

c. 感官能力。听力适合的一般音响强度为60 dB 至90 dB 之间,频率为500 Hz 至3 000 Hz 之间。视力合适的一般照度为200 lx 至750 lx 之间。屏台的布置应该考虑到操作员的视角,信号标志应考虑到操作员的视距。

d. 信息处理能力。应特别注意紧张状态下处理信息的能力,包括反应程度和逻辑判断能力的正确性。

e. 其他。诸如年龄、经验、文化水平及情绪控制能力等。

②教育和训练

a. 核电厂工艺过程以及标准法规教育;

b. 主设备性能及其安装知识教育;

c. 主控制室各种设备的知识教育;

d. 运行或事故处理的操作训练。操作员培训通常在核电厂模拟机上进行,辅以现场的操作实习。核电厂操作人员的素质是人因工程的重要内容。

③客观条件

a. 人机接口,指操作员使用什么手段来完成其职责,包括自动化水平、数据处理及测量参数的显示系统、监测及诊断报警系统、控制设备及通信设备、指示器、报警及指令控制器的安放位置及标志,以及操作员支持系统。

b. 标准和操作规程,包括所有控制设备的技术说明书及标准,报警项目清单及其意义,正常运行时的操作规程,事故处理时的操作规程,以及应急操作规程。

　　c. 环境因素,包括核电厂的组织机构、指挥系统、操作人员以外的运行人员岗位和职责,操作人员的工作环境等。

　　人因工程内容是否完善,实际上是以主控制室操作人员行为以及完成任务过程中所承担的风险来衡量的。

8.3.3　核反应堆运行管理人员的基本要求

　　根据国外核动力运行人员的基本要求,结合我国实际,船用核动力运行人员应具备四方面的素质,即思想素质、基础理论、专业技能、身体素质。

　　1. 思想素质

　　思想素质指具有为事业献身的精神。实践证明,运行人员责任心强、事业心强,可以使核动力装置的核事故减少到最低限度,可以说,它是确保核安全的最基本因素。

　　2. 基础理论

　　基础理论素质是核动力运行人员的必备条件,运行人员必须学习和掌握核动力装置相关的理论和知识。国内外核电厂运行人员都是由高校学习过相关专业的大专以上毕业生在经过实践锻炼和考核后从事其相应的工作岗位,船用核动力运行人员更不得例外。

　　3. 专业技能

　　由于核动力系统的复杂性,对于核动力运行人员要求其专业技能较为广泛,专业技能只能在实践中不断总结和提高。

　　操纵员和运行管理人员,应具备的业务素质如下:

　　(1)核动力专业大专以上学历或者同等学力,掌握本专业基础理论和技能;

　　(2)掌握核动力装置设计准则、重要设备工作原理、结构和使用;

　　(3)掌握核安全法规、标准,具有较高的核安全素养;

　　(4)思路清晰,反应敏捷,具有较强的应急处置能力。

　　操纵员和运行管理人员的主要培训内容如下:

　　(1)系统的专业基础理论和核动力装置的运行知识;

　　(2)核安全法规、标准及辐射防护等相应专业知识;

　　(3)每年每个团队不少于 15 d 的模拟器操作训练;

　　(4)实船设备、系统的使用训练;

　　(5)进行码头反应堆启动、保温保压、核动力装置运行的操练和事故模拟操演;

　　(6)进行海上核动力装置各工况运行操练;

　　(7)维修保养、故障分析与排除故障技能的训练;

　　(8)参加与执照考核有关的培训与再培训。

4. 身体素质

对于船用核动力装置运行人员,必须具有良好的身体素质。

8.3.4　核反应堆运行管理人员的培训与考核

首先,应从责任心和事业心上加强运行人员的培养管理,它是确保核安全的最基本因素;其次,对运行人员要进行不断地再培养(包括理论、实践、模拟器的培训),即加强基础理论和运行技能的培养。在这方面每年对运行人员应给予一定的时间进行再学习,使核动力运行管理技能不断提高。最后通过考核,颁发执照,得到认可。对运行人员的培训与考核,一般应经历三个阶段,即理论培训、反复训练、技能的考核评价。

1. 理论培训

为提高技能水平,首先需要的是指导行动的理论基础。基础知识是行动的指针,必须加强理论培训。一般说来,由于运行管理人员缺乏知识而进行了错误的行动和作业,或者对原因作出错误的判断使得问题变得严重或出现新问题,这种现象是经常发生的。而且,从内容上来说,自动化的程度越高,系统越复杂,其基础知识的范围越广,对于从事核动力装置的运行管理人员来说,应按核动力各级技术人员应具备的知识和能力来进行理论培训。

2. 反复训练(实际训练和模拟训练)

反复训练是指让人员根据教育中所获得的知识,反复进行体验和实施,使其掌握技能,并能正确地、快速地行动。为提高训练结果,要对训练结果加以检查。不反复进行这种工作,是不能提高训练效果的。

反复进行训练的方式一般有两种:一种是实际训练,另一种是模拟训练。实际训练是在所处的岗位上进行实习、操练,并学习前人的经验。在训练过程中用所学的知识,解释和指导实际运行管理,并不断总结经验,在实践中提高,技能不断增强。模拟训练对核动力技术更为重要。由于核动力装置具有较高的核安全要求,不可能让新手或经验不足的人员进行各种操作训练,且核动力装置的事故处理操作也不可能实施实际训练。而核动力模拟器可以对各种工况、事故进行模拟训练,既安全又能得到预想的结果,经过反复模拟训练即可提高运行人员的水平。现在模拟训练在核动力技术领域得到广泛的应用,即使对熟练的操纵员也要定期进行再训练、再提高,这是被人们公认的一条经验。实际上反复训练即是要培养五力。

(1)注意力、发现力,这是迅速发现异常的能力。为此需要有包括异常的分辨方法、判断基准、发现方法等的基础教育和训练。而且,要力戒由于注意力分散和情绪不高而放过异常现象。

（2）判断力，是指在发现异常时，能够正确判断的能力，这要求有逻辑性的思考。在出现不常见的现象时，经常会有由于知识和训练不足而作出错误判断的情况。

（3）行动力、处置力、恢复力，是指能遵循原理、原则采取行动的能力。无论何时或何种情况，能正确处理，而且还要求在作业时间、修复时间、损失率等方面经常能在一定范围内保持稳定。要尽量避免由于处置力差或者没有正确的处置，反而使问题变得更严重或造成损失的连锁反应，这一点是很重要的。

（4）预防力，是指防止故障于未然的能力。

（5）预知力，是指在事先预知或预测故障的能力。能跟踪故障的前兆，观察随着时间的流逝而发生的变化，预知故障的发生。

3. 考核评价

通过理论培训、实际训练和模拟训练，对技术技能掌握的情况，必须进行考核评价，而评价的方式是对不同的技术人员进行分级考核，对操纵员严格按执照制度来进行，只有获得执照后方可进行相应的工作；对现场操纵人员按其管理的岗位进行考核，同样要按某种基准考核内容检查其能否正确地、迅速地、熟练地掌握其业务范围。

8.3.5　核动力模拟训练对运行人员的培训管理

1. 核动力训练模拟器在核动力运行管理中的作用

模拟装置是对真实对象或系统进行模拟，而真实对象或系统却是千差万别的，同时也有不同的模拟途径。随着新技术的不断发展，模拟装置的运用已摆到各领域的重要议事日程上来。按用途来分，模拟装置可分为三大类：①训练用模拟装置（运行操作训练、事故应急处理训练、环境训练和功能技术训练等）；②设计研究模拟装置（作为设计用的有可能性的探讨、局部设计、特殊条件的假定、各种基准的设计等；作为研究用的有人因的动特性研究、自由度的研究、模型的研究、模拟装置硬件和软件的研究等）；③政策的评价、决定模拟装置，如战术模拟，方针政策的研究等。而训练用模拟装置从最早的飞机飞行模拟器到目前的高精尖技术的模拟器，可以说，它集中了时代技术的精华。无论什么样的模拟器，它都包括了两大方面，即模拟的目的是什么以及如何进行模拟。后者根据其专业领域不同差异极大，而作为前者至少可以说有几点是共同的，就是通过模拟训练可以比实际装置训练效果更为经济，同时可以得到系统的综合机能，可以缩短掌握技术的时间。由此可见，模拟训练可用到各个方面，特别对核动力这样的专业更为重要。世界上发生的几次核事故，除了装置的质量之外，技术人员的技术水平也是一个重要因素，从而引起了世界各国对核安全的关注，而核模拟器则可以使这些关注得到一定的落实，至少可以通过模拟训练使技术人员的运行管理水平得到一定的提高，使发生事故的可能性减少到最低程度。同时在模拟器上进行训练，可以使受训人员减少放射性的照射，具有独特的效果。

根据我国的现实情况,为多快好省地培养核动力装置运行操作管理人员,利用核动力训练模拟器进行训练已势在必行,它不但可提高运行人员的操作技能,同时可对运行人员进行核动力有可能发生,而又尽可能避免的事故进行模拟训练。另外实行模拟训练要比在实际装置上训练经济得多,所以进行核动力装置运行模拟训练,可以安全、逼真地进行操作,从而可以有效地提高核动力装置管理运行水平,具有一定的现实意义和深远意义。

2. 核动力模拟的基本原理

模拟的种类较多,有相似模拟和物理模拟等,由于核动力模拟较为复杂,涉及面也很广,只能根据实际情况来决定模拟方式。除了上述的模拟方式外,在计算机应用方面,不仅有软件仿真,还有硬件模拟,所以核动力模拟器是一个大的仿真系统。

下面就核动力模拟器的模拟基本原理作以简单介绍,以增强学习者的模拟训练效果。如实现核动力装置运行控制的模拟,就必须将反应堆内复杂的动态物理过程逼真地反映出来。我们知道,核反应堆内的动态过程就是中子动态变化过程,反应堆内中子动态变化过程取决于中子的产生和消失这一对主要矛盾,可以说,引起反应堆运行状态变化的首要因素是反应堆内反应性的变化。因此,除了要考虑中子动态过程、堆内热力学动态过程外,对堆内控制棒的位移、所处的位置,堆芯及一回路冷却剂温度的变化,管道、蒸汽发生器的温度变化,一次侧向二次侧的传热,堆内各种管道延迟,中毒影响,稳压器水位、压力变化等,都要进行确切的模拟。问题的关键在于这些复杂的过程如何用确切的数学方程来描述。这些数学方程应满足两方面的问题:既要反映物理过程,同时又要具有较高的实时性;这两者往往互相矛盾。对于模拟来说,要通过各种方式选取最合适的有效模型,或采取一定的方式将其简化,使之能实现。

下面以核电厂模拟机为例,扼要叙述核动力模拟机的原理及组成。

核电厂模拟机是利用计算机仿真技术对核电厂的正常运行和事故过程进行模拟的专用设备。核电厂模拟机通过数学模型对核电厂各种工艺过程进行描述,在一定的初始条件和边界条件下对核电厂运行工况和系统状态用计算机进行求解,以再现核电厂的工艺过程,及其有关参数的变化过程。

根据所使用的计算机的类型,可以将核电厂模拟机分为模拟仿真机和数字仿真机两种,模拟仿真机只是在早期用在对核电厂的简化模拟上,基于计算机技术的飞速发展,当前的核电厂模拟机都采用数字仿真机。

核电厂模拟机就其用途可分为以下两类。

(1)用于操作员培训的训练模拟机

训练模拟机也称为复制模拟机或全尺寸模拟机,它完全复制实际核电厂的主控制室,通过数学模型在计算机上模拟与主控制室操作运行和事故处理有关的核电厂工艺系统,以再现核电厂在主控制室反映的全部工艺过程,主要用于核电厂操作人员的培训和再培训。

为了便于受训人员对核电厂工艺过程的基本原理的理解,开发了基本原理模拟机,模拟核电厂的主要工艺系统,采用紧凑的小型控制台,并在控制屏上绘有各种颜色的、带灯光显示的系统流程模拟图,用以指示系统(包括泵、阀门、开关)的工作状态,通常配备高分辨率的彩色 CRT 显示器,以显示系统参量的变化过程和某些无法直接测量的物理量,如反应性、DNBR 等。

训练模拟机一般由四个部分组成:模拟计算机、控制室、教控台和实时接口。模拟计算机通常采用小型机、多机和单机两种系统,或单机多 CPU 系统,这主要取决于模拟软件的规模。模拟计算机大都采用 SEL 系列机。SEL 系列机均采用双总线结构,整个系统(包括CPU、主存、高速缓冲存储器,以及输入/输出处理机)都与高速同步总线 SELBUS 相连接,而慢速设备连接到中速异步总线 MPBUS 上。磁带和磁盘经专门的处理机连接到 SELBUS 上,实时接口经 I/O 处理机与 SELBUS 相连接,每个 I/O 处理机支持 16 个外设控制器,124 个I/O 设备。I/O 处理机的运用增加了 CPU 的有效性,改善了系统性能,使 SEL 机具有较高的运算能力。

控制室包括仪表盘和操纵台,要求完全复制真实核电厂的主控制室,使受训人员获得真实感。

教控台是教员的工作台,用来设置模拟计算机的各种初始工况,包括不同的运行工况、功率水平、燃耗、中毒状态等,并可设置数百种故障,可以是单发性故障、多发性故障,或继发性故障。教控台还可对模拟过程实施冻结、恢复、回演、快拍等操作,以使受训人员有充分的机会理解运行过程的特征。教控台还能对模拟机系统进行诊断,确定故障部位。

实时接口完成控制室和模拟计算机间的信息转换和传递,用以连接控制室上千个仪表和信号装置及相当数量的操纵机构。

根据美国国家标准 ANS – 3.5 的要求,训练模拟机稳态精度应达到 ±2%,动态精度应达到 ±10%,并在变化趋势上与实际核电厂一致。

(2)用于核电厂分析的工程模拟机

工程模拟机,亦称核电厂分析器,用以在各种事故或事故组合的情况下,进行核电厂的安全分析和事故对策研究。工程模拟机还可作为控制系统及计算机系统的调试工具。

工程模拟机与训练模拟机相比,工程模拟机具有更精确的数学模型,参数和软件模块可灵活地进行调整,以适应不同核电厂的模拟;不需要驱动复制的主控制室,因此输入/输出接口大大减少。一般只设置小型的模拟屏和控制台;不需要教控台,直接通过计算机终端进行操作;通常配备高分辨率彩色 CRT,具有比较强的数据显示、分析、记录功能。

3. 核动力模拟器的基本功能

核动力模拟器的宗旨是训练核动力专业人员的技术水平,鉴于核动力专业复杂,安全性强等特点,要求模拟器模拟的内容尽可能全,而对可能发生的而又不允许出现的事故进行逼真地模拟显得更为重要,因此核动力模拟器成为技术性很强、很庞大的模拟系统。一般说来,核动力模拟器应模拟的主要功能包括如下方面。

（1）运行前的准备和检查

在实施模拟运行前,它应和实际装置一样,对所有开关、按钮、控制台仪表进行复位和检查,以避免在运行中发生误操作。对灯光信号进行检查,以便在故障情况下及时报警,实行事故处理操作。

（2）反应堆的启动运行

启动运行包括冷启动和热启动,热启动应包括正常热启动和碘坑下的启动等。

（3）反应堆的功率运行

功率运行包括稳定工况运行和改变工况的运行;功率运行还包括"手动"工况和"自动"工况。

（4）反应堆的停闭运行

停闭运行包括正常工况停闭和事故停闭,对于停闭运行着重是对停堆后余热排出的操作。

（5）运行参数的记录

运行参数的记录对于模拟器来说尤为重要,它可以反映出被训练者的受训情况是否正常,同时这些参数可作为今后实际装置运行的参考。

（6）运行情况的冻结

冻结是针对反应堆运行动态进行冻结,冻结后可以对某一瞬时的参数进行考查分析,得出结论。还可以从冻结点开始继续运行,保持其连续性,所以它是提高运行水平的一个辅助手段。

（7）状态的再现

状态的再现包括两个方面:一方面是对正常运行的参数从某一时刻开始,朝着相反的方向重演,以加深对动态过程的认识;另一方面对发生事故前的状态进行再现,以分析事故的原因,提高核反应堆运行管理水平。应指出的是,一般状态的再现是针对冻结点而言的,在没有特别需要的时候,并不是从运行的一开始直至结束都进行再现,因为它受到了多方面的限制。

（8）教练控制台(情况设置台)

教练控制台是模拟装置特有的,它是整个模拟器训练指挥的核心,它的主要功能是监视受训人员的基本操作,并对这些操作进行判断评分,确定是否符合训练要求;根据受训对象的不同,可以给出不同的事故,特别是某些实际装置有可能出现,而又不允许出现的故障,让受训人员进行处理,从而提高受训人员的事故处理能力;对受训人员进行训练效果考核等。这些都是实际装置所不能比拟的。

（9）事故的模拟

作为一个用来训练的模拟装置,模拟其正常运行的操作固然重要,而模拟实际系统的各种事故更为重要,对于核动力模拟器一般有以下的事故被模拟。

①重大事故:反应堆失水事故、主泵断电事故、主蒸汽管道破裂事故、主给水管道破裂等事故。

②反应堆控制、测量系统事故:卡棒、掉棒事故,控制棒打滑,控制棒位置指示器失灵,控制棒插入后不同步,控制棒连续拔出的反应性事故等;中子源区测量误指示,中间区测量误指示,功率区测量误指示,核测量发生干扰等。

③反应堆主回路系统局部故障:稳压器压力、温度、水位发生异常,稳压器喷雾阀故障,主泵的密封泄漏,左右回路温差不平衡,某台主泵故障,单回路运行等。

④启动事故:包括核加热时的超压事故及碘坑下的启动事故,等等。

⑤主给水系统故障:包括给水泵,给水控制阀,给水管道的故障等。

⑥电气故障。

⑦二回路故障。

⑧放射性监测系统故障。

⑨其他辅助系统设备故障。

4.核动力模拟器的训练

核动力模拟器训练的主要对象是核反应堆中央控制室的值班人员,目前世界上已运行的模拟器一般完成三项任务,即初期训练、一般训练和再训练。

初期训练的对象是即将从事核动力专业的人员,它必须在已学理论课的基础上进行训练,一般训练 2~3 周,为将来到实际工作打下基础,通过考核,取得合格证书。

一般训练的对象是与核反应堆专业有关的工作人员,先学习与核反应堆有关的一般基础知识,然后在模拟器上进行参观见习,到后期进行适当的操作,以便对核反应堆有一个大体上的了解,对今后的管理保证工作做到心中有数。

再训练的对象是从事核反应堆专业的研究生及熟练核反应堆运行操作的人员。对于前者进行模拟训练一般是带有研究性的,包括事故的分析,以及对今后的核反应堆设计提供较为可靠的参考数据;而对于后者则是使其运行管理水平更加提高一步。一般来说,侧重点放在反应堆运行过程中可能出现的各种故障的处理和操作,以便在今后实际运行中出现异常或事故时能够有条不紊地进行处理。这种训练一般来说是严格的,不仅要做到能发现故障,更重要的是从理论的角度去分析、处理它,这样可以使实际核反应堆在运行中将事故减少到最低程度,即使出现事故,也能很快地正确处理,限制事故的扩大。

复习思考题

8-1　我国核动力装置核安全目标是什么?

8-2　加强核安全的基本原则是什么?

8-3　船用堆的三道屏障与五层保护具有什么特征?

8-4　概述核动力领域加强核安全管理的重要性。

8-5　如何理解核反应堆运行管理中的核安全控制?

8-6　试说明核安全管理中的核安全分析方法及其不同点。

8-7　为什么要加强核安全管理中的核安全评价?

8-8　试说明核安全管理中的核安全检查制度的范围、分类。

8-9　简述我国的核安全法规体系。

8-10　反应堆运行管理过程中的核安全管理的基本要求是什么?

8-11　反应堆运行管理过程中为什么要实施核安全监督管理?

8-12　简述核安全文化的定义及特性。

8-13　试说明安全文化的组成与要求。

8-14　船用核反应堆运行人员的基本要求是什么?

8-15　作为一个合格的运行人员应具备哪些技能,这些技能应通过什么途径获得?

8-16　简述模拟训练的重要性、原理、训练内容。

附录 A 核动力舰船简表

表 A.1 典型核动力船简表

项 目	"陆奥"号	"萨瓦娜"号	"列宁"号	"奥托·哈恩"号
1. 国别	日本	美国	前苏联	德国
2. 进度	1968.11.27			
开工	1969.6.12	1958.5	1956.8	1963.9
下水		1959.7	1957.12	1964.6
启堆至临界状态		1961.12		1968.8
完成	1972	1962.5	1959.9	1968.11
3. 船体部分主要参数				
船舶种类	货船	客货船	破冰船	矿砂船
总长/m	130.00	181.508(595.5 英尺)	134.0	171.8
垂线间长/m	116	166.116(545 英尺)		157
型宽/m	19	23.774(78 英尺)	27.6	23.4
型深/m	13.2	15.24	16.1	14.5
满载吃水/m	6.9	8 992	9.0	9.2
满载排水量/t	10 400	22 170	16 000	25 950
载货质量/t	2 400	7 845		15 000
船员数				
士官	22	132		66
成员	37			
其他人员	试验人员 20	旅客 60		47
总计	79	192		113

表 A. 1(续)

项 目 ＼ 船 名	"陆奥"号	"萨瓦娜"号	"列宁"号	"奥托·哈恩"号
速率				
航速/kn	16.5	20		15.75
辅助推进航速/kn	10.0(辅助锅炉)	6.5(电动机750轴马力)		8.5(辅助锅炉)
主机功率(额定)	10 000 轴马力	22 000 轴马力	44 000 轴马力 (三轴电力推进)	10 000 轴马力
发电机容量 /kW				
主发电机	800 kW×2	1 500 kW×2		450 kW×2
辅发电机	720 kW×3	750 kW×2		450 kW×1
应急发电机	240 kW×4	300 kW×1		240 kW×1
合计	3 280 kW	4 800 kW		1 590 kW
辅助锅炉	18 t/h×1	34 t/h×2		8 t/h×1
4. 反应堆部分 主要参数				
热功率	36 MW×1	80 MW×1	90 MW×3	38 MW×1
蒸汽发生器	30.6 t/h×2		2 台共 310 t/h (另外备用 1 台)	3 台共 64 t/h
二回路蒸汽压力	40 kg/cm² (表压) 饱和蒸汽	29.2 kg/cm² (表压) 饱和蒸汽	28 kg/cm² (表压)310 ℃	30 kg/cm² (表压)273 ℃
5. 建造厂				
船体部分	石川岛播磨重工	纽约造船厂	列宁格勒造船厂	基尔造船厂
反应堆部分	三菱原子力工业 公司	巴布克-威尔科 克斯公司(B&W)	列宁格勒造船厂	德国巴布克-威尔科 克斯公司(B&W)

表 A.2　国外核潜艇统计简表(截至 2005 年)

	攻击型核潜艇		巡航导弹核潜艇		弹道导弹核潜艇		辅助型核潜艇	合计	
	总数	在役	总数	在役	总数	在役	均在役	总数	在役
美国	134	54	0	0	59	18	1	194	73
美国	14 级 14 型	3 级 3 型: 洛杉矶(50) 海狼(3) 弗吉尼亚(1)			4 级 4 型	1 级 1 型: 俄亥俄(18)	1 级型: NR-1	19 级 19 型	5 级 5 型
俄罗斯	90	15	66	6	91	16	5	252	42
俄罗斯	7 级 11 型	3 级 4 型: V3(6) S2(1) AK1(6) AK2(6)	4 级 7 型	1 级 1 型: 02(6)	4 级 9 型	2 级 4 型: D1(1) D3(6) D4(7) T(2)	2 级 2 型: 比目鱼(2) 军服(3)	17 级 29 型	8 级 11 型
英国	19	12	0	0	8	4	0	27	16
英国	4 级 4 型	2 级 2 型: 快速(5) 特拉法尔加(7)			2 级 2 型	1 级 1 型: 前卫(4)		6 级 6 型	3 级 3 型
法国	6	6	0	0	9	5	0	15	11
法国	1 级 1 型	1 级 1 型: 红宝石(6)			3 级 3 型	3 级 3 型: 可畏(1) 不屈(1) 凯旋(3)		4 级 4 型	4 级 4 型
共计	249	87	66	6	167	43	6	488	142
共计	26 级 30 型	9 级 10 型	4 级 7 型	1 级 1 型	13 级 18 型	7 级 9 型	3 级 3 型	46 级 58 型	20 级 23 型

注:1. 以上统计截至 2005 年,不含尚未服役的新级别,即俄罗斯的"亚森"级、"马驹"级攻击型核潜艇和"北风"级弹道导弹核潜艇;英国的"机敏"级攻击型核潜艇、法国的"梭鱼"级攻击型核潜艇和印度正在研制的攻击型核潜艇。

2. 有的核潜艇在服役后进行过改装,使命随之改变,此表统计时仍以服役初期的舰种为准。如美国部分"华盛顿"级和"艾伦"级弹道导弹核潜艇曾改装为攻击型核潜艇;美国部分"艾伦"级和"拉菲特"级担当导弹核潜艇,以及部分"鲟鱼"级攻击型核潜艇曾被改装为特种部队运送艇;美国的前 4 艘"俄亥俄"级弹道导弹核潜艇正在改装为巡航导弹核潜艇;俄罗斯的 Y 级和 D3 级弹道导弹核潜艇曾被改装为辅助型核潜艇等。

表 A.3　美国弹道导弹核潜艇性能简表

发展代数	级别(型号)名		总数/艘	在役/艘	正常排水量/t		艇长×型宽/m	航速/kn		潜深/m	主动力
					水上	水下		水上	水下		
第一代	1	华盛顿	5	0	6 019(标准)	6 888	116.3×10.1	20	31		1座 S5W 压水堆,2台齿轮蒸汽轮机,15 000马力,单轴
第二代	2	艾伦	5	0	6 955	7 880	125×10.1	20	30	300	同"华盛顿"级
第三代	3	拉菲特	31	0	7 330	8 250	129.5×10.1	18	25	300	1座 S5W 压水堆,2台齿轮蒸汽轮机,15 000马力,单轴
第四代	4	俄亥俄	18	18	16 600	18 750	170.7×12.8		24	244	1座 S8G 型自然循环压水反应堆,2台蒸汽轮机,60 000 马力,单轴

表 A.4　美国攻击型核潜艇性能简表

发展代数	级别(型号)名		总数/艘	在役/艘	正常排水量/t		艇长×型宽/m	航速/kn		潜深/m	主动力
					水上	水下		水上	水下		
	1	鹦鹉螺	1	0	3 530	4 040	97.4×8.4	>20	>20	210	1座 S2W 型压水堆,2台齿轮蒸汽轮机,双轴,15 000马力
	2	海狼	1	0	3 720	4 280	102.9×8.4	>20	>20		1座钠冷却反应堆,后改为 S2WA 型反应堆;2台齿轮蒸汽轮机,双轴,15 000马力
第一代	3	鳐鱼	4	0	2 570	2 861	81.5×7.6	>20	>25		2艘艇装 S3W 型压水堆(1座),2艘艇装 S4W 型压水堆(1座),2台齿轮蒸汽轮机,双轴,6 600马力
第二代	4	鲣鱼	6	0	3 075	3 513	76.7×9.6	16	30		1座 S5W 型压水堆,2台齿轮蒸汽轮机,单轴,15 000马力
	5	海神	1	0	5 940	7 780	136.2×11.3	>20	>20		2座 S4G 型压水堆,2台蒸汽轮机,34 000马力,单轴

表 A. 4（续）

发展代数	级别（型号）名		总数/艘	在役/艘	正常排水量/t		艇长×型宽/m	航速/kn		潜深/m	主动力
					水上	水下		水上	水下		
第二代	6	大比目鱼	1	0	3 850	5 000	106.6×9.0	>15	>20		1 座 S3W 型压水堆，2 台齿轮蒸汽轮机，双轴，7 000马力
	7	白鱼	1	0	2 317	2 640	83.2×7.1	>15	>20		1 座 S2G 型压水堆，透平电机，单轴，2 500～4 500马力
第三代	8	长尾鲨	14	0	3 750	4 300	84.9×9.6	15	30		轴功率为 15 000 马力，其他同"鲣鱼"级
第四代	9	鲟鱼	37	0	4 250	4 780（改装后4 960）	89（改装后92.1）×9.7	15	30	400	1 座 S5W 型压水堆，2 台蒸汽轮机，15 000马力，单轴
	10	一角鲸鱼	1	0	5 284	5 830	95.9×11.5	20	25		1 座 S5G 型自然循环压水堆，2 台蒸汽轮机，17 000马力，单轴
第四代	11	科普斯科姆	1	0	5 813（标准）	6 480	111.3×9.7		>25		1 座 S5WA 型压水堆，直流电力推进，单轴
第五代	12	洛杉矶	62	50	6 082	6 927	110.3×10.1		32	450	1 座 S6G 型自然循环压水堆，2 台蒸汽轮机，35 000马力，单轴，一台辅助推进电机，325 马力(242 千瓦)
第六代	13	海狼	3	3	8 060	9 142	107.6×12.9		39	594	1 座 S6W 型压水堆，2 台蒸汽轮机，45 000 马力，单轴，泵喷射推进
第七代	14	弗吉尼亚	1	1		7 800	114.9×10.4		34	488	1 座 S9G 型自然循环压水堆，2 台蒸汽轮机，40 000 马力，单轴，泵喷射推进

注:此表把就有的"大比目鱼"号巡航导弹核潜艇归入攻击型核潜艇，不再单独列表。

表 A.5　俄罗斯弹道导弹核潜艇性能简表

发展代数		级别名	型号名		总数/艘	在役/艘	正常排水量/t		艇长×型宽/m	航速/kn		潜深/m	主动力
							水上	水下		水上	水下		
第一代	1	H（旅馆）	1	H1	1	0	3 500	4 000	105×10	20	25	240	2座压水堆，2台蒸汽轮机，双轴，30 000马力
			2	H2	6	0	3 700	4 100	105×10	20	25	240	同H1型
			3	H3	1	0		6 350	130×9.2		25		2座压水堆，2台蒸汽轮机，双轴，30 000马力
第二代	2	Y（扬基）	4	Y	34	0	8 500	10 300	141×11.6	16	26	320	2座压水堆，2台蒸汽轮机，双轴，30 000马力
第三代	2	D（德尔塔）	5	D1	18	1	8 700	10 200	140×12	19	25	300	2座压水堆（155 MW），2台蒸汽轮机，双轴，37 400马力
			6	D2	4	0	9 700	11 750	155×12	19	24		2座压水堆（155 MW），2台蒸汽轮机，双轴，37 400马力
			7	D3	14	6	10 550	13 250	160×12	14	24	300	2座压水堆（180 MW），2台蒸汽轮机，双轴，37 400马力
			8	D4	7	7	10 800	13 500	166×12	14	24	300	2座压水堆（180 MW），2台蒸汽轮机，双轴，37 400马力
第四代	4	T（台风）	9	T	6	2	18 500	26 500	171.5×24.6	12	25	300	2座压水堆，2台蒸汽轮机，双轴，81 600马力
第五代	5	北风	10	北风	0	0		17 000	170×13		26	450	2座压水堆，2台蒸汽轮机，单轴

表 A.6 俄罗斯攻击型核潜艇性能简表

发展代数	级别名		型号名	总数/艘	在役/艘	正常排水量/t		艇长×型宽/m	航速/kn		潜深/m	主动力
						水上	水下		水上	水下		
第一代	1	N	1　N	13	0	4 200	5 000	109.7×9.77		30	350	2座压水堆,2台蒸汽轮机,双轴,30 000马力
	2	645	2　645	1	0							一座液体金属冷却堆,双轴
第二代	3	V(维克托)	3　V1	16	0	4 300	5 300	94×10.5	26	32	400	2座压水堆(155 MW),1台蒸汽轮机,单轴,30 000马力
			4　V2	7	0	4 700	5 800	103×10.6		30	400	2座压水堆(155 MW),1台蒸汽轮机,单轴,30 000马力
			5　V3	26	6	4 850	6 300	107×10.6	10	30	400	2座压水堆(155 MW),2台蒸汽轮机,单轴,30 000马力。同轴双反转4叶桨
第三代	4	A(阿布法)	6　A	7	0	2 700	3 600	81.5×10.6	20	42	900	一座液体金属冷却堆,2台蒸汽轮机,80 000马力,单轴
	5	S(塞拉)	7　S1	2	0	7 200	8 100	107×12.5	10	34	750	1座压水堆(190 MW),1台蒸汽轮机,单轴,47 500马力
			8　S1	2	1	7 600	9 100	111×14.2	10	32	750	1座压水堆(190 MW),1台蒸汽轮机,单轴,47 500马力
第四代	6	M(麦克)	9　M	1	0		9 700	110×12		38	1 000	一座液体金属冷却堆,60 000马力,单轴
	7	AK(鲨鱼)	10　AK1	13	6		9 100	103×14	10	28	450	1座压水堆(190 MW),2台蒸汽轮机,单轴,47 600马力
			11　AK2	2	2	7 500	9 500	110×14	10	28	450	1座压水堆(190 MW),2台蒸汽轮机,单轴,47 600马力

表 A.6(续)

发展代数		级别名	型号名	总数/艘	在役/艘	正常排水量/t		艇长×型宽/m	航速/kn		潜深/m	主动力
						水上	水下		水上	水下		
第五代	8	亚森	12	亚森	0	0	5 900	8 600	111×12	17	31	550	1 座 195 MW 一体化压水堆,2 台蒸汽轮机,单轴,43 000马力
第六代	9	马驹	13	旋转木马	0	0	7 500	10 700	122×14	18	50	3 000	

表 A.7　俄罗斯巡航导弹核潜艇性能简表

发展代数		级别名		型号名	总数/艘	在役/艘	正常排水量/t		艇长×型宽/m	航速/kn		潜深/m	主动力
							水上	水下		水上	水下		
第一代	1	E（回声）	1	E1	5	0	4 600	5 200	115×9.2	20	28		2 座压水堆,2 台蒸汽轮机,双轴,30 000马力
			2	E2	29	0	4 800	5 800	119×9.2	20	24	300	同 E1 型
第二代	2	C（查理）	3	C1	12	0	4 000	5 000	94×9.9	17	24	300	1 座压水堆,1 台蒸汽轮机,单轴,15 000马力
			4	C2	6	0	4 400	5 500	102×9.9	17	24	400	同 C1 型
	3	P（神父）	5	P	1	0	5 500	7 000	109×11.6		44	400	2 座压水堆,2 台蒸汽轮机,双轴,60 000 马力
第三代	4	O(奥斯卡)	6	O1	2	0		12 500	143×18.3	19	24	300	2 座压水堆（380 MW）,2 台蒸汽轮机,双轴,90 000马力
			7	O2	11	6	13 900	18 300	154×18.2	15	28	300	2 座压水堆（380 MW）,2 台蒸汽轮机,双轴,98 000马力

表 A.8　英国弹道导弹核潜艇性能简表

发展代数	级别(型号)名	总数/艘	在役/艘	正常排水量/t		艇长×型宽/m	航速/kn		潜深/m	主动力
				水上	水下		水上	水下		
第一代	决心	4	0	7 500	8 400	129.5×10.1	20	25		1座压水堆,1台蒸汽轮机,单轴,15 000马力
第二代	前卫	4	4		15 900	149.9×12.8		25		1座压水堆,2台蒸汽轮机,27 000马力,单轴,泵喷射推进装置

附 A.9　英国攻击型核潜艇性能简表

发展代数	级别(型号)名		总数/艘	在役/艘	正常排水量/t		艇长×型宽/m	航速/kn		潜深/m	主动力
					水上	水下		水上	水下		
	1	无畏	1	0	3 500	4 000	81×9.8		30		1座美国S5W压水堆,1台蒸汽轮机,15 000马力,单轴
第一代	2	勇士	5	0	4 300（标准）	4 900	86.9×10.1		28		1座压水堆,1台蒸汽轮机,15 000马力,单轴
第二代	3	快速	6	5	4 400（标准）	4 900	82.9×9.8		30	300	1座压水堆,2台蒸汽轮机,15 000马力,单轴,泵喷射推进装置
第三代	4	特拉法尔加	7	7	4 740	5 208	85.4×9.8		32	300	1座压水堆,2台蒸汽轮机,15 000马力,单轴,泵喷射推进装置
第四代	5	机敏	0	0	6 500	7 800	97×11.27		29	300	1座压水堆,2台蒸汽轮机,单轴,泵喷射推进装置,1台辅助推进装置

表 A.10　法国弹道导弹核潜艇性能简表

发展代数	级别（型号）名	总数/艘	在役/艘	正常排水量/t		艇长×型宽/m	航速/kn		潜深/m	主动力
				水上	水下		水上	水下		
第一代	可畏	5	1	8 045	8 940	128.7×10.6	20	25	250	1 座半一体化压水堆,2 台汽轮交流发电机,1 台发动机,单轴,16 000 马力
第二代	不屈	1	1	8 080	8 920	128.7×10.6	20	25	250	1 座半一体化压水堆,2 台汽轮交流发电机,1 台发动机,单轴,16 000 马力
第三代	凯旋	3	3	12 640	14 120	138×12.5	20	25	500	1 座一体化压水堆,自然循环能力达49%,2 台汽轮交流发电机,1 台发动机,41 500 马力;泵喷射式推进

表 A.11　法国攻击型核潜艇性能简表

发展代数	级别（型号）名	总数/艘	在役/艘	正常排水量/t		艇长×型宽/m	航速/kn		潜深/m	主动力
				水上	水下		水上	水下		
第一代	红宝石	6	6	2 410	2 670	73.6×7.6		25	300	1 座 CAP 型一体化自然循环压水堆（48 MW）,2 台汽轮交流发电机,1 台发动机,单轴,9 500 马力
第二代	梭鱼	0	0		3 500~4 500	长 85		25	350	1 座 K15 型一体化压水堆,高速时使用泵喷射式推进,巡航时使用电力推进

附录 B 单位换算表

表 B.1 力的单位换算

N	kgf	dyne	1bf
1	0.102	10^5	0.224 8
9.81	1	9.81×10^5	2.204 6
10^{-5}	1.02×10^{-6}	1	2.248×10^{-6}
4.448	0.453 6	4.448×10^5	1

表 B.2 压力的单位换算

Pa(N/m^2)	kgf/cm^2	PSI($1bf/in^2$)	bar	atm
1	0.101 97	0.145×10^{-3}	10^{-5}	
98.07×10^{-3}	1	14.223	0.980 7	0.967 8
6 894.76	0.070 3	1	0.068 95	0.068
10^5	1.019 7	14.504	1	0.987
	1.033	14.696	1.0133	1

表 B.3 功、能量和热量的单位换算

J	kgf · m	kW · h	kcal	Btu
1	0.102 04	2.778×10^{-7}	$2.389 8 \times 10^{-4}$	9.48×10^{-4}
9.81	1	2.722×10^{-6}	2.341×10^{-3}	9.29×10^{-3}
3.6×10^6	3.673×10^6	1	859.9	3 421
4 186	427.2	1.163×10^{-3}	1	3.968
1 056	107.6	2.93×10^{-4}	0.252	1

表 B.4 功率的单位换算

W	PS	kgf · m/s	kcal/s	Btu/s
1	0.0013 6	0.102	2.38×10^{-4}	9.47×10^{-4}
736	1	75	0.175	0.696
9.81	0.013 3	1	0.002 34	0.009 3
4 187	5.7	427	1	3.968
1 055	1.434	107.6	0.252	1

表 B.5　单位符号与换算

量的名称	单位	SI 单位符号		非法定单位符号		单位换算
		英文	中文	英文	中文	
体积	升	L	升		升	$1\ L = 1\ dm^3 = 10^{-3}\ m^3$
长度	海里	n mile				$1\ n\ mile = 1\ 852\ m$
速度	节	kn			节	$1\ kn = 1\ n\ mile/h$
质量	吨	t				$1\ t = 10^3\ kg$
放射性活度	贝可勒尔	Bq	贝可	Ci	居里	$1\ Bq = 2.73 \times 10^{-11}\ Ci$ $1\ Ci = 3.7 \times 10^{10}\ Bq$
照射量	库伦/千克	C/kg	库/千克	R	伦琴	$1\ C/kg = 3.867 \times 10^3\ R$ $1\ R = 2.58 \times 10^{-4}\ C/kg$
吸收剂量	戈(瑞)	Gy	戈	Rad	拉德	$1\ Gy = 100\ Rad$ $1\ Rad = 10^{-2}\ Gy$
剂量当量	希(沃特)	Sv	希沃	Rem	雷姆	$1\ Sv = 100\ Rem$ $1\ Rem = 10^{-2}\ Sv$

表 B.6　按温度排列的饱和蒸汽表

$T/℃$	$Poh/(kg/cm^2)$	$v'/(m^3/kg)$	$v''/(m^3/kg)$	$\gamma/(kg/m^3)$
0	0.006 228	0.001 000 2	206.3	0.004 847
10	0.012 513	0.001 000 4	106.42	0.009 398
20	0.023 83	0.001 001 8	57.84	0.017 29
30	0.043 25	0.001 004 4	32.93	0.030 36
40	0.075 2	0.001 007 9	19.55	0.511 5
50	0.125 78	0.001 012 1	12.05	0.083 02
60	0.203 1	0.001 017 1	7.678	0.130 2
70	0.317 7	0.001 022 8	5.045	0.198 2
80	0.482 9	0.001 029	3.409	0.293 3
90	0.714 9	0.001 035 9	2.361	0.426 5
100	1.033 2	0.001 043 5	1.673	0.597 7

表 B. 6(续)

$T/℃$	Poh/(kg/cm^2)	$v'/(m^3/kg)$	$v''/(m^3/kg)$	$\gamma/(kg/m^3)$
110	1. 346 09	0. 001 051 5	1. 21	0. 826 3
120	2. 024 5	0. 001 060 3	0. 891 7	1. 122
130	2. 754 4	0. 001 069 7	0. 668 3	1. 496
140	3. 685	0. 001 079 8	0. 508 7	1. 966
150	4. 854	0. 001 090 6	0. 392 6	2. 547
160	6. 302	0. 001 102 1	0. 306 8	3. 259
170	8. 076	0. 001 114 4	0. 242 6	4. 122
180	10. 225	0. 001 127 5	0. 193 9	5. 157
190	12. 8	0. 001 141 5	0. 156 4	6. 395
200	15. 857	0. 001 156 5	0. 127 2	7. 863
210	19. 456	0. 001 172 6	0. 104 4	9. 578
220	23. 659	0. 001 19	0. 086 06	11. 62
230	28. 531	0. 001 208 7	0. 071 47	13. 99
240	34. 14	0. 001 229 1	0. 059 67	16. 76
250	40. 56	0. 001 251 2	0. 050 05	19. 98
260	47. 87	0. 001 275 5	0. 042 15	23. 72
270	56. 14	0. 001 302 3	0. 035 6	28. 09
280	65. 46	0. 001 332 1	0. 030 13	33. 19
290	75. 92	0. 001 365 5	0. 025 53	39. 17
300	87. 61	0. 101 403 6	0. 021 64	46. 2
310	100. 64	0. 001 447	0. 018 31	54. 61
320	115. 13	0. 001 499	0. 154 5	64. 74
330	131. 18	0. 001 562	0. 012 97	77. 09
340	148. 96	0. 001 639	0. 010 78	92. 77
350	168. 63	0. 001 741	0. 008 05	113. 6
360	190. 42	0. 001 894	0. 006 943	114. 1
370	214. 68	0. 002 22	0. 004 93	202. 4
374	225. 22	0. 002 8	0. 003 61	277

表 B.7 按压力排列的饱和蒸汽表

$p/(\text{kgf/cm}^2)$	$t_p/℃$	$v'/(\text{m}^3/\text{kg})$	$v''/(\text{m}^3/\text{kg})$	$\gamma/(\text{kg/m}^3)$
0.010	0.096	0.001 000 1	131.7	0.007 503
0.015	12.737	0.001 000 7	89.64	0.011 1
0.200	17.204	0.001 001 3	68.26	0.014 65
0.025	20.776	0.001 002	55.28	0.018 09
0.03	23.772	0.001 002 7	40.52	0.021 49
0.035	26.359	0.001 003 4	40.22	0.024 8
0.04	28.641	0.001 004 1	35.64	0.028 2
0.05	32.55	0.001 005 3	28.73	0.034 81
0.06	35.82	0.001 006 4	24.18	0.041 35
0.07	38.66	0.001 007 4	20.92	0.047 8
0.08	41.16	0.001 008 4	18.45	0.054 21
0.09	43.41	0.001 009 3	16.51	0.060 58
0.1	45.45	0.001 010 1	14.95	0.066 91
0.12	49.06	0.001 011 6	12.59	0.079 46
0.14	52.18	0.001 013	10.88	0.091 88
0.16	54.94	0.001 014 4	9.604	0.104 1
0.18	57.41	0.001 015 7	8.6	0.116 3
0.2	59.67	0.001 016 9	7.78	0.128 4
0.25	64.5	0.001 019 6	0.317	0.158 3
0.3	68.68	0.001 022 1	5.324	0.178 7
0.4	75.42	0.001 026 1	4.066	0.245 9
0.5	80.86	0.001 029 6	3.299	0.303 1
0.6	85.45	0.001 032 7	2.781	0.359 5
0.7	89.45	0.001 035 5	2.409	0.415 2
0.8	92.99	0.001 038 1	2.126	0.470 4
0.9	96.18	0.001 040 5	1.904	0.525 2
1	99.09	0.001 042 8	1.725	0.579 7
1.2	104.25	0.001 046 8	1.455	0.687 6
1.4	108.74	0.001 050 5	1.259	0.794 4
1.6	112.73	0.001 053 8	1.111	0.900 1

附 **B.7**（续）

$p/(kgf/cm^2)$	$t_p/℃$	$v'/(m^3/kg)$	$v''/(m^3/kg)$	$\gamma/(kg/m^3)$
1.8	116.33	0.001 057	0.995 7	1.004
2	119.62	0.001 06	0.901 9	1.109
2.2	122.65	0.001 062 7	0.824 9	1.212
2.4	125.46	0.001 065 3	0.760 4	1.315
2.6	128.08	0.001 067 8	0.705 5	1.417
2.8	130.55	0.001 702	0.658	1.52
3	132.88	0.001 072 6	0.616	1.621
3.5	138.19	0.001 073	0.533 8	1.873
4	142.92	0.001 082 9	0.470 8	2.124
4.5	147.2	0.001 087 5	0.421 5	2.372
5	151.11	0.001 091 8	0.381 8	2.619
6	158.08	0.001 100 0	0.321 4	3.111
7	164.17	0.001 107 1	0.277 8	3.6
8	169.61	0.001 114	0.244 8	4.085
9	174.53	0.001 120 2	0.219	4.567
10	179.04	0.001 126 2	0.198	5.05
11	183.2	0.001 131 8	0.180 8	5.531
12	187.08	0.001 137 2	0.166 3	6.013
13	190.71	0.001 142 5	0.154	6.049 4
14	194.13	0.001 147 5	0.143 4	6.097 4
15	197.36	0.001 152 4	0.134 2	7.452
16	200.43	0.001 157 2	0.126 1	7.931
17	203.35	0.001 161 8	0.118 9	8.41
18	206.14	0.001 166 2	0.112 5	8.889
19	208.81	0.001 170 7	0.106 8	9.366
20	211.38	0.001 175 1	0.101 6	9.843
22	216.23	0.001 183 4	0.092 44	10.82
24	220.75	0.001 191 4	0.084 86	11.78
26	224.99	0.001 199 2	0.078 38	12.96
28	228.98	0.001 206 7	0.072 82	13.73

表 B. 7(续)

$p/(kgf/cm^2)$	$t_p/℃$	$v'/(m^3/kg)$	$v''/(m^3/kg)$	$\gamma/(kg/m^3)$
30	232. 76	0. 001 214 2	0. 067 98	14. 71
35	241. 42	0. 001 232	0. 058 19	17. 18
40	249. 18	0. 001 249 3	0. 050 78	19. 69
50	262. 7	0. 001 282 6	0. 040 26	24. 84
60	274. 29	0. 001 314 7	0. 033 12	30. 19
70	284. 48	0. 001 346 6	0. 027 98	35. 74
80	293. 62	0. 001 378 7	0. 024 05	41. 58
90	301. 92	0. 001 411 5	0. 020 97	47. 69
100	309. 53	0. 001 445 3	0. 018 46	54. 17
110	316. 58	0. 001 461	0. 016 38	61. 03
120	323. 15	0. 001 518	0. 014 62	68. 4
130	329. 3	0. 001 558	0. 013 14	76. 13
140	335. 09	0. 001 6	0. 011 82	84. 6
160	245. 74	0. 001 693	0. 009 626	103. 9
180	355. 35	0. 001 812	0. 007 894	128. 1
200	364. 08	0. 001 99	0. 006 18	161. 9
220	372. 1	0. 002 39	0. 004 36	228
224	373. 6	0. 002 65	0. 003 84	260

参 考 文 献

[1] 王兆祥,刘国健,储嘉康. 船舶核动力装置原理与设计[M]. 北京:国防工业出版社,1980.

[2] 张大发. 船用核反应堆运行与管理[M]. 北京:原子能出版社,1997.

[3] 薛汉俊. 核能动力装置[M]. 北京:原子能出版社,1990.

[4] 徐铭远. 舰船[M]. 北京:解放军出版社,2002.

[5] 黄彩虹. 核潜艇[M]. 北京:人民出版社,1996.

[6] 张力. 概率安全评价中人因可靠性分析技术[M]. 北京:原子能出版社,2006.

[7] 濮继龙. 大亚湾核电站运行教程[M]. 北京:原子能出版社,1999.

[8] 朱继洲. 核反应堆安全分析[M]. 北京:原子能出版社,2004.

[9] 夏银山. 国外核潜艇安全运行经验[R]. 中国船舶工业总公司七院,1990,12.

[10] 梁成浩. 现代腐蚀与防护技术[M]. 上海:华东理工大学出版社,2006.

[11] 郑福裕. 压水堆核电厂的运行[M]. 北京:原子能出版社,1999.

[12] 张志华. 船舶动力装置概论[M]. 哈尔滨:哈尔滨工程大学出版社 2002.

[13] 阎昌琪. 核反应堆工程[M]. 哈尔滨:哈尔滨工程大学出版社,2004.

[14] 朱继洲. 核反应堆安全分析[M]. 西安:西安交通大学出版社,2000.

[15] 濮继龙. 压水堆核电厂安全与事故对策[M]. 北京:原子能出版社,1995.

[16] 杨连新. 走进核潜艇[M]. 北京:海军出版社,2007.

[17] 日本株式会社. 原子力第一船"ずっ"[M]. 石川岛磨播重工业株式会社,1970.

[18] 国家核安全局. 中华人民共和国核安全法规汇编[G]. 北京:中国法制出版社,1992.

[19] 苏圣兵. 核电站安全管理[M]. 北京:原子能出版社,1998.

[20] 乌拉谢维奇 B K. 首艇历程[M]. 莫斯科:俄罗斯能源部出版社,2000.

[21] Geoffvey F Hewwitt, John G Collier. Introduction to Nuclear Power [M]. Copyright Taylor & France, 2000.

[22] 庞凤阁,彭敏俊. 舰船核动力装置[M]. 哈尔滨:哈尔滨工程大学出版社,2000.

[23] 谢仲生,张少泓. 核反应堆物理理论及计算方法[M]. 西安:西安交通大学出版社,2000.

[24] Lillington J N. Light Water Reactor, The development of advanced models and codes for light water reactor safety analysis [M]. AMSTERDAN:Elsevier, 1995.

[25] 施仲齐. 核事故应急响应教程[M]. 北京:原子能出版社,1993.

［26］ 拉基米罗夫 В П. 反应堆运行中的实际问题［M］. 北京：原子能出版社，1981.

［27］ 村主进. 原子力安全工学［M］. 东京：日刊工业新闻社，1975.

［28］ 杨启明. 压力容器与管道安全评价［M］. 北京：机械工业出版社，2008.

［29］ 列维奇. 核动力装置用阀门［M］. 北京：原子能出版社，1988.

［30］ 朱继洲. 压水堆核电厂运行［M］. 北京：原子能出版社，2000.

［31］ 王皎. 核电工业质量保证［M］，北京：原子能出版社，1991.

［32］ 石森富太郎. 原子炉监测与控制［M］. 东京：原子力研究所，1978.

［33］ 阎凤文. 设备故障与人误数据分析［M］. 北京：原子能出版社，1988.

［34］ 陈君尧. 国外潜艇核动力装置的由来与展望［J］. 核动力工程，1993，14（3）：56.

［35］ 夏银山，陶春波. 国外潜艇核反应堆发展技术分析［J］. 现代舰船，1992

［36］ 赵兆颐. 反应堆热工流体力学［M］. 北京：清华大学出版社，2002.

［37］ 张法邦. 反应堆运行物理［M］. 北京：原子能出版社，2000.

［38］ 马昌文. 先进核动力反应堆［M］. 北京：原子能出版社，2001.

［39］ 连培生. 原子能工业［M］. 北京：原子能出版社，2002.

［40］ 汤烺孙. 压水反应堆热工分析［M］. 北京：原子能出版社，1983.

［41］ 大亚湾核电运营管理有限公司. 安全文化［M］. 北京：原子能出版社，2005.